Gallmeister

JEAN HEGLAND est née en 1956 dans l'État de Washington. Après avoir accumulé les petits boulots, elle devient professeur en Caroline du Nord. À vingt-cinq ans, elle se plonge dans l'écriture, influencée par ses auteurs favoris, William Shakespeare, Alice Munro et Marilynne Robinson. Son premier roman, *Dans la forêt*, paraît en 1996 et rencontre un succès éblouissant. Elle vit aujourd'hui au cœur des forêts de Californie du Nord et partage son temps entre l'apiculture et l'écriture. *Dans la forêt* a été porté à l'écran en 2015.

Dans la forêt

Un roman magnifiquement écrit, et souvent profondément émouvant.

SAN FRANCISCO CHRONICLE

La puissance de ce roman tient à cet art de faire surgir la beauté scintillante des héroïnes, au plus noir de leur destin.

TÉLÉRAMA

Un roman électrique, déstabilisant.

LE MATRICULE DES ANGES

C'est d'abord exaltant, ensuite troublant.

LE FIGARO LITTÉRAIRE

Un chant d'amour porté par deux héroïnes sensuelles.

LIRE

Un premier roman qui tient en haleine.

LIBÉRATION

Un suspense obsédant.

L'OBS

Jean Hegland

DANS LA FORÊT

Roman

Traduit de l'américain
par Josette Chicheportiche

Gallmeister

TOTEM n°106

Titre original : *Into the Forest*

ISBN 978-2-35178-644-4
ISSN 2105-4681

Illustration de couverture © Sam Ward
Conception graphique de la couverture : Valérie Renaud

Pour Douglas Fisher et Garth Leonard Fisher
À la mémoire de Leonard Hegland

C'EST étrange, d'écrire ces premiers mots, comme si je me penchais par-dessus le silence moisi d'un puits, et que je voyais mon visage apparaître à la surface de l'eau – tout petit et se présentant sous un angle si inhabituel que je suis surprise de constater qu'il s'agit de mon reflet. Après tout ce temps, un stylo a quelque chose de raide et d'encombrant dans ma main. Et je dois avouer que ce cahier, avec ces pages blanches pareilles à une immense étendue vierge, m'apparaît presque plus comme une menace que comme un cadeau – car que pourrais-je y relater dont le souvenir ne sera pas douloureux ?

Tu pourrais écrire sur maintenant, a dit Eva, sur l'époque actuelle. J'étais tellement persuadée ce matin que le cahier me servirait à étudier que j'ai dû faire un effort pour ne pas me moquer de sa suggestion. Mais je me rends compte à présent qu'elle a peut-être raison. Tous les sujets auxquels je pense – de l'économie à la météorologie, de l'anatomie à la géographie et à l'histoire – semblent tourner en rond et me ramener inévitablement à maintenant, à ici et aujourd'hui.

Aujourd'hui, c'est Noël. Je ne peux pas l'éviter. Nous avons barré les jours sur le calendrier bien trop consciencieusement pour confondre les dates, même si nous aurions aimé nous tromper. Aujourd'hui, c'est le jour de Noël, et le jour de Noël est une nouvelle journée à passer, une nouvelle journée à endurer afin qu'un jour, bientôt, cette époque soit derrière nous.

À Noël prochain, tout ceci sera terminé, et ma sœur et moi aurons retrouvé les vies que nous sommes censées vivre. L'électricité sera rétablie, les téléphones fonctionneront. Des avions survoleront à nouveau notre clairière. En ville, il y aura à manger dans les magasins et de l'essence dans les stations-service. Bien avant Noël prochain, nous nous serons permis tout ce qui nous manque maintenant et dont nous avons terriblement envie – du savon et du shampoing, du papier toilette et du lait, des fruits et de la viande. Mon ordinateur marchera, le lecteur CD d'Eva tournera. Nous écouterons la radio, lirons le journal, consulterons Internet. Les banques et les écoles et les bibliothèques auront rouvert, et Eva et moi aurons quitté cette maison où nous vivons en ce moment comme des orphelines qui ont fait naufrage. Ma sœur dansera avec le corps de ballet de San Francisco, j'aurai fini mon premier semestre à Harvard, et ce jour humide et sombre que le calendrier persiste à appeler Noël sera passé depuis très, très longtemps.

— JOYEUX Noël semi-païen, légèrement littéraire et très commercial, annonçait toujours notre père le matin de Noël quand, bien avant l'aube hivernale, Eva et moi faisions équipe dans le couloir devant la chambre de nos parents.

Tellement excitées que nous ne tenions pas en place nous les suppliions de se lever, de descendre, de se dépêcher, tandis qu'ils bâillaient, s'obstinaient à enfiler leurs peignoirs, à se laver la figure et à se brosser les dents, même – quand notre père était particulièrement agaçant – à faire du café.

Après la pagaille et les éclats de rire entourant l'ouverture des cadeaux, venaient le déjeuner que nous trouvions tout naturel, les coups de fil de lointains parents, le *Messie* de Haendel qui sortait triomphalement du lecteur de CD. À un moment dans l'après-midi, nous allions nous promener tous les quatre sur le chemin de terre qui aboutit à notre clairière. L'air frais et vivifiant et la forêt verte nettoyaient nos sens et nos palais, et lorsque nous arrivions au pont et étions prêts à faire demi-tour, notre père déclarait immanquablement :

— Voilà le vrai cadeau de Noël, nom de Dieu – la paix, le silence et l'air pur. Pas de voisins à moins de six kilomètres, et pas de ville à moins de cinquante. Bénis soient Bouddha, Shiva, Jehova et le service des Forêts de Californie, nous vivons tout au bout de la route !

Plus tard, une fois la nuit tombée, quand dans la maison plongée dans l'obscurité ne brillaient plus que les boules du sapin, Mère allumait les bougies de la pyramide de Noël et nous nous tenions pendant un moment en silence devant le carrousel pour regarder les bergers, les Rois Mages et les anges tourner autour de la sainte famille.

— Ouais, disait notre père avant que nous nous dispersions pour grignoter la carcasse de la dinde et couper des tranches du pudding froid, c'est ça l'histoire. Ça pourrait être mieux, ça pourrait être pire. Mais au moins, il y a un bébé au centre.

CE Noël-ci, il n'y a rien de tout cela.

Pas de guirlandes, pas de cartes de vœux. Pas de piles de cadeaux, pas d'appels longue distance de grands-tantes et de cousins issus de germains, pas de chants de Noël. Pas de dinde, ni de pudding, ni de balade jusqu'au pont avec nos parents, ni de *Messie*. Cette année, Noël n'est rien de plus qu'un carré blanc sur un calendrier presque arrivé à la fin, une tasse de thé en plus, quelques instants d'éclairage à la bougie, et, pour chacune de nous, un unique cadeau.

À quoi bon tout ça ?

Il y a trois ans – alors que j'avais quatorze ans et Eva quinze –, j'avais posé la même question par un soir de pluie, une semaine avant Noël. Père ronchonnait à cause du nombre de cartes qu'il lui restait à écrire, et Mère s'était retirée dans son atelier avec sa machine à coudre ronflante, et elle en émergeait régulièrement pour sortir une nouvelle fournée de cookies et me rappeler de laver les saladiers.

— Nell, j'ai besoin que ces récipients soient propres pour lancer le pudding avant d'aller me coucher, dit-elle en refermant la porte du four sur la dernière plaque de cookies.

— OK, marmonnai-je, et je tournai la page du livre dans lequel j'étais plongée.

— Ce soir, Nell, insista-t-elle.

Je levai les yeux de mon livre avec agacement et demandai :

— Pourquoi on fait ça ?

— Parce qu'ils sont sales, répondit ma mère en s'arrêtant au passage pour me donner un biscuit au gingembre tout chaud avant de retourner, altière, aux mystères de sa couture.

— Je ne parlais pas des plats, dis-je d'une voix bougonne.

— De quoi alors, Pumpkin ? demanda mon père tandis qu'il léchait une enveloppe et barrait énergiquement un nouveau nom de sa liste.

— Noël. Toute cette agitation et ce bazar. On n'est même pas vraiment chrétiens.

— Un peu qu'on ne l'est pas, rétorqua mon père. (Il posa son stylo et se leva d'un bond de la table près de la fenêtre, déjà entraîné par l'énergie de son propre discours.) Nous ne sommes pas chrétiens, nous sommes capitalistes. Tout le monde dans ce pays de branleurs est capitaliste, que les gens le veuillent ou non. Tout le monde dans ce pays fait partie des consommateurs les plus voraces qui soient, avec un taux d'utilisation des ressources vingt fois supérieur à celui de n'importe qui d'autre sur cette pauvre terre. Et Noël est notre occasion en or d'augmenter la cadence.

Quand il remarqua que je reprenais mon livre, il ajouta :

— Pourquoi fête-t-on Noël ? Ça me dépasse. Tu sais quoi, arrêtons. Jetons l'éponge. J'irai rapporter les cadeaux en ville demain. Nous donnerons les cookies aux poules et écrirons à tous nos amis et parents en leur expliquant que nous renonçons à Noël pour le carême. En même temps, c'est une honte de gâcher mes vacances, continua-t-il d'un air faussement triste.

Il fit claquer ses doigts et se baissa vivement comme si une idée venait juste de le frapper à l'arrière de la tête.

— Je sais ! Nous remplacerons les poutres sous la buanderie. Laisse tomber la vaisselle, Nell, et trouve-moi le cric.

Je le fusillai du regard, le détestant l'espace d'une demi-seconde pour la facilité avec laquelle il avait contré mes piques et ma mauvaise humeur. Vexée, je fonçai dans la cuisine, ramassai une poignée de cookies et montai m'enfermer dans ma chambre avec mon livre.

Plus tard, je l'entendis laver les plats que j'avais méprisés tout en chantant à tue-tête :

We three kings of oil and tar,
tried to smoke a rubber cigar.
It was loaded, and it exploded,
*Higher than yonder star.**

L'année suivante, même moi, je n'aurais pas osé contester Noël. Mère était malade, et nous nous raccrochions à tout ce qui était lumineux et sucré et chaud, comme si nous pensions qu'en ignorant les ombres elles s'évanouiraient dans la brillance de l'espoir. Mais au printemps suivant, le cancer l'avait quand même emportée, et à Noël dernier, ma sœur et moi avions fait de notre mieux pour cuire et emballer et chanter dans le fol espoir de convaincre notre père – et nous-mêmes – que nous pouvions être heureux sans elle.

Je pensais que nous étions déprimées à Noël dernier. Je pensais que nous étions déprimées parce que notre mère était morte et que notre père était devenu distant et silencieux. Mais il y avait des lumières sur le sapin et une dinde dans le four. Eva était Clara dans le *Casse-Noisette* que donnait la compagnie de ballet de Redwood, et je venais de recevoir les résultats de mes Scholastic Aptitude Tests, qui étaient suffisamment bons – si je réussissais les College Board Achievement Tests – pour justifier la lettre que je rédigeais à l'intention du comité d'admission de Harvard.

---

* Parodie d'un chant de Noël : "Nous les mages, les rois du pétrole et du goudron, avons voulu fumer un cigare en caoutchouc, il était chargé et il a explosé, plus haut que l'étoile là-haut." (Toutes les notes sont de la traductrice.)

Mais cette année, tout cela a disparu ou est à l'arrêt. Cette année, Eva et moi marquons le coup uniquement parce qu'il est moins douloureux d'admettre que c'est Noël aujourd'hui que de faire comme si ça ne l'était pas.

Ce n'est pas évident de trouver un cadeau pour quelqu'un quand il n'y a plus de magasin où l'acheter, quand on peut difficilement s'isoler pour le fabriquer, quand tout ce qu'on possède, chaque haricot et grain de riz, chaque cuillère et stylo et agrafe appartient également à la personne à qui on veut faire un cadeau.

J'ai offert à Eva une paire de ses propres chaussons à pointes. Il y a deux semaines, j'ai pris discrètement ceux qui étaient les moins abîmés dans le placard de son studio de danse et je les ai réparés du mieux possible en cachette pendant qu'elle s'entraînait. Avec les dernières gouttes du détachant de notre mère, j'ai nettoyé le satin en lambeaux. J'ai recousu les semelles en cuir avec du monofilament que j'ai déniché dans le matériel de pêche de notre père. J'ai trempé les coques qui étaient tout écrasées dans un mélange d'eau et de colle à bois et j'ai essayé au maximum de leur redonner forme, puis je les ai cachées derrière le poêle pour qu'elles sèchent, je les ai ensuite retrempées, refaçonnées et séchées à nouveau plusieurs fois de suite. Pour finir, j'ai reprisé le satin usé à l'extrémité des pointes de sorte qu'Eva puisse tirer quelques heures supplémentaires de ces chaussons en dansant d'abord sur l'enchevêtrement des points que j'avais cousus.

Elle est restée sans voix quand elle a ouvert la boîte et qu'elle les a vus.

— Je ne sais pas s'ils vont aller, ai-je dit. Ils sont probablement trop souples. Je ne savais pas très bien ce que je faisais.

Mais tandis que j'étais encore en train d'ergoter, elle s'est jetée à mon cou. Nous nous sommes étreintes pendant une longue seconde puis avons bondi toutes les deux en arrière. Ces jours-ci, nos corps portent nos chagrins comme s'ils étaient des bols remplis d'eau à ras bord. Nous devons être vigilantes tout le temps ; au moindre sursaut ou mouvement inattendu, l'eau se renverse et se renverse et se renverse.

Le cadeau qu'Eva m'a donné, c'est ce cahier.

— Ce n'est pas un ordinateur, a-t-elle dit alors que je le dégageais du papier cadeau tout froissé, récupéré d'un anniversaire lointain et pas encore sacrifié pour allumer le feu. Mais il n'a jamais été utilisé, aucune page.

— Un cahier vierge ! me suis-je émerveillée. Mais où l'astu donc trouvé ?

— Derrière ma commode. Il a dû tomber là il y a des années. J'ai pensé que tu pourrais t'en servir pour écrire sur maintenant. Pour nos petits-enfants, ou que sais-je.

Pour l'instant, des petits-enfants semblent moins probables que des extra-terrestres venus de Mars, et quand j'ai soulevé la couverture en carton taché et que j'ai feuilleté les pages qui sentaient légèrement le renfermé, toutes blanches à l'exception de l'échafaudage des lignes, je dois admettre que je pensais davantage à réviser pour les Achievement Tests qu'à tenir la chronique de cette époque. Et pourtant, c'est agréable d'écrire. Le bruit sec et rapide des touches de mon clavier d'ordinateur me manque, ainsi que la luminosité de l'écran, mais ce soir, ce stylo est comme le vin de la Plaza dans ma main, et déjà les lignes qui guident ces mots sur la page évoquent plus la chaîne du métier à tisser de notre mère et moins les barres de l'échafaudage que j'avais imaginé qu'elles étaient au départ. Déjà, je vois combien il y a de choses à raconter.

Ce que je voulais vraiment offrir à Eva, c'était de l'essence. Juste un peu – assez pour que le groupe électrogène fonctionne et qu'elle puisse mettre ne serait-ce qu'un seul CD, qu'elle puisse laisser la musique la pénétrer à nouveau jusque dans ses os ; juste un gallon ou deux pour qu'elle n'ait plus à danser qu'aux seuls battements impitoyables du métronome.

Mais il n'y a plus d'essence. À notre retour de la ville, la dernière fois que nous y sommes allées, l'implacable aiguille de la jauge d'essence était bien en dessous de zéro.

— On a parcouru les cinq derniers kilomètres grâce aux vapeurs d'essence, les filles, avait annoncé notre père. M'est avis qu'on ne va pas bouger pendant un moment. Mais ne vous inquiétez pas, on a plus de provisions qu'il n'en faut, et quand tout repartira, je prendrai le jerrycan et j'irai à la ville en stop.

Notre père est enterré à présent dans la forêt, le jerrycan vide rouille quelque part dans le désordre de son atelier et Eva devra danser aux sons faiblissants de sa mémoire pendant encore quelque temps.

LA voici qui arrive de son studio, son justaucorps en lambeaux, noir de sueur, ses côtes se soulevant encore tandis qu'elle se penche pour ouvrir la porte du poêle à bois. La lumière de ce feu enfermé s'échappe, dessine de nouvelles ombres dans la pièce qui s'assombrit, et je m'arrête d'écrire pour regarder ma sœur attiser le feu.

Je ne suis pas bonne pour faire du feu. Eva dit que mes feux s'étouffent et couvent et s'effondrent parce que je réfléchis tout le temps – mais jamais à ce que font mes mains. Elle dit que je suis trop impatiente. Pourtant, elle peut lancer une flambée deux fois plus vite que moi. Elle se comporte avec le feu comme s'il s'agissait d'un objet animé, choyant la flamme du charbon poussiéreux, l'attirant depuis les brindilles humides, et elle sait instinctivement quand couvrir les braises pour qu'elles durent jusqu'au matin. Maintenant que notre père est mort, c'est Eva qui s'occupe du feu.

Elle ajoute une bûche au charbon, puis s'assoit par terre devant le poêle pour délacer ses chaussons.

— Comment ça s'est passé ? dis-je.

— J'ai eu mal, répond-elle gaiement, tandis qu'elle examine à la lueur du feu ses pieds en sang.

Je sais maintenant qu'après notre horrible automne elle recommence enfin à danser, comme je recommence enfin à étudier.

— Ils sont comment ? dis-je en indiquant les chaussons recyclés.

Elle me regarde, sourit.

— Bien, dit-elle. J'aurais volontiers continué, mais il faisait si sombre dans le studio que je ne voyais plus rien. Et le cahier ?

— Bien aussi.

Elle lève les bras au-dessus de sa tête en troisième position et se redresse sans toucher le sol, aussi naturellement qu'une vague qui déferle.

— C'est l'heure d'allumer le carrousel ? demande-t-elle.

— Il fait nuit. Mais tu crois vraiment qu'on devrait l'allumer ? Je n'arrête pas de me dire qu'on aurait peut-être intérêt à garder les bougies pour une urgence.

Elle hausse légèrement les épaules.

— C'est Noël, non ?

Le carrousel, en pin sculpté et laqué, est une crèche ronde à trois étages, joyau de mes plus anciens et plus tenaces souvenirs de Noël. Il a été fabriqué en Chine, et tous les ans notre père se réjouissait de voir les bergers dans le costume sombre des paysans chinois, les anges aux cheveux noirs avec la même coupe au carré que les Chinoises et tout le monde, le petit Jésus compris, avec d'élégants yeux bridés.

"J'espère que de notre côté, on leur envoie des Bouddhas blonds", disait-il avec un plaisir ironique. Rien ne risque plus de briser le chauvinisme religieux qu'une économie de marché mondialisée.

Eva désigne la table où attend le carrousel.

— Prête ? demande-t-elle.

Je hoche la tête en m'efforçant de ne pas compter les minutes d'éclairage dont nous disposons avec ce qui reste de ces bougies, en m'efforçant de ne pas penser au moment où nous en aurons peut-être un besoin plus vital que ce soir.

Eva enfonce une brindille de petit bois dans le charbon, et quand elle s'enflamme, elle la sort du feu et la porte au carrousel. Avec l'extrémité de sa brindille, elle touche une par une les bouts de chandelle qui font le tour de l'étage du bas. Une par une, les mèches s'embrasent jusqu'à ce que six flammes ondulent dans l'air immobile.

J'en ai le souffle coupé. C'est la première fois que nous voyons autant de lumière le soir depuis que la lampe à pétrole a rendu l'âme en crachotant au printemps dernier. Cela change nos voix, donne à nos mots plus de rondeur et de douceur et de plénitude, avec une pointe de crainte révérencielle. Pures et sans fumée, les flammes oscillent et bondissent comme des danseurs autour de leurs mèches noires et raides, et tout dans la pièce paraît chaud et tendre. Mes yeux s'emplissent de larmes, et je continue de fixer ces langues brillantes, ces pétales de feu.

La cire fond, luit, et à mesure que la chaleur des flammes des bougies monte, les lames en bois au-dessus des anges captent le courant d'air chaud, et le carrousel entier se met en mouvement. Silencieusement, posément, les anges et les bergers et les moutons, les Rois Mages et leurs chameaux, chacun tourne autour d'une Marie, d'un Joseph et d'un enfant Jésus immobiles.

Nous regardons, muettes, tandis que tous nos Noëls resurgissent et nous sommes submergées par un sentiment si fort que l'accepter est horrible, le refuser impossible.

— Tu te souviens quand tu as demandé si Jésus était un garçon ou une fille ? dis-je à Eva.

C'est une vieille blague de famille, qu'on ressortait à tous les Noëls comme les décorations pour le sapin.

Elle sourit et joue le jeu.

— Maman avait dit que Jésus était un garçon, mais que c'était juste un accident. Elle avait dit, "Il aurait très bien pu être une fille."

— Et alors Papa lui a demandé si dans ce cas la Vierge Marie aurait pu être un garçon.

Nous hochons chacune la tête, nous sourions. Nous essayons chacune de nous attaquer à la difficile tâche de se remémorer le plaisir du passé sans lui accorder d'importance dans le présent.

L'une des bougies vacille. La flamme crachote, se dresse à la recherche d'oxygène puis s'affaisse sur elle-même. Le carrousel ralentit. Nous regardons en silence, fascinées par les ombres qui tournoient au plafond, par le frémissement des cinq dernières flammes, par la lente combustion et rotation des souvenirs.

— Je pense qu'elle se trompait, dit Eva quand la seconde flamme s'affaiblit et finit par s'éteindre.

— Quoi ?

— Jésus n'aurait pas pu être une fille.

— Pourquoi pas ?

— Les choses d'avant se seraient passées autrement.

— Comment ? je demande, impatiente de débattre d'une idée avec ma sœur.

Elle hausse les épaules, légèrement indifférente, légèrement agacée, toute son éloquence contenue dans ce geste et le mouvement de son corps.

Je renonce à analyser.

— Jesetta ? Jesusphina ? dis-je avec esprit.

Mais ma boutade ressemble tellement à une des plaisanteries de notre père qu'elle tombe à plat.

Une autre bougie meurt et le carrousel s'arrête. Dans la lumière déclinante des trois dernières flammes, les bergers s'agenouillent tranquillement parmi les moutons. Les rois mages tiennent avec raideur leurs présents dans leurs bras en bois, plus éloignés que jamais de leur but. Marie et Joseph sont debout, au garde-à-vous, de part et d'autre de l'enfant en bois. Les bougies faiblissent en jetant un dernier éclat. L'ultime mèche tombe. La flamme s'évanouit. Noël est terminé.

L'obscurité reprend possession de nous.

Une nouvelle journée de pluie. Hormis une sortie rapide ce matin pour aller chercher du bois et ouvrir le poulailler afin que Bathsheba, Lilith et Pinkie grattent le sol détrempé de la cour, nous n'avons pas mis le nez dehors. Dire que Noël, c'était hier. Sans ce cahier et le fait qu'Eva a disparu dans son studio dès l'aube, personne ne l'aurait su.

— Tu vas user de nouveau ces chaussons en un jour, lui ai-je dit quand elle est revenue à midi.

— Je sais.

Elle a écarté de sa poitrine son T-shirt trempé de sueur, a bu un autre grand verre de l'eau qui s'accumule, goutte à goutte, dans l'évier de la cuisine. Puis elle est retournée prestement dans son studio sans un mot.

Même maintenant, Eva peut user les choses jusqu'au bout. Moi, je veux tout garder, tout consommer à petites doses indéfiniment. Je peux faire durer douze raisins secs ou un vieux sucre d'orge d'un centimètre et demi une soirée entière, prolonger le plaisir comme si c'était une personne âgée qu'on promène dans sa chaise roulante sous le soleil hivernal. Mais Eva continue d'engloutir.

— Autant en profiter tant qu'on en a, dit-elle, et elle danse jusqu'à ce que ses chaussons soient en lambeaux, avale sa part de raisins en une bouchée, allume des bougies et les laisse se consumer, et ne s'inquiète jamais de ce qui est perdu.

— Pourquoi pas ? demande-t-elle avec un mouvement brusque de la tête, un petit coup adroit du poignet. Rien ne dure éternellement. Et puis, ce n'est pas comme si on ne verra plus jamais de raisins secs.

La semaine dernière, j'ai lu dans l'encyclopédie un article sur une tribu d'indigènes de Basse-Californie pour qui la viande était un mets si rare qu'ils attachaient une ficelle à un morceau de chair animale afin de pouvoir la mâcher, l'avaler puis la ressortir, et avoir le plaisir de la mâcher et de l'avaler à nouveau. J'étais gênée quand je l'ai lu, parce que je pensais à moi qui suis incapable de me séparer de quoi que ce soit, incapable d'affronter même la plus petite perte.

Eva n'est pas comme ça.

— Nous avons assez de vivres, se moque-t-elle quand elle me voit hésiter longuement devant une poignée de cacahuètes rances ou les dernières gouttes de la sauce soja. Nous ne mourrons pas de faim.

Elle a raison. Les étagères du garde-manger regorgent encore des provisions que nous avons achetées lors de notre dernière expédition en ville et des bocaux d'un litre de tomates, de betteraves, de haricots verts, de compotes de pomme, d'abricots, de pêches, de prunes et de poires que notre père a mis en conserve avec notre aide l'été dernier. Il nous reste encore du riz, de la farine de blé, de la farine de maïs, des haricots pinto et des lentilles. Il nous reste des macaronis, du thon et des soupes en boîte. Nous avons un peu de sucre, un peu de sel, une pincée de levure. Nous avons du lait en poudre et du fromage râpé. Nous avons encore un demi-pot de matière grasse végétale, une variété disparate d'épices et toutes sortes de produits comestibles en vrac – les boîtes de conserve sans étiquettes achetées chez Fastco, une boîte de Jell-O à l'orange qui doit bien avoir six ans, un pot d'olives farcies.

Nous avons plus qu'il n'en faut pour tenir. Mais malgré tout, je dois lutter contre mon envie de m'accrocher à tout ce que nous possédons encore, comme si gâcher une autre goutte ou un autre petit morceau risquait de nous envoyer à la dérive pour de bon. Quand je pense à la façon dont nous vivions, à la désinvolture avec laquelle nous usions les choses, je suis à la fois atterrée et pleine de nostalgie. Je me souviens d'avoir vidé des corbeilles à papier qui auraient tout d'un trésor aujourd'hui – des corbeilles remplies des cylindres en carton des rouleaux de papier toilette, de vieux kleenex, de crayons cassés, de trombones tordus, de feuilles de cahier froissées et de sacs en plastique vides.

Je me souviens de m'être débarrassée d'habits déchirés, tachés ou qui n'étaient plus à la mode. Je me souviens d'avoir jeté de la nourriture – d'avoir raclé des monceaux de nourriture de nos assiettes dans le bac à compost – simplement parce qu'elle était demeurée intacte sur l'une de nos assiettes pendant toute la durée d'un repas. Comme je regrette ces corbeilles à papier pleines à ras bord, ces reliefs de plat. Je rêve d'enfourner des sachets entiers de raisins secs, de brûler douze bougies à la fois. Je rêve de me laisser aller, d'oublier, de ne me préoccuper de rien. Je veux vivre avec abandon, avec la grâce insouciante du consommateur au lieu de m'accrocher comme une vieille paysanne qui se tracasse pour des miettes.

Dans l'encyclopédie l'autre jour j'ai lu : *AMNÉSIE, perte de la mémoire provoquée par une lésion cérébrale, un choc, la fatigue ou une maladie. Lorsque l'amnésie s'installe pendant une durée prolongée, l'amnésique commence parfois une nouvelle vie sans rapport aucun avec son état précédent. On parle alors de "fugue dissociative".*

J'ai relevé la tête de la page, j'ai regardé par la fenêtre les poules qui grattaient la cour vide et j'ai pensé, Voilà, c'est *notre* fugue dissociative – le temps perdu entre les deux moitiés de nos vraies vies.

L'hiver dernier, quand il y a eu les premières coupures d'électricité, elles étaient si exceptionnelles et si brèves que nous n'y avons pas vraiment prêté attention. "Ils doivent sans doute réparer les lignes", disions-nous, ou, "Un arbre est sûrement tombé à cause de la pluie. Ils vont bientôt remettre le courant." Et effectivement, les lumières ne tardaient pas à clignoter, le lave-linge à reprendre son ronron et ses trépidations dans la buanderie, l'aspirateur à repartir en vrombissant, et une seconde plus tard, nous considérions à nouveau l'électricité comme tout à fait normale.

Maintenant que j'y repense, je suis sûre que nous étions tous les trois en état de choc. Hébétés, toujours sous le coup de la mort de Mère, moins de neuf mois auparavant, nous n'avons peut-être pas pris conscience, quand il en était encore temps, qu'après des décennies d'avertissements et de prédictions les choses commençaient vraiment à manquer. Et puis, comme nous vivions loin de tout, nous étions habitués aux épisodiques coupures d'électricité et à attendre que le courant soit rétabli dans les zones plus peuplées avant de l'être chez nous. Peut-être que nous aurions dû nous douter plus tôt que ce qui se passait était différent. Mais même en ville, je pense que les changements se sont produits si lentement – ou s'inscrivaient tellement dans la trame familière des problèmes et des désagréments – que les gens ne les ont vraiment identifiés que plus tard, au printemps.

Pendant longtemps, le courant cessait quelques minutes par jour seulement, juste assez pour que ce soit agaçant, embêtant. Le micro-ondes s'arrêtait d'un seul coup, le linge retombait mouillé au fond du séchoir, le dîner refroidissait à moitié cuit dans le four. Si l'un de nous prenait une douche, l'eau coulait en un maigre filet alimenté par la gravité sans la pompe électrique pour lui donner de la pression. Si je travaillais sur l'ordinateur, l'écran s'éteignait et la tour poussait un râle avant de planter. Si Eva s'entraînait à la maison, le CD sur lequel elle dansait s'interrompait, et elle sortait en trébuchant de son studio comme si elle venait d'être réveillée par une gifle.

S'il faisait nuit et que notre père était rentré du travail, l'absence soudaine de lumière le tirait parfois du chagrin dans lequel il s'était perdu et il nous divertissait en inventant des jurons absurdes tout en tapant du pied et en s'agitant dans l'obscurité. “Que Dieu bute un beignet”, ou “Les cons font pousser des roses”, hurlait-il tandis qu'il se cognait aux coins des tables et renversait des objets du plan de travail en cherchant la lampe torche, les bougies, les allumettes. Au bout de dix ou quinze minutes, quand l'électricité revenait, Eva et moi étions presque déçues car nous savions que son énergie maniaque se dissiperait bien trop vite et qu'il retomberait dans le désespoir.

Pendant longtemps rares étaient les jours durant lesquels le courant n'était pas coupé au moins une fois. À la fin, rares étaient les jours où le courant revenait. À un moment, nous nous sommes rendu compte que nous avions perdu l'habitude de chercher à tâtons l'interrupteur en entrant dans une pièce. Nous avons arrêté de tendre le bras automatiquement pour tourner le thermostat du four quand nous voulions cuire quelque chose ou pour ouvrir la porte du frigo quand nous avions faim. Nous avons retiré les couvertures chauffantes de nos lits, rangé la cafetière électrique, roulé les tapis sur lesquels nous ne pouvions plus passer l'aspirateur. Notre père nous a appris à moucher, remplir et allumer les lampes à pétrole qu'il avait autrefois défendu à notre mère de jeter, et pendant quelque temps, c'est avec elles que nous nous éclairions quand la nuit tombait.

Tandis que l'hiver déclinait et que le printemps fleurissait, nous nous sommes habitués au manque de fiabilité de l'électricité et avons mis au point une méthode pour en profiter chaque fois qu'elle revenait. Nous laissions la lumière de la cuisine tout le temps allumée, et quand elle vacillait avant de se stabiliser, Eva se précipitait dans la buanderie pour lancer une machine puis filait dans son studio, mettait un CD et, ignorant l'échauffement à la barre, commençait à danser tandis que je tirais la chasse pour évacuer l'eau sale des toilettes et ouvrais les robinets pour remplir la baignoire et l'évier tant que la pompe électrique marchait. Ensuite je courais à mon ordinateur et travaillais d'arrache-pied avant que tout ne tombe de nouveau en panne.

Père avait acheté il y a longtemps un groupe électrogène pour alimenter la pompe à eau au cas où il y aurait un incendie et que nous soyons privés d'électricité, et parfois nous l'allumions afin qu'Eva puisse danser et moi tenter d'aller sur Internet et lire les nouvelles, ou du moins la propagande – violente ou rassurante selon les sites – qui s'autoproclamait comme telles. Mais même quand il arrivait que les lignes téléphoniques fonctionnent, il était pratiquement impossible de se connecter. En général, je supportais si mal de gâcher les moments où le courant marchait à attendre un accès Internet que je renonçais et me mettais à étudier avec acharnement pendant que le groupe électrogène s'essoufflait dehors. À la fin, comme le temps passait et que l'essence commençait à manquer, Père nous convainquit de ne l'utiliser qu'en cas d'urgence.

Au début, quand le courant sautait alors que nous préparions un repas, nous sortions le réchaud à gaz Coleman et terminions la cuisson sur ses brûleurs qui sifflaient jusqu'au jour où nous n'avons plus pris la peine de ranger le Coleman. Lorsque nous avons fini la dernière bonbonne de gaz et qu'à la quincaillerie on n'en vendait plus, nous avons trouvé comment cuire des pommes de terre sous le charbon du poêle dans le salon et appris à faire sauter des pancakes, à cuire des haricots à l'eau et du riz à la vapeur sur le dessus.

Nous avions consommé depuis longtemps ce qu'il y avait dans le congélateur. Et au bout d'un moment, nous avons dû renoncer au frigo, aussi. Notre père a creusé un trou dans le ruisseau, l'a tapissé de pierres et de sacs-poubelles en plastique noir, l'a recouvert avec un panneau de signalisation CÉDEZ-LE-PASSAGE qu'il avait récupéré autrefois à la déchetterie, et l'a fièrement appelé "réfrigérateur". Eva et moi nous plaignions de devoir tout envelopper pour que l'eau ne pénètre pas dans les aliments, d'avoir à descendre au ruisseau chaque fois que nous voulions du lait ou une laitue ou de la margarine, jusqu'à ce qu'il ne reste plus rien à conserver au froid.

Le téléphone s'est éteint de la même façon que l'électricité. Pendant un moment, après que le courant avait cessé d'être fiable, nous pouvions encore passer un coup de fil de temps en temps si nous étions suffisamment persévérants. Composer le numéro jusqu'à ce que les sept chiffres sifflent dans nos têtes prenait parfois toute la matinée, tout ça pour entendre la voix électronique de la compagnie de téléphone répondre poliment, "Nous sommes désolés. Toutes nos lignes sont occupées. Veuillez raccrocher et rappeler ultérieurement." Mais tôt ou tard, nous parvenions à obtenir la communication, nous pouvions encore signaler au répondeur de la compagnie d'électricité que le courant avait de nouveau sauté.

Un soir, début mai, Père est rentré à la maison avec un fusil de chasse, et quelque temps après est arrivé un jour où il n'est plus allé travailler du tout.

— J'ai comme l'impression que les vacances d'été commencent plus tôt cette année, avait-il annoncé la veille tandis qu'il faisait cuire des œufs sur le poêle pour notre dîner. À cause de cette fichue infection, il manque la moitié du personnel et il semble qu'on ne trouve pas d'antibiotique pour la soigner. Et maintenant, il y a des rumeurs de méningite. L'administration a l'air de penser que tout le monde fera des économies si l'école s'arrête un mois plus tôt.

Il avait soupiré et ajouté :

— En temps normal, je serais contre ça, mais cette année je suppose que je suis prêt à prendre des vacances. Et puis il faut que je remette des bardeaux au toit et que je remplace les poutres pourries sous la buanderie avant que tout reparte à l'automne prochain.

À ce moment-là, la poste marchait sporadiquement, et les magasins fermaient plus souvent. Pendant plusieurs mois, les fonctionnaires avaient été payés avec des billets à ordre jusqu'à ce que les banques refusent d'honorer les reconnaissances de dette du gouvernement. Puis les fonctionnaires n'avaient plus été payés du tout.

C'est incroyable la rapidité avec laquelle tout le monde s'est adapté à ces changements. J'imagine que c'est comme ça que les gens qui vivent par-delà la forêt s'étaient accoutumés à boire de l'eau en bouteille, à conduire sur des autoroutes bondées et à avoir affaire aux voix automatisées qui répondaient à tous leurs appels. À l'époque, eux aussi ont pesté et se sont plaints, et bientôt se sont habitués, oubliant presque qu'ils avaient un jour vécu autrement.

Peut-être est-ce vrai que les contemporains d'une époque charnière de l'Histoire sont les personnes les moins susceptibles de la comprendre. Je me demande si Abraham Lincoln lui-même aurait pu répondre à l'inévitable questionnaire sur les causes de la guerre de Sécession. Une fois que les quotidiens ont cessé de paraître tous les matins et que les informations à la radio sont devenues de plus en plus rares, les quelques nouvelles qu'on arrivait à avoir étaient si fragmentaires et si contradictoires qu'elles ne nous disaient pratiquement rien sur ce qui se passait vraiment.

Bien sûr, une guerre sévissait. Nous avions déménagé la radio de notre mère de son atelier à la cuisine, et avant que les piles meurent au printemps dernier, nous la cajolions pour qu'elle marmonne sa litanie de désastres pendant que nous préparions le dîner. Parfois les comptes rendus de la guerre faisaient taper du pied et jurer notre père, et parfois ils l'envoyaient dans sa chambre à l'étage bien avant que le repas fût prêt.

Les combats avaient lieu à l'autre bout du monde, avaient lieu, nous assuraient les politiciens, pour protéger nos libertés, pour défendre notre mode de vie. C'était une guerre qui se déroulait ailleurs, mais elle semblait s'accrocher à nos jours, pénétrer notre conscience comme une lointaine et désagréable fumée. Elle n'affectait pas directement ce que nous mangions, comment nous travaillions et jouions, pourtant nous ne pouvions pas nous en débarrasser – elle ne voulait pas s'en aller. Certaines personnes disaient que c'était cette guerre qui avait provoqué la crise.

Mais à mon avis, il y avait d'autres causes, aussi. En janvier, je ne sais plus exactement quand, nous avons appris qu'un groupe paramilitaire avait fait sauter le Golden Gate Bridge, et moins d'un mois après, que le marché des devises étrangères s'était effondré. En mars, un séisme a provoqué la fusion du cœur d'un des réacteurs nucléaires de Californie, et la crue du Mississippi a été d'une violence inimaginable. Pendant tout l'hiver dernier, les journaux – quand nous arrivions à les avoir – croulaient sous les nouvelles de désastres, et je me demande si ce n'est pas la convergence de toutes ces catastrophes qui nous a conduits à cette paralysie.

À cela s'ajoutaient tous les problèmes habituels. Le déficit du gouvernement avait fait boule de neige pendant plus d'un quart de siècle. Nous connaissions une crise du pétrole depuis au moins deux générations. Il y avait des trous dans la couche d'ozone, nos forêts disparaissaient, nos terres arables exigeaient de plus en plus d'engrais et de pesticides pour produire moins de nourriture – mais plus toxique. Il y avait un taux de chômage effroyable, un système d'aide sociale surchargé, et les gens dans les quartiers déshérités bouillaient de frustration, de rage, de désespoir. Des écoliers se tiraient dessus pendant la récréation. Des adolescents abattaient des automobilistes sur les autoroutes. Des adultes ouvraient le feu sur des étrangers dans les fast-foods.

Mais ces choses-là existaient depuis si longtemps qu'elles paraissaient presque normales, et à mesure que la situation s'assombrissait et devenait plus incertaine, les gens ont commencé à chercher d'autres explications à ce qui n'allait pas. Tout au long du printemps dernier, chaque fois que nous allions en ville tous les trois, nous entendions de nouvelles versions plus délirantes sur ce qui se passait dans le monde loin de Redwood, jusqu'à ce que finalement les petits bouts de ragots et de rumeurs éculées que nous glanions semblent aussi fiables que les inepties abracadabrantes qui nous faisaient rire, petites, quand on formait une ronde et qu'on murmurait un message à l'oreille de son voisin.

Nous avons appris que les États-Unis avaient un nouveau président, une femme qui essayait d'obtenir un prêt du Commonwealth pour nous sortir d'affaire. Nous avons appris que la Maison Blanche brûlait et que la Garde Nationale se battait contre les Services Secrets dans les rues de Washington, D.C. Nous avons appris qu'il n'y avait plus d'eau à Los Angeles, que des hordes tentaient de rejoindre le nord à pied par la Central Valley frappée par la sécheresse. Nous avons appris que le comté à l'est de Redwood avait encore l'électricité et que le tiers-monde se ralliait pour nous envoyer de l'aide. Et nous avons appris que la Chine et la Russie étaient en guerre, que les États-Unis avaient été oubliés.

Bien que les prédictions des Fondamentalistes d'Armageddon se fussent intensifiées, et que les autres se plaignissent de tout avec une amertume croissante, de l'absence de chewing-gum à la fermeture de l'Hôpital général de Redwood, malgré tout, chez la plupart des gens régnait une étrange impression de gaieté, une sorte de soulagement secret, le même sentiment qu'Eva et moi éprouvions tous les deux ou trois ans quand la rivière qui traverse Redwood débordait, inondant les routes et paralysant les entreprises pendant un jour ou deux. Nous savions qu'une crue était fâcheuse et provoquait des ravages. Pourtant, nous ne pouvions nous empêcher d'être saisies d'une étrange exaltation à l'idée que quelque chose hors de notre portée fût suffisamment puissant pour détruire l'inexorabilité de notre routine.

En même temps que l'inquiétude et la confusion est apparu un sentiment d'énergie, de libération. Les anciennes règles avaient été temporairement suspendues, et c'était excitant d'imaginer les changements qui naîtraient inévitablement de ce bouleversement, de réfléchir à tout ce qu'on aurait appris – et corrigé – quand les choses repartiraient. Alors même que la vie de tout le monde devenait plus instable, la plupart des gens semblaient portés par un nouvel optimisme, partager la sensation que nous étions en train de connaître le pire, et que bientôt – quand les choses se seraient arrangées –, les problèmes à l'origine de cette pagaille seraient éliminés du système, et l'Amérique et l'avenir se trouveraient en bien meilleure forme qu'ils ne l'avaient jamais été.

Les gens se tournaient vers le passé pour se rassurer et y puiser de l'inspiration. À la bibliothèque, au supermarché, à la station-service, et même sur la Plaza, nous écoutions des discours relatant les sacrifices et les épreuves des Pères pèlerins et des pionniers. Citant les chroniqueurs et les animateurs de talk-show disparus, les gens évoquaient la Grande Dépression et les Guerres mondiales, racontaient comment ces temps difficiles avaient forgé des caractères, uni des familles et des communautés, comment ils avaient renforcé notre pays et lui avaient donné une nouvelle énergie et une nouvelle direction. Cette fois aussi, déclaraient-ils, un peu de patience et d'endurance était nécessaire pour servir les causes de la liberté et de la démocratie. Il suffisait juste que chacun apporte sa contribution, qu'on se serre les coudes et qu'on patiente.

Évidemment, Père se moquait de ces platitudes, bien que même son mépris manquât de conviction. Si Mère avait toujours été en vie, je suis sûre que la rhétorique patriotique que nous grappillions avec les autres nouvelles lui aurait inspiré quelques belles tirades sur la crédulité de l'humanité et la banalité des politiciens. Étant donné les circonstances, il était la plupart du temps trop triste pour s'y intéresser.

Il a pourtant versé une contribution à titre volontaire quand il a payé ses impôts ce printemps-là, et lui aussi a prédit qu'à l'automne nous en aurions terminé avec les pires de nos privations. En fait, l'unique conviction commune à presque tous les extrémistes les plus excessifs, c'était que cette situation ne durerait pas, que le monde auquel nous appartenions renaîtrait bientôt et que nous pourrions alors regarder en arrière et considérer ce que nous étions en train de vivre comme une interruption momentanée, une bonne histoire à raconter aux petits-enfants.

Une fois que Père eut arrêté d'aller travailler, nous étions si coupés de tout, même de Redwood, qu'il était parfois difficile de se rappeler qu'il se passait quelque chose d'inhabituel dans le monde, loin de notre forêt. C'était comme si notre isolement nous protégeait. En juin dernier, quand la lune a brillé toute rouge à cause des incendies d'Oakland, on aurait dit un avertissement nous enjoignant de ne pas nous éloigner de la maison, et les nouvelles que nous avions les samedis soirs ont confirmé ce message. Aussi avons-nous pris notre mal en patience en attendant l'automne. Comme Père ne manquait pas de me le rappeler chaque fois que je rêvais d'aller en ville, ici au moins nous avions un garde-manger bien rempli, un jardin et un potager, de l'eau douce, une forêt pleine de bois de chauffage et une maison. Ici au moins nous étions protégés des obsessions, de la cupidité et des microbes des autres. Ici au moins un aspect reconnaissable de nos vies interrompues demeurait – et demeure encore même aujourd'hui.

B COMMENCE par les avions de chasse – *B-17, B-29, B-52.* Puis vient *B CASSIOPEIAE.* Puis *BÂ, le faucon à tête humaine qui symbolise chez les anciens Égyptiens l'immortalité et la divinité de l'âme après la mort.*

Avions de chasse et supernovae et divinité-faucon de l'âme : la mort et le vol, le Ciel et les cieux. Même si ce n'est dû qu'à un hasard alphabétique, il y a une justesse heureuse à cette juxtaposition, et l'espace d'un moment, je regrette que mon père ne soit pas là pour lui prouver qu'il a tort.

Mon père a toujours méprisé les encyclopédies.

— Il n'y a aucune poésie en elles, aucun mystère, aucune magie. Étudier l'encyclopédie, c'est comme manger de la poudre de caroube et appeler ça de la mousse au chocolat. C'est comme écouter des lions rugir sur un CD et penser que tu es en Afrique, se plaignait-il après avoir passé un après-midi à essayer de convaincre la prof de la classe des grands de l'école élémentaire de laisser ses élèves s'initier à la recherche scientifique en élevant des têtards et en cultivant des moisissures plutôt qu'en recopiant des articles de l'encyclopédie.

“L'éducation, c'est une question de connexions, de relations qui existent entre tout ce qui se trouve dans l'univers, c'est se dire que chaque gosse de l'école primaire de Redwood possède quelques atomes de Shakespeare dans son corps.

— Et quelques-uns d'Hitler, ajoutait ma mère avec ironie, mais mon père l'ignorait, absorbé par sa propre idée.

— L'encyclopédie prend n'importe quel sujet dans le monde et le dissèque, le vide de son sang, l'arrache de sa matrice. Qu'est-ce que ça a appris au petit Tommy ? Que la recherche est stérile et ennuyeuse, que c'est beaucoup plus drôle de regarder la télé, de voler des bonbons et de détruire la propriété privée. Et c'est une conclusion plutôt brillante si notre seule initiation à la recherche a été une encyclopédie.

— Allons, Robert, disait ma mère en mettant la table pour dîner, les encyclopédies ont leur rôle. Peut-être que Janice cherche juste à montrer à ces gamins comment s'en servir avant de les lâcher sur leurs propres projets.

— Non. *Elle* aussi pense que la recherche est stérile et ennuyeuse. Et Janice ne les lâchera jamais sur rien, ils pourraient lui poser des questions auxquelles elle ne saurait pas répondre.

— Le dîner est servi.

— Brûlons d'abord toutes les encyclopédies !

Mais c'étaient ses collègues qui lui avaient offert la nôtre l'année où il avait manifesté avec eux devant l'école en brandissant une banderole, aussi y avait-il peu de risques qu'elle finisse au feu, et puis, il arrivait parfois que l'un de nous descende péniblement un volume de l'étagère pour vérifier quelque chose.

Cela dit, elle n'avait probablement pas été ouverte plus d'une dizaine de fois quand je l'ai sortie il y a quelques semaines. Lorsque la bibliothèque municipale de Redwood a fermé au printemps dernier, la bibliothécaire m'a laissée repartir les bras chargés d'une pile de livres supplémentaires.

— Vas-y, chérie, m'a-t-elle dit parce que ma mère était morte, parce que mon père faisait partie du conseil d'administration de la bibliothèque, parce que je lui avais emprunté des livres avant même de savoir parler, parce que j'étais venue la voir pour obtenir l'adresse du Bureau des admissions à Harvard.

"Personne d'autre ne les lira cet été si tu ne les prends pas, a-t-elle continué, et elle a tamponné les livres en les postdatant de trois mois. Ça devrait t'occuper en attendant qu'on rouvre à l'automne.

Mais j'étais arrivée au bout de la pile en juillet, nous avions enterré notre père en septembre, et fin novembre, Eva et moi étions suffisamment remises pour qu'elle retourne à la danse et moi aux études. Pendant une journée entière, je suis restée assise à la table, la lettre du Bureau des admissions à Harvard posée à côté de celle de l'*Official Register of Harvard University*, et je suis passée de l'une à l'autre tout en fixant les mêmes phrases maintes et maintes fois.

"Bien que nous n'acceptions pas les étudiants plus d'un an avant qu'ils ne soient censés entrer à l'université, nous avons reconsidéré votre dossier et sommes très favorablement impressionnés par le descriptif de vos études et par vos capacités intellectuelles et verbales, comme le prouvent vos résultats au Scholastic Aptitude Test, était-il écrit. Si vos résultats au College Board Achievement Test sont aussi bons, nous vous encourageons à faire une demande officielle à Harvard l'hiver prochain en temps voulu."

Mais dans le Register, j'ai lu : "Bien que les College Board Achievement Tests de janvier satisfassent pleinement nos critères, nous vous invitons à finir vos examens en décembre dans la mesure où, en déposant votre demande plus tôt, vous serez sûre que le comité aura le temps d'examiner votre dossier avec le plus grand soin."

C'était comme une dérivée que j'étais incapable de résoudre, un passage de Saint-Exupéry que je n'arrivais pas à traduire.

— Qu'est-ce que je vais faire ? ai-je fini par demander à Eva d'un ton pleurnicheur quand elle est sortie de son studio cet après-midi-là.

— À quel sujet ? a-t-elle dit, et elle a attrapé sa jambe en extension et l'a levée si haut qu'elle était presque à la verticale.

— Je suis censée avoir déjà passé mes Achievement Tests.

— Tu n'es certainement pas la seule dans ce cas. Je suis sûre que même Harvard va devoir assouplir ses règles cette année.

— Et si ça avait redémarré là-bas ?

— On le saurait.

— Comment ?

— Il y aurait un avion ou quelque chose. Quelque chose.

— Même si l'électricité revient demain, je ne serai pas prête pour les examens.

Elle a reposé sa jambe puis a tenu une superbe arabesque.

— Pourquoi ?

— Je ne peux pas me servir de mon ordinateur ou de mes cassettes de langues, les piles de ma calculatrice sont mortes. Il ne me reste même plus de papier.

— Lis, alors. Les livres n'ont pas besoin de piles.

— J'ai déjà tout lu dans la maison. Deux fois.

— Tu as lu l'encyclopédie ? a-t-elle demandé en enchaînant majestueusement une révérence après son arabesque.

Je regrette de ne pas m'y être mise plus tôt. Je n'en reviens pas de la quantité de choses que j'apprends. Tout est là – les dates, les lieux, les artistes et les philosophes et les scientifiques, les hommes d'État et les rois, les étoiles et les minéraux et les espèces, les faits et les théories, l'ensemble du savoir humain. Tout est réuni ici, tout ce qui compte, tout ce dont j'aurai jamais besoin, et je n'ai qu'une chose à faire, tourner la page. C'est peut-être un peu aride, mais ce n'est pas plus aride que mon livre d'analyse mathématique ou mes cassettes de français. Ce n'est pas plus aride que ce que fait Eva heure après heure, seule dans son studio.

Nos parents n'ont jamais planifié nos études.

— Qu'elles apprennent ce qu'elles veulent, disait mon père. Un enfant mange de façon équilibrée si on lui donne une alimentation saine et qu'on lui fiche la paix. Si le corps d'un gamin sait ce qu'il lui faut pour grandir et être en bonne santé, pourquoi son esprit ne le saurait-il pas ?

À ses amis, il expliquait :

— Mes filles ont la jouissance de la forêt et de la bibliothèque municipale. Elles ont une mère à la maison qui leur prépare à manger et leur explique les mots qu'elles ne connaissent pas. L'école ne serait qu'un obstacle à ça. Par ailleurs, si elles y allaient, elles passeraient plus de deux heures par jour dans la voiture. Dieu sait qu'il me serait agréable d'avoir de la compagnie pendant ces trajets, mais c'est mieux pour mes gosses de rester dans la forêt.

Aussi, tandis que les autres enfants récitaient leurs tables de multiplication et demandaient l'autorisation pour aller boire de l'eau, Eva et moi étions libres de nous promener et d'apprendre à notre guise. Ensemble on peignait des fresques et on créait des pièces de théâtre, on construisait des forts, on élevait des papillons et on inventait des jeux informatiques. On fabriquait du papier, on concoctait de nouvelles recettes de cookies, on éditait des bulletins d'information et on attrapait des vairons. On faisait pousser des courges et on soignait des oisillons et on jouait avec des prismes, et nos parents expliquaient à l'État que ce que nous faisions, c'était l'école.

Pendant des années j'ai étudié ce que je voulais, quand et comme je le voulais. Un livre conduisait à un autre de manière aléatoire, me promenant de thème en thème comme dans une conversation intéressante, la seule chose qui les reliait entre eux, étant leur juxtaposition sur les étagères dans l'atelier de Mère.

Parce que notre père nous rapportait parfois à la maison des contrôles de connaissance, quand j'ai eu douze ans, j'ai su que j'étais en avance de quatre ou cinq ans par rapport aux enfants de mon âge. Je savais aussi que si l'on fréquentait l'école, il fallait s'asseoir en rangs, faire de longs devoirs dans des cahiers d'exercices ennuyeux et demander la permission pour aller aux toilettes. Pourtant, il y a eu une époque où je m'en fichais, où j'aspirais à cette vie à l'intérieur des autocars scolaires jaunes qui cahotaient sur la route, où je rêvais de faire partie de la cohue des enfants avec leurs bras chargés de livres aux pages lisses et leurs rires faciles, et j'ai commencé à mener campagne pour que mes parents m'envoient à l'école.

C'était peu de temps après qu'Eva eut découvert la danse classique, quand je n'avais toujours pas digéré le vide que sa passion creusait dans ma vie, et je pense que j'essayais de convaincre mes parents de m'inscrire à école pour atténuer ma solitude.

— Si je n'ai plus Eva, il me faut quelqu'un d'autre, annonçai-je. Je m'ennuie trop toute seule ici pendant la journée.

— Je suis là, répondit ma mère.

— Mais tu es tout le temps occupée avec tes tapisseries.

— Tu pourrais m'aider. À mon avis, ça te plairait de travailler avec les teintures. Et je ne dirais pas non à deux mains supplémentaires pour m'aider à empeigner mon métier à tisser.

En me voyant lever les yeux au ciel et m'affaler sur ma chaise, elle ajouta sèchement :

— Je suis sûre que tu vas trouver à t'occuper toute seule, Nell. Nous ne nous sommes pas passés d'école durant toutes ces années pour commencer maintenant. Le collège est l'une des expériences les plus toxiques que je puisse imaginer.

Le combat a continué. Chaque escarmouche se finissait en vive indignation et ressentiment de mon côté et en confusion peinée de la part de mes parents, qui prétendaient vouloir mon bonheur mais le voulaient comme ils l'entendaient.

J'ai boudé et protesté, mais finalement je suis tombée sur un article au sujet d'une autre famille qui vivait encore plus loin que nous, dont les enfants, non scolarisés, étaient tous allés à Harvard. J'en ai conclu que si ces enfants y arrivaient, j'y arriverais moi aussi. Si Eva n'arrêtait pas la danse, j'irais à Harvard ; puisqu'on m'interdisait d'aller à l'école de Redwood, j'intégrerais la meilleure université du pays, et ce serait bien fait pour tout le monde.

J'ai demandé un ordinateur avec un modem pour mon treizième anniversaire et j'ai commencé à harceler mon père pour qu'il rapporte à la maison des manuels d'histoire et de science, des cassettes de français, des cahiers d'exercices de maths. Il satisfaisait toujours mes requêtes – bien qu'il s'arrangeât pour glisser quelques romans policiers dans la pile. Mais chaque fois que je mentionnais Harvard, sa réponse était évasive.

— Je ne sais pas si cette institution est aussi sensationnelle que tu le dis, Pumpkin, mais je dois admettre que je serais fier si tu y entrais par tes propres moyens. Mais n'oublie pas que ces gamins y ont été acceptés il y a longtemps.

— Harvard aime les étudiants qui ont une formation inhabituelle.

— À l'époque, oui. Qui sait à quoi ressemble la politique d'admission d'aujourd'hui ? De toute façon, qu'est-ce qu'Harvard a de si extraordinaire ? Qu'est-ce que tu vas étudier là-bas ?

Il m'avait semblé qu'entrer à Harvard était un objectif suffisant, mais comme je venais de finir une biographie de sir Alexander Fleming, j'ai répondu la première chose qui m'a traversé l'esprit :

— La médecine.

— Tu veux être docteur ?

— Peut-être. Ou faire de la recherche.

— Eh bien, bon courage, Pumpkin. Je sais que tu te débrouilleras comme un chef dans tout ce que tu décideras d'entreprendre. Je ne veux juste pas te voir te limiter avant que tu aies goûté à tout ce qu'il y a dans le vaste, vaste monde.

Plus le temps passait, plus je travaillais dur, étudiant tout ce que je pensais qu'Harvard attendait que je sache, et au printemps dernier, quand j'ai reçu la réponse du Bureau des admissions, je pensais en savoir beaucoup. À présent, page après page, volume après volume, l'encyclopédie me révèle tout ce que j'ai encore besoin d'apprendre avant d'être prête pour Harvard.

J'ESSAIE d'être disciplinée dans mes lectures et de ne pas sauter les articles qui ne m'intéressent pas ou ne me semblent pas en rapport avec mes études. Je veux lire l'encyclopédie du début à la fin. Mais aujourd'hui, c'est le 1er janvier, du coup je m'autorise à passer à la lettre C pour vérifier que le calendrier que je fabrique est juste.

Le problème avec les calendriers, c'est que rien ne tombe juste. Les rotations et les révolutions de la Terre et du Soleil et de la lune ne coïncident pas, et tout se termine par d'encombrantes virgules de fraction décimale : il y a 365,2422 jours dans une année solaire, 29,53059 jours dans un mois lunaire, et les semaines n'existent nulle part ailleurs que dans nos têtes d'humains superstitieux.

L'encyclopédie m'a donné une formule algébrique pour déterminer le jour de la semaine correspondant à une date en particulier, aussi, après avoir trouvé quand aura lieu la prochaine année bissextile, j'ai sacrifié toute une feuille de mon cahier pour confectionner un calendrier. Tandis que je dessinais les douze grilles, numérotais leurs cases et notais les fêtes et les anniversaires qu'elles représentaient, je n'ai pas pu m'empêcher de me demander lequel de ces jours à venir se révélera la plus grande fête de toutes – le jour de chance où le monde nous reviendra et rendra mon calendrier obsolète.

Nous nous réveillons tous les matins avec la lumière terne qui filtre à travers la pluie de janvier. Une fois levées de nos matelas, nous échangeons les T-shirts dans lesquels nous avons dormi contre des pulls et des jeans. Eva nourrit le feu et je vais ouvrir le poulailler et rapporter du bois. Pour le petit déjeuner, nous mangeons des flocons d'avoine sans lait ou du riz de la veille, qu'on sucre avec un tout petit peu de cannelle en poudre.

Ensuite, nous nous attelons à nos corvées – couper du bois, nettoyer ou compléter l'inventaire de ce que nous possédons. Eva danse tout l'après-midi pendant que je travaille et que j'écris. Quand l'obscurité menace et que nous devons nous arrêter, nous rentrons les poules dans leur enclos à coup de cajoleries, nous dînons de haricots, de lentilles ou de l'une des conserves sans étiquette de chez Fastco, puis, à tour de rôle, nous nous accordons le plus grand plaisir de la journée.

Le seul savon qu'il nous reste est le morceau que nous gardons pour notre triomphale expédition en ville, le jour où nous pourrons remplir d'essence le jerrycan vide et recommencer nos vies. Malgré tout, un bain est un de nos rares plaisirs à savourer pleinement, car non seulement ce n'est pas une version affaiblie du souvenir que nous conservons d'un bain, c'est aussi quelque chose de renouvelable. Tant que la source continue de remplir la citerne et que la citerne envoie son filet d'eau dans les canalisations de la maison, tant que le feu peut chauffer une bouilloire, il y aura toujours un bain à la fin de la journée, un bain pour essayer de noyer les cauchemars, pour me laisser si alanguie que je dois presque ramper dans le noir jusqu'à mon matelas en face de celui d'Eva, près du poêle.

Mais même les bains les plus chauds, les plus profonds, les plus longs ne sont pas efficaces indéfiniment, et il arrive un moment où mes rêves, presque toutes les nuits, me chassent de mon sommeil, et je me réveille brusquement, encore saturée de leurs horreurs, sans parvenir à me rendormir.

J'ai encore rêvé de vers la nuit dernière. Pas des petites choses roses qu'on trouve dans le garde-manger ces jours-ci, mais des asticots qui dans mes rêves envahissent la tombe de mon père. Je suis paralysée et sans voix, allongée à côté de lui dans ce trou humide, et nos deux corps – le sien mort et le mien en vie – grouillent de larves. Son corps ne peut réconforter le mien. Et je suis incapable de me venir en aide à moi-même, tandis que je gis là, dévorée par la mort.

Je me suis réveillée dans l'obscurité en entendant la voix de ma sœur, en sentant ses mains fermes sur moi.

— Tout va bien, a-t-elle promis. C'était un rêve.

Alors même qu'elle disait cela, et que mon moi conscient acquiesçait, je crois que nous savions toutes les deux que les rêves viennent d'un lieu, quelque part, qui existe vraiment, qu'un rêve n'est que l'écho de ce qui a déjà été vécu.

— Tu veux une tasse de thé ? m'a-t-elle demandé.

— J'ai déjà bu celle d'hier, ai-je dit, paniquée, et je ne veux pas perdre celle d'aujourd'hui maintenant.

— Tu boiras la mienne.

— Mais ce ne serait pas juste pour toi.

— C'est bon.

Comme je gardais le silence, elle s'est levée pour ouvrir la porte du poêle, et, opérant dans la pénombre, elle a rempli une tasse avec l'eau chaude de la bouilloire, posée à l'arrière du poêle, et y a ajouté la plus petite pincée de thé possible.

— Merci, ai-je dit quand elle m'a tendu la tasse fumante.

— C'est à ça que servent les sœurs, non ? a-t-elle répliqué avec ironie.

Je sais qu'elle le pensait. Mais elle avait parlé avec tant de légèreté que je n'ai pas pu répondre comme mon cœur le voulait, que je n'ai pas pu m'enfouir à jamais dans ses bras.

Le ballet est une forme de danse dont l'origine remonte aux spectacles donnés à la cour pendant la Renaissance. Ses mouvements caractéristiques mettent en valeur une grâce stylisée et éthérée. Afin d'obtenir cet effet, la future ballerine doit commencer à s'entraîner très jeune afin que son corps exécute des mouvements qui ne figurent pas dans l'éventail naturel de ceux du corps humain.

Parfois, quand j'ai le cerveau si embrumé que je me sais incapable de retenir un mot de plus, j'abandonne l'encyclopédie, je me lève de la table près de la fenêtre du salon et j'émigre au bout du couloir vers le studio d'Eva. La porte est toujours ouverte, mais Eva semble à peine me remarquer quand je me glisse à l'intérieur et que je m'assois contre le mur.

En général, elle est à la barre et enchaîne ses innombrables exercices qui commencent par un premier *plié** hésitant, bras écartés, et se terminent quand elle arrête de danser. Lorsque je la regarde effectuer des *pliés* à l'infini pour se baisser et se redresser, cela me fait penser à ce que disait la ballerine du Bolchoï à l'époque où sévissait la loi martiale en Russie au début des années 1990 : "Les révolutions vont et viennent, mais nous serons toujours là à faire nos *battements tendus*."

Cette danse se poursuit – *pliés, relevés, battements tendus, ronds de jambe, développés*, d'abord à la barre puis au centre de la pièce, ce même petit alphabet, maintes et maintes fois répété en suivant le tic-tac incessant du métronome, jusqu'à maintenant, un millier de répétitions plus tard, chaque mouvement

* L'anglais reprend la terminologie française de la danse classique. Tous ces termes en italiques étaient en français dans le texte original.

est souple, fluide, parfait. Même quelque chose d'aussi simple que sa jambe lancée en *battement tendu* ou son bras s'ouvrant en seconde position évoque un désir ou un plaisir ou un savoir bien au-delà des mots.

Parfois, quand je suis assise là, elle arrête ses exercices et danse pour moi. Aujourd'hui, elle a commencé par le premier solo de Clara de *Casse-noisette*. C'est un adorable petit *divertissement*, rapide et enjoué, et je me souviens comme il avait enchanté les foules à Noël l'année où elle l'avait dansé.

Mais juste avant d'arriver au moment où Fritz est censé lui arracher le casse-noisette des mains, ses pas ont changé, et elle s'est mise à danser quelque chose que je n'avais jamais vu, une danse obsédante, dérangeante qu'elle a démarrée par une série d'arabesques lentes et songeuses pour se laisser tomber lourdement en seconde position, genoux tournés en dedans, pieds à plat. Puis, avec les pieds toujours écartés en seconde, elle s'est levée *en pointe*, ses jambes ouvertes la faisant paraître forte et grande de manière troublante. De là, elle s'est lancée dans une série de pirouettes rapides et rapprochées, et a fini à nouveau avec les talons écartés, les chevilles en dehors, les coudes dirigés vers le haut. Et à nouveau, elle s'est relevée en une arabesque parfaite.

Sa danse était si fascinante qu'à un moment, alors que je la regardais, je me suis surprise à penser que j'entendais la musique sur laquelle elle dansait, une musique discordante et dissonante, une musique faite de contrastes et de renversements rapides. Il y avait un sentiment de refoulement, d'attente en elle. Pourtant, bien qu'elle fût excessivement maîtrisée, on y décelait aussi l'expression déconcertante de quelque chose de primitif qui se soulevait, comme si une matière indomptée était libérée par ces chevilles en dehors et ces coudes de travers, par ces pirouettes nettes et ces sauts parfaits, comme si une nature sauvage en Eva, dont j'ignorais l'existence, luttait pour sortir.

J'étais gênée de la voir danser ainsi, cela ne ressemblait tellement pas à ma sœur gracieuse et posée, et je songeais à partir, à aller retrouver mes *B*, quand elle s'est brusquement arrêtée, les mains sur les hanches, le pied gauche pointé en seconde, la tête tournée vers la droite. Elle a tenu la pose un instant, puis elle a déplacé le poids de son corps sur son pied gauche, son pied droit en avant, et a fait pivoter sa tête dans la direction opposée, comme si elle sentait que quelque chose s'approchait d'elle par-derrière et qu'elle n'était pas encore prête à l'affronter. Puis elle a lâché ses mains, a laissé rouler sa tête et a brisé l'instant en demandant, essoufflée :

— Qu'est-ce que tu en penses ?

— Je ne sais pas… C'est bien, je suppose. En tout cas, c'est différent. Intéressant. Pourquoi tu t'es arrêtée ?

Elle a eu un petit rire ironique et a répondu entre deux respirations profondes :

— Parce qu'à ce moment-là mon partenaire est censé faire son entrée. Puis vient le *pas de deux*.

— C'était quoi ?

— L'ouverture de *Tzigane*. Katherine Lee était la doublure, et je la regardais travailler dessus en attendant l'autocar. J'ai repiqué deux, trois petites choses.

— Tu l'as déjà dansée avec un partenaire ?

— Non.

Nous sommes restées silencieuses toutes les deux pendant un moment, puis elle a repris :

— Mais ce n'est pas un problème. J'ai toujours préféré les sauts aux portés, de toute façon. Les partenaires sont stupides, ils transpirent sur toi et te soulèvent en peinant comme si tu étais un morceau de viande.

Elle a enchaîné une *glissade* et un *plié*, puis a fait un *grand jeté* en sautant si haut et les jambes si écartées qu'on l'aurait dit suspendue dans l'air et le temps à la fois. Quand elle a enfin consenti à redescendre sur terre, elle a atterri en *plié* avec une telle aisance que seul le bruit sourd et lourd de ses chaussons sur le sol permettait de deviner l'effort qu'exigeait son saut. Puis elle s'est lancée dans l'une des danses paysannes de *Giselle*, une petite chose alerte, avec des pas rapides, la tête rejetée en arrière et les bras souples et taquins. C'était une danse merveilleusement trompeuse, une danse apparemment si simple qu'il était difficile de se rappeler que chaque mouvement faisait partie d'une esthétique défiant la physique et l'anatomie.

— Bravo ! ai-je crié quand elle a fini, bien que ma voix ne fût pas assez puissante pour combler le vide laissé par sa danse.

Elle m'a fait une petite révérence de paysanne empreinte d'ironie, et je suis partie pour lui permettre d'étirer ses jambes, d'essuyer la sueur de son visage, d'ôter les lambeaux de ses chaussons remis à neuf avant de me rejoindre et de m'aider à préparer le dîner à la dernière lueur du jour.

Le printemps où Eva a eu douze ans, lors de notre retour de San Francisco où deux fois par an nous partions en expédition pour voir un ballet, elle s'est montrée pendant tout le trajet aussi silencieuse et distante que notre mère, regardant fixement, derrière le léger reflet de son visage dans la vitre de la voiture, l'obscurité en mouvement pailletée de lumière. Alors que l'humeur maussade de notre mère se dissipait en général au bout d'un jour ou deux, celle d'Eva a perduré. S'est intensifiée. Et Eva s'est mise à parler de cours de danse.

— Non, chérie, a dit notre mère. Je refuse que tu gâches ta vie ainsi. La danse classique est cruelle. Elle va te rendre névrosée, et anorexique, et narcissique, et arthritique, et illettrée. C'est inhumain. Regarde ce qu'elle a fait de moi.

Notre père a levé les yeux de son journal pour demander :

— Qu'est-ce qu'elle a fait au juste ?

Et Eva a dit :

— S'il vous plaît…

— C'est trop loin. Pour trouver des cours corrects, il faudrait au moins aller à San Francisco. Je ne veux pas que tes pieds soient massacrés par une pseudo prof de Redwood qui a hâte de te faire monter sur *pointes*.

— Je pourrais aller à Redwood avec Père et de là prendre l'autocar.

— Tu es trop jeune.

— Pourquoi tu ne me donnes pas des cours ? a demandé Eva.

— J'ai toujours détesté enseigner. Je ne supportais pas toutes ces petites filles qui voulaient juste porter un tutu rose, et je ne supportais pas de devoir tyranniser les rares filles qui étaient bonnes. C'est un travail terriblement pénible. Par ailleurs, a-t-elle ajouté en jouant ce qu'elle considérait sa carte maîtresse, tu es trop âgée pour commencer la danse. Les filles dotées du moindre potentiel commencent à l'âge de cinq ou six ans, huit ans grand maximum. Il n'y aura pas d'autres danseuses dans cette famille, un point c'est tout.

Mais un ou deux jours plus tard, elle téléphonait à ses amies à San Francisco pour qu'elles lui recommandent une école de danse. Elle a lâché un juron – et notre père a éclaté de rire – quand elle a appris que le meilleur professeur au nord de la ville avait son studio à Redwood.

— Eh bien, a-t-elle soupiré, Eva fait ce qu'elle veut, sa vie lui appartient.

— Et c'est assurément ta fille, a ajouté notre père.

La semaine suivante, Eva prenait sa première leçon, l'air gauche, tout en genoux et en coudes, dans une classe de fillettes de six ans au dos cambré, au ventre rebondi. Notre mère espérait que ce qui attirait Eva, c'étaient les lumières et les paillettes et non la danse elle-même. Elle voulait croire qu'à cause de la souffrance et de la monotonie des exercices Eva s'en désintéresserait. Mais Eva adorait ce mélange de travail et de transpiration. Elle adorait la liberté et l'exigence de la danse, et elle adorait danser – pour elle et pour un public. Elle adorait partager sa passion avec nous autres mortels qui manquions d'élévation et d'éloquence.

Dès le départ, elle ne pensa qu'à s'entraîner, et au bout de six mois, elle surpassait les filles de son âge qui pratiquaient la danse depuis le jardin d'enfants. Six mois plus tard, c'est elle qui avait le premier rôle dans le spectacle de l'école, et six mois après, elle prenait l'autocar pour aller à San Francisco deux jours par semaine afin d'y suivre les cours de la San Francisco Ballet School. Son professeur de Redwood était aux anges, son professeur de San Francisco disait qu'elle montrait des dispositions, et même notre mère devait admettre qu'Eva avait un bon étirement des membres et du torse et un en-dehors solide.

Mais quand ses règles sont devenues irrégulières et qu'elle s'est mise à danser jusqu'à ce que ses ampoules saignent, notre mère lui a montré ses propres pieds déformés et l'a suppliée d'arrêter la danse.

— Ce n'est pas une vie, a-t-elle déclaré. Je t'en prie, chérie, ne sois pas danseuse. Tu as trop de possibilités pour les consacrer à une seule chose. Et que feras-tu quand tu auras trente-cinq ans, et que ta carrière sera finie, quand tout ce que tu auras connu, c'est la danse, et que tu ne pourras même plus marcher ?

Lorsque Eva avait annoncé qu'elle souhaitait suivre des cours, j'y avais à peine prêté attention, même si, comme d'habitude, je prenais automatiquement son parti. Après tout, Eva était ma sœur. Elle était ma camarade de jeu, ma meilleure amie, celle qui aurait dû être ma jumelle, et tout ce qu'elle voulait, je le voulais pour elle de façon inconditionnelle. Mais au bout d'un moment, mon enthousiasme a commencé à faiblir pendant que le sien grandissait. Les heures qu'elle passait autrefois avec moi – à jouer dans la forêt, à travailler dans la maison à l'un de nos nombreux projets ou à prolonger nos interminables jeux de "Faire semblant" dans la clairière –, elle les consacrait maintenant à ses leçons et ses exercices. Au début, je me suis sentie déroutée et légèrement blessée, et, moi aussi, j'attendais en vain qu'Eva renonce à la danse et me revienne.

Plus tard, quand il a été clair qu'Eva n'abandonnerait pas la danse, après que j'ai eu beau la supplier ou lui promettre n'importe quoi, j'ai coupé les rubans de sa première paire de pointes. Elle était folle de rage en découvrant ce que j'avais fait aux chaussons qu'elle avait convoités pendant si longtemps.

— Nell a gâché ma vie, a-t-elle hurlé en se précipitant dans l'atelier où Mère était penchée sur son métier à tisser pendant que je tournais en rond avec impatience.

— Et Eva a gâché la mienne ! ai-je explosé.

Ma mère a jeté un coup d'œil aux rubans coupés, a soupiré et a reposé le papillon de soie qu'elle utilisait pour la trame.

— Personne ne peut gâcher la vie de quelqu'un d'autre. Calme-toi, Eva. Pénélope, apporte-moi la boîte à couture.

Tandis qu'elle recousait les rubans, et qu'Eva boudait dans sa chambre, Mère m'a parlé.

— Pourquoi ce sabotage, Nellie ? a-t-elle demandé en enfilant une aiguille avec un fil rose.

— Eva ne veut pas jouer avec moi. Elle danse tout le temps. Et de toute façon, ce n'est pas bon pour elle.

Mère a soupiré à nouveau.

— Ce n'est pas non plus ce que j'aurais choisi pour ma fille. Mais puisqu'elle a décidé d'être danseuse, nous voulons bien sûr qu'elle soit la meilleure danseuse possible, n'est-ce pas ?

— Mais elle ne joue plus jamais avec moi.

— Tu ne peux pas la *forcer* à jouer avec toi. Nell, je sais qu'il y a un vide dans ta vie en ce moment. Mais c'est à toi de trouver comment le remplir.

— Mais…

— Sa vie lui appartient, chérie. Et, que tu le veuilles ou non, la tienne aussi.

Elle a approché le chausson d'Eva de ses lèvres et a coupé le fil avec ses dents.

— Tiens, a-t-elle dit en me tendant les chaussons raccommodés avec un sourire si plein de chaleur qu'il aurait pu faire fondre la roche, va apporter ça à ta sœur.

Bref, malgré les inquiétudes de Mère et ma solitude, Eva a continué de danser. Elle semblait vivre uniquement de pommes, de brocolis, de yaourt et d'air. Mais elle ne s'est jamais blessée, n'est jamais tombée malade, et petit à petit Mère a acquis la conviction que sa fille était peut-être destinée à devenir danseuse, et petit à petit je me suis habituée au fait que ma sœur ait une vie en dehors de la mienne. Pour son quatorzième anniversaire, Père a posé du Mylar sur le plancher de la pièce du fond. Il a accroché une barre le long d'un mur, a recouvert le mur opposé de miroirs, et c'est là qu'Eva passait tout son temps jusqu'à ce que l'un de nous parvienne à la faire sortir en l'amadouant ou en la soudoyant ou en le lui ordonnant.

Nous étions désormais installés dans une routine solidement établie. Tous les matins, Eva allait en ville avec Père pendant que j'étudiais et rongeais mon frein dans la maison silencieuse, et que Mère avançait sur ses tapisseries. Trois jours par semaine, Eva travaillait, le matin et l'après-midi, avec Miss Markova, à Redwood. Le jeudi et le vendredi, elle prenait l'autocar pour San Francisco où elle suivait un cours avec la troupe, et le week-end, elle dansait à la maison, s'astreignant à une séance d'entraînement plus dure que ce que lui aurait imposé l'un ou l'autre de ses professeurs. Dans un an, tout le monde disait, certainement au printemps prochain, elle sera prête pour auditionner avec la troupe. Dans un an, on ne pourra plus l'arrêter.

Mais c'est cet été-là – l'été où Eva a eu seize ans – que nous avons compris pour la première fois que Mère était malade. Elle est morte le printemps suivant, et moins d'un an après, les autocars qui rejoignaient San Francisco avaient cessé de circuler et il n'y avait plus assez d'essence pour conduire Eva en ville trois fois par semaine afin qu'elle y suive ses cours. Au début, elle avait parlé d'emménager à San Francisco, ou du moins à Redwood où elle pourrait vivre avec Miss Markova et continuer à travailler avec elle. Mais notre père était si affolé à l'idée qu'elle parte et tout le monde était tellement persuadé que les choses redeviendraient normales à l'automne, que ses projets demeurèrent lettre morte.

De tout ce qu'Eva a enduré quand l'électricité a commencé à faiblir et l'essence à disparaître, je crois que le plus dur pour elle n'a pas été de renoncer à ses cours ou de repousser son audition ou même de s'entraîner sans partenaires ou sans nouveaux chaussons, mais de devoir danser sans musique. Chaque fois qu'il y avait une coupure de courant, son CD s'arrêtait, de sorte que, alors qu'elle s'exerçait à de *grands jetés* sur le tempo joyeux et majestueux de *Water Music*, elle basculait brusquement dans l'absence de musique, comme si elle venait de trébucher et de tomber d'une falaise.

Elle avait pris l'habitude de se mettre à danser dès que les lumières clignotaient. Même s'il était minuit, même si elle avait juste fini de manger ou prenait un bain, lorsque l'électricité revenait, elle se levait d'un bond, courait à son studio, mettait la musique et dansait. Mais le courant sautait de plus en plus souvent et se maintenait pendant des périodes de moins en moins longues, au point que, malgré toute sa discipline, elle a perdu courage.

Un jour, je l'ai entendue sangloter derrière la porte fermée de son studio, hoquetant doucement comme un enfant qui s'endort à force de larmes quand il a renoncé à l'espoir de trouver le réconfort, et curieusement, comme tout le reste chez Eva, pleurer semblait lui suffire. Je suis restée devant la porte pendant de longues minutes, craignant d'entrer et d'être incapable de partir, jusqu'à ce qu'elle s'arrête enfin, et je me suis sauvée sans bruit, me sentant à la fois coupable et insupportablement seule.

Quelques jours plus tard, elle a surgi dans le salon où Père et moi étions penchés en silence sur nos livres.

— Je suis en train de tout perdre, s'est-elle plainte amèrement. Une danseuse perd sa condition physique au bout de soixante-douze heures, et je n'ai pas eu une seule bonne séance d'entraînement depuis cinq jours. Comment pourrais-je être prête pour l'audition ?

Tandis que je m'apprêtais à m'associer à son drame, notre père a pris la parole.

— Eh bien, danse, a-t-il dit sur ce ton pragmatique qui m'horripilait quand il s'adressait à moi.

— Comment ? a-t-elle gémi.

— Tu sais bien. (Il a levé les bras au-dessus de sa tête en troisième position et a agité un pied chancelant chaussé d'un brodequin.) Comme ça.

Cela n'a pas fait rire Eva.

— Il me faut de la musique, a-t-elle dit.

— Pourquoi ?

— Sans musique, ce n'est pas de la danse, ce sont des exercices. J'ai besoin de la sensation, de l'émotion.

— Je pensais qu'une bonne danseuse avait tout ça en elle.

— Mais on a besoin de musique pour les faire sortir.

— Il y avait des ballerines bien avant l'électricité. Comment faisaient-elles ?

— Elles avaient des accompagnateurs, a répondu Eva d'un air pompeux.

— Eh bien, nous n'avons pas de piano ni même de clavecin, mais je pourrais peut-être fabriquer un tambour efficace. Je crois que j'ai vu une boîte à café et une vieille chambre à air qui traînaient quelque part.

— Père, a dit Eva avec un calme apparent, il s'agit de ma vie.

— Je sais, Eva, je sais. (Il a soupiré.) J'essaie juste de t'aider, c'est tout. Il me semble qu'une danseuse aussi douée que toi peut conserver l'émotion dans sa tête.

— Et le rythme ? a-t-elle dit triomphalement. Comment pourrais-je garder le rythme dans ma tête ?

Père est resté silencieux pendant un moment puis il a dit :

— Je crois que j'ai quelque chose pour toi dans mon atelier. Ne bouge pas... je reviens tout de suite.

— Je ne veux pas d'un fichu tambour ! a hurlé Eva dans son dos, mais la porte était déjà fermée.

Il faisait presque nuit quand il est revenu, mais il est entré en souriant, avec son air d'autrefois. Il s'est incliné devant Eva et lui a tendu un métronome.

— Il était dans le dernier chargement que j'ai sauvé de la déchetterie. Il est un peu abîmé, j'en ai peur. Mais il marque toujours la mesure.

Et c'est ainsi qu'Eva a appris à danser sans musique, à danser au rythme implacable du métronome. Elle a appris à convoquer sa propre musique, et je pense que cela a rendu sa manière de danser plus belle que jamais, bien que je sois la seule à l'avoir vue pour l'instant.

Pendant longtemps, Mère a eu peur qu'Eva ne devienne comme les autres ballerines, avec leurs ambitions béantes, leurs obsessions qu'elles exprimaient en gloussant et leur esprit plat, mais même avant la mort de notre mère, je pense qu'il était clair qu'Eva resterait Eva – quel que soit son avenir de danseuse.

Eva est toujours foncièrement elle-même. Quand elle se regarde dans les miroirs qui tapissent les murs de son studio, elle étudie son reflet sans la vanité des danseuses ni leurs critiques compulsives. Elle croise son propre regard avec la même candeur qu'elle croise celui de n'importe qui, tandis que j'examine le mien minutieusement, l'implore humblement, affecte la modestie. J'aspire mes joues pour que mes pommettes soient plus saillantes. Je regrette que mon nez ne soit pas plus fin et mon menton moins rond. J'admire l'indigo de mes yeux et m'entraîne à sourire sans qu'on voie mes dents. J'essaie d'imaginer que je suis quelqu'un d'autre qui me regarde.

La question que je pose sans fin à mon reflet, c'est : Qui es-tu ? Mais cela ne viendrait jamais à l'esprit d'Eva de se demander qui elle est. Elle se connaît jusque dans les moindres os de son corps, les moindres cellules, et sa beauté n'est pas un ornement ; c'est l'élément dans lequel elle vit.

Malgré son habileté avec le feu, Eva me fait toujours penser à l'eau. Elle est gracieuse et vive comme le ruisseau de l'autre côté de notre clairière. Comme lui, elle semble satisfaite de vivre une partie de sa vie sous terre, certaine – même maintenant – d'aller quelque part.

Quand elle danse, ça se voit. Elle est sûre d'elle, si débordante de vie qu'elle anime quiconque la regarde. Quand elle ne danse pas, elle est silencieuse, calme, un peu rêveuse, comme si danser c'était vivre pour elle. Tant qu'elle peut souffrir et exulter dans sa danse, elle n'a pas besoin de souffrir ni d'exulter lorsqu'elle se contente de laisser les jours s'écouler.

Je suis celle qui est d'humeur revêche, qui pose des questions agressives. Je suis celle qui est mal dans sa peau, qui est incapable de déchiffrer son propre visage. Je suis celle qui se méfie de ce qui va arriver, qui doit se regarder en face – nuit après nuit – quand Eva est déjà endormie.

AUJOURD'HUI, j'ai lu : *Quand Beethoven a composé sa Neuvième Symphonie, que beaucoup considèrent comme son chef-d'œuvre, il était presque totalement sourd*, et j'ai pensé à Eva, dansant seule sur la musique qu'elle entend dans sa tête.

CE matin, nous avons travaillé à l'étage dans la fraîche pénombre de la chambre de nos parents, triant leurs vêtements et leurs bibelots, dressant un inventaire de toutes nos possessions actuelles.

Notre mère prétendait que si les autres familles avaient toujours un tiroir fourre-tout – dans lequel s'entassaient des clous, des rondelles de freinage, des bougies d'allumage, des boucles d'oreilles cassées, des crayons mâchonnés, des épingles de sûreté, des coquillages, des clés, de vieux tickets d'épicerie, et toutes sortes d'objets impossibles à classer –, chez nous ce tiroir était trop difficile d'accès pour qu'on puisse y fourrer quoi que ce soit.

— Cela rend les choses tellement éphémères, se plaignait-elle.

Notre père lui répondait en jubilant :

— Oh, non, Gloria chérie. Ce bric-à-brac durera indéfiniment… et qui sait si certains de ces objets ne deviendront pas utiles un jour ou l'autre.

Nous verrons bien s'il avait raison, même si chaque nouveau tiroir livre quelque chose dont nous aurons peut-être besoin ou que nous utiliserons avant que les magasins rouvrent. Aussi douloureux que ce soit, je suis contente que nous fassions enfin le point sur ce que nous possédons.

Nous nous y sommes mises quelques semaines seulement avant Noël. Tout l'automne nous l'avons passé sur la terrasse, sonnées par l'accident qu'était la mort de notre père. Dans le verger, les derniers fruits sont tombés des arbres sans que nous les remarquions, et dans le potager, l'ultime récolte des légumes que notre père avait plantés et buttés et arrosés avec notre aide dérisoire est montée en graines, a étouffé sous les mauvaises herbes, puis a pourri, s'est flétrie et ratatinée. Tout l'automne nous l'avons passé affligées, incapables de penser ni à hier ni à demain tandis que les quelques érables éparpillés au milieu des arbres à feuillages persistants qui bordaient notre clairière sont devenus dorés, ont chanté contre le vert permanent du reste de la forêt, puis ont perdu leurs feuilles.

Je ne travaillais pas. Je ne lisais même pas. Eva ne dansait plus qu'une heure ici et là par jour. Le matin, nous donnions aux poules leurs rations de plus en plus maigres de maïs concassé, vérifiions leurs nichoirs où elles pondaient de moins en moins souvent, puis nous les laissions sortir pour gratter la terre de la cour. Nous nous lancions dans des parties interminables de Backgammon sur un tablier qui s'ouvrait comme une valise. Sans fin nous en faisions le tour avec nos pions, voyageant, n'arrivant nulle part à bon port, tout en attendant que le téléphone sonne ou que le courant revienne, tout en attendant que la nuit tombe afin de pouvoir barrer une autre journée morne sur le calendrier dans la cuisine, tout en attendant d'être sauvées de la mauvaise direction qu'avaient prise nos vies.

Le temps a fraîchi, et nous avons déserté la terrasse pour le salon faiblement éclairé, nous avons abandonné le Backgammon pour les puzzles de mille pièces que notre père avait adorés autrefois. La pluie est venue, et nous avons allumé le poêle et assemblé des puzzles pendant que dans le garde-manger les sacs de haricots et de riz et de farine commençaient à s'affaisser, les conserves maison de légumes et de fruits à diminuer. Mais pendant des heures, nous ne pensions qu'aux petits morceaux de carton coloré étalés sur la table entre nous. Tant qu'il y avait une autre pièce compliquée à placer, tant qu'il était possible de défaire et refaire le puzzle en entier, nous pouvions demeurer en suspens, dans l'attente, en sécurité.

Mais un matin, nous nous sommes réveillées et le feu était éteint. Des panaches de buée s'échappaient de nos bouches dans l'air glacial, et quand nous sommes sorties chercher des brassées de petits bois, le monde était entaillé par un gel exceptionnel. Nous sommes rentrées en claquant des dents, avons déposé notre bois près du poêle froid. J'ai rempli la bouilloire avec l'eau qui s'était accumulée dans l'évier au cours de la nuit, je l'ai posée sur le dessus du poêle puis je me suis de nouveau penchée sur la mer étale des pièces du puzzle pendant qu'Eva s'agenouillait pour allumer le feu. Elle a coupé un fagot de petit bois, froissé le quart d'une page d'un vieux catalogue, attrapé la boîte d'allumettes de cuisine et a eu un hoquet de surprise.

J'ai pensé que quelque chose l'avait piquée, tant son exclamation était soudaine et remplie d'effarement, et avant même que je demande, "Qu'est-ce qu'il y a ?", j'ai imaginé un scorpion arquant le dos pour sortir de la boîte d'allumettes, et toutes mes craintes concernant les piqûres de scorpion m'ont traversé l'esprit. Mais au lieu de jeter la boîte, Eva l'a serrée contre sa poitrine, et en réponse à ma question, elle me l'a tendue, trop abasourdie pour parler.

J'ai pris la boîte avec précaution, mais à la place de l'affreux scorpion marron au corps nu, je n'ai vu que quatre allumettes au bout rouge – dans une boîte qui en contenait des centaines.

— Qu'est-ce qui s'est passé ? ai-je demandé.

— On a dû les brûler.

Ce ne pouvait être que nous, en effet. Mais nous les avions utilisées avec tant de parcimonie – une allumette un matin sur deux ou trois pour allumer le feu si le lit de braises n'avait pas tenu jusqu'à notre réveil – qu'Eva n'avait pas remarqué qu'il n'en restait que la moitié, le tiers, une poignée.

— Il n'y en a pas d'autres ? ai-je murmuré.

— Je ne sais pas.

Nous nous sommes regardées. Eva s'est levée, à nouveau droite comme une danseuse.

— On va devoir chercher, a-t-elle dit.

Et notre fouille a commencé. Au début, c'était une course folle dans toute la maison, tâtonnements sous les coussins du canapé et les matelas, mise à sac des placards et des poches et des tiroirs. Après avoir rassemblé un vieux briquet dont le butane clapotait encore à l'intérieur, une demi-douzaine de pochettes d'allumettes en lambeaux, et la loupe provenant du *Compact Edition of the Oxford English Dictionary* de Père, notre préoccupation immédiate s'était envolée, mais nos vraies peurs s'étaient accrues. Soudain nous avions vu – et il n'était plus possible de l'ignorer – que non seulement nos allumettes étaient comptées, mais que les vivres dans le garde-manger n'étaient pas illimités, qu'il ne restait que quelques aspirines au fond du tube, une poignée de tampons dans la boîte bleue de la salle de bains, et que même nos vêtements et nos chaussures pouvaient s'user avant que tout ça ne s'arrête.

Nous sommes alors devenues méthodiques, explorant la maison pièce par pièce, d'abord la cuisine, le garde-manger, la buanderie et la salle de bains, et à présent la chambre de nos parents – triant, organisant, évaluant notre héritage –, réfléchissant à la façon dont nous pourrions utiliser ou troquer chaque vieux flacon de sirop contre la toux, chaque rouleau de scotch, chaque feuille déchirée, tournevis, paire de tennis, chaque petit bout de toutes les choses qui remplissent notre maison.

L'autre jour, tandis que j'étudiais les chauves-souris, je suis passée à la lettre E afin d'en apprendre plus sur l'Emballonura, une chauve-souris insectivore, et là, l'article précédent a attiré mon attention : *ENGELURE, lésion qui survient quand la perte de chaleur entraîne la formation de cristaux de glace dans les tissus vivants. Les tissus ainsi endommagés sont privés de sang, deviennent durs et insensibles. Afin de prévenir les complications, telles les infections ou la nécrose des tissus, il est important de réchauffer les zones affectées aussi vite et délicatement que possible ; cependant, lors du dégel, la douleur peut être intense.*

C'est cela que je ressentais, quand nous nous sommes mises à passer de pièce en pièce, à examiner les objets de notre enfance, les biens de nos parents que nous avions perdus. Petit à petit les tissus s'assouplissaient, se réchauffaient, petit à petit le sang revenait, mais parfois la douleur de ce dégel était si intense que j'avais envie de rester à l'état de glace. Pourtant, une sorte de vie embrasait à nouveau mon moi gelé – cellule après cellule, toutes hurlant.

Au début, on aurait dit que la maison entière était remplie de ce que nous n'avions plus. Chaque tiroir était une boîte de Pandore de laquelle s'échappaient perte et désespoir. Là se trouvait le vieux sac à dos de notre père, sa brosse à dents aux brins courbés, sa tasse à café ébréchée. Là, le métier à tisser de notre mère, où attendait sa dernière tapisserie, la foule ouverte entre les fils de chaîne pour le prochain passage du fil de trame abandonné. Là, ses bocaux pour les conserves et ses verres en cristal, et – puisque notre père était incapable de se débarrasser du moindre objet qui lui appartenait – ses flacons de parfum et ses combinaisons.

Même quelque chose d'aussi simple qu'un saladier a semblé se remplir de la pâte à gâteau de toute une enfance lorsque nous l'avons descendu de l'étagère, examiné, essayant d'imaginer ses utilisations actuelles et futures, d'estimer sa valeur, essayant de ne pas nous attarder sur la dernière fois que nous avions léché le sucre au fond.

Chaque fois que nous avons ouvert un placard ou un tiroir, je me suis arc-boutée, prête à reculer et à me sauver alors que les souvenirs attaquaient, crotales au bruit de crécelle et aux crochets s'enfonçant dans ma chair. Mais curieusement, même quand ils mordaient, ces souvenirs n'étaient pas venimeux.

Cet après-midi, ce qui m'a rendue triste, c'est le peu de choses qu'il reste quand une personne est partie. Quelques photos, un foulard en soie, un carnet de chèques – et où sont-ils, les gens qui possédaient autrefois ces objets ? Dans quelle pince à cheveux ou chemise de travail notre mère et notre père résident-ils ?

Je n'ai cessé de penser que nous allions tomber sur quelque chose qui nous les révèlerait. Je me suis armée de courage pour le cas où nous découvririons un paquet de lettres ou un livre de pornographie ou une coupure de journal qui nous apporterait un nouvel éclairage sur nos parents. Mais il n'y a eu aucune surprise. Tout ce que nous avons trouvé paraît presque anonyme tant cela nous est familier. Là, les soutiens-gorge de notre mère, usés et faits à la forme de ses seins disparus. Là, les chaussettes de notre père avec leurs talons ostensiblement râpés.

Essayer de comprendre mes parents, c'est comme tenter de voir mes propres globes oculaires ou goûter ma propre langue. C'est comme tenter d'échapper à l'air. Je sais qu'ils étaient excentriques. Mais même quand je rêvais qu'ils s'installent en ville, qu'ils conduisent des voitures neuves et portent des pantalons et des pulls impeccables, je ne me voyais pas avec d'autres parents.

Ma mère était belle, sans aucun doute. Elle avait toujours l'allure de la danseuse qu'elle avait été, droite et élancée, avec d'étonnants yeux gris et une auréole de cheveux légèrement dorés qui couronnait sa tête comme une aura, entourant son visage de sa propre source de lumière. Jusqu'à la fin, elle bougeait comme une ballerine. Elle n'a jamais perdu son en-dehors, et ses gestes étaient à la fois plus larges et plus précis que nécessaire, comme si chaque mouvement, chaque instant, signifiait quelque chose. Même pour les tâches ménagères – trier le linge ou retourner le compost –, elle se déplaçait avec une efficacité et une grâce de tout le corps, comme s'il y avait un art ou un plaisir secret à plier des draps ou à ratisser l'herbe.

Mais malgré sa beauté éthérée, elle était ancrée dans la vraie vie. Elle avait de vrais pieds de danseuse, avec les orteils tordus et des oignons douloureux quand le temps changeait, et elle était toujours d'une franchise à toute épreuve avec nous au sujet de ce que Père appelait "Les Mauvaises Odeurs intéressantes" : les excréments, les règles, le sexe, et – avant qu'elle ne soit mourante – la mort.

Elle avait dix-huit ans quand elle avait rejoint le San Francisco Ballet, et elle y avait dansé pendant trois saisons avant de se fracturer la cheville lors de la répétition générale de *La Belle au bois dormant*, un ballet où elle devait danser son premier solo dans le rôle du Petit Chaperon Rouge. Elle a rencontré notre père aux urgences où il attendait un jeune élève qui était arrivé à l'école le matin avec un œil au beurre noir et un bras cassé.

C'était la première année d'enseignement de Père, et il avait choisi l'école la plus dure de San Francisco. Mais quand il a vu ma mère boiter dans la salle d'attente des urgences, vêtue de son costume de Petit Chaperon Rouge, le visage blême et s'accrochant à l'accessoiriste, il n'a plus du tout eu envie de passer ses soirées à méditer sur la suppression des petits déjeuners chauds servis à l'école et l'augmentation des grossesses chez les préadolescentes.

Plus tard, après une année d'éreintantes séances de kiné, quand ma mère a appris qu'elle ne devrait pas appuyer sur sa cheville pendant encore une saison au moins et qu'il était peut-être même possible qu'elle n'exerce plus jamais le métier de danseuse, elle a fait ses adieux au ballet, a épousé mon père et a emménagé avec lui dans la propriété qu'il avait trouvée à l'extérieur de Redwood, trente-deux hectares de forêt secondaire dont l'isolement était garanti, selon lui, par le fait qu'elle bordait une étendue boisée appartenant à l'État de Californie. Au cours de l'été, elle l'a aidé à installer la plomberie et à construire une buanderie dans la cabane en rondins dotée d'un étage qui se dressait au milieu de leur terrain, et au printemps suivant, elle était enceinte.

Avant qu'elle n'abandonne la danse pour mon père, Mère passait pour l'une des ballerines les plus prometteuses de la compagnie, et personne – ni ses amies du corps de ballet, ni ses propres parents – n'a compris pourquoi elle avait renoncé si entièrement à cette vie. Elle prétendait qu'elle ne regrettait pas son choix, mais deux fois par an, au printemps et à l'automne, nous nous mettions sur notre trente-et-un, nous nous entassions dans la vieille voiture que notre père possédait et parcourions les trois heures qui nous séparaient de San Francisco pour voir la compagnie danser.

Après le spectacle, nous allions dans les coulisses où nous nous tenions, gauches et lourdaudes dans nos habits de ville pendant que des femmes en tutus et collants tournoyaient autour de notre mère, tendant leurs longs cous vers sa joue pour embrasser le vide. Il leur semblait que c'était hier à peine, soupiraient-elles, que Mère faisait partie de la troupe, et maintenant regardez – les voilà qui approchaient de la fin de leurs carrières alors que Mère avait deux adorables filles. Elles sortaient des généralités d'une voix théâtrale pour dire combien elles trouvaient les familles merveilleuses, comme elles enviaient notre mère, comme elles auraient aimé, elles aussi, se marier et avoir des bébés.

Les trajets du retour étaient toujours silencieux. Eva et moi nous endormions sur la banquette arrière et nous réveillions quand notre père nous sortait de la voiture.

— La Buick s'arrête ici, disait-il, avec un enthousiasme plus marqué qu'à l'ordinaire. Tous ceux qui descendent, à terre.

Et tandis qu'il nous prenait dans ses bras pour traverser la terrasse et nous porter dans la maison, nous apercevions par-dessus son épaule notre mère debout dans la cour plongée dans le noir, les épaules droites, la tête dressée, tournant le dos à la maison, fixant l'obscurité, fixant les étoiles.

Pendant un jour ou deux après ces expéditions, elle était encore plus silencieuse que d'habitude. Le linge s'entassait, nos dîners provenaient de boîtes et de conserves. Mais immanquablement, nous finissions par nous réveiller un matin avec Bach ou Haendel ou Vivaldi s'échappant de la radio dans son atelier, et quand nous descendions, il y avait des plaques de roulés à la cannelle qui levaient sur la paillasse fraîchement nettoyée de la cuisine et une tasse de thé refroidissant sur la table à côté d'elle tandis qu'elle réalisait des croquis ou enroulait la soie pour sa prochaine tapisserie.

Je ne pense pas que Mère était faite pour vivre à la campagne. Elle aimait l'isolement de notre maison et la vue sur les arbres depuis la fenêtre panoramique qu'elle avait obligé notre père à installer dans le salon. Mais elle ne s'est jamais vraiment intéressée à la nature ou à la forêt. Elle n'aimait pas jardiner et elle était allergique à tous les animaux de compagnie qu'Eva et moi suggérions. Elle ne s'est jamais débarrassée de sa peur des crotales, des tiques et des sangliers, et chaque fois qu'elle s'aventurait au-delà de la clairière, elle se débrouillait toujours pour revenir avec des rougeurs dues au sumac vénéneux. Malgré tout, elle paraissait assez contente de son travail, du silence et de la famille qui remplissaient sa vie.

Depuis qu'elle avait arrêté la danse, elle s'était adonnée à d'autres formes d'art ou occupations avec une passion égale, semblait-il. Quand nous étions petites, elle avait un tour de potier et un four céramique dans son atelier, et je me souviens d'avoir façonné à la main des bols et des animaux grossiers par terre près d'elle pendant que sa roue tournait, entraînée par les coups rythmés de son pied.

Mais à un moment sa cheville blessée a commencé à l'embêter, et plutôt que de passer au tour électrique ou d'apprendre à actionner la roue avec son autre pied, elle a échangé son tour de potier et son four céramique contre un métier à tisser, un cadre d'ourdissage et un bobinoir, et elle s'est mise au tissage. À cause de ses allergies, elle ne pouvait pas travailler avec la laine, aussi utilisait-elle des fils de soie et tissait des tapisseries de fleurs aux motifs très élaborés pour lesquels elle s'inspirait du style mille-fleurs de l'Europe gothique et qu'elle vendait par le biais d'une des galeries les plus chic de San Francisco.

Elle teignait elle-même les fils de soie, et c'était une opération magique qui échappait à toutes les formules chimiques, la façon dont les poudres ternes au parfum amer qu'elle ajoutait à ses marmites pouvaient créer les indigos et les améthystes, les émeraudes et les carmins, les cornalines et les ocres et les terres de Sienne qui emplissaient ses tapisseries.

Dans la cuisine, il y avait toute une série de récipients et de bols et de cuillères qu'il ne fallait pas utiliser pour la nourriture à cause des teintures toxiques et des mordants qu'ils contenaient ou brassaient. Mais après que son cancer a été diagnostiqué, Mère s'est intéressée aux teintures naturelles, à l'utilisation de l'alun ordinaire et du vinaigre doux comme mordants, et avant qu'elle ne soit trop malade pour songer à travailler, elle parlait d'apprendre à extraire ses couleurs des plantes de la forêt.

Je sais qu'elle nous aimait, même si elle nous laissait la plupart du temps seules. Elle ne parlait pas beaucoup, à l'inverse de notre père, et son amour s'exprimait par de brefs câlins et des cookies et une sorte d'intérêt distant, une inattention indulgente. Elle vivait profondément au cœur de sa vie et s'attendait à ce qu'Eva et moi fassions de même. Je crois qu'elle ne voyait guère le besoin de se comporter comme notre compagne ou notre camarade de jeu. *Ta vie t'appartient*, disait-elle chaque fois que l'une de nous allait la voir au milieu de la journée parce qu'elle se sentait seule ou s'ennuyait. *Tu comprendras*. Et elle nous adressait un sourire chaleureux, énergique, et retournait à son métier à tisser.

Ta vie t'appartient. Lorsque l'une de nous courait vers elle pour se plaindre de l'autre – *Eva refuse d'être le prince, Nell est en train de couper les cheveux de sa poupée, Eva ne veut pas ranger sa chambre* –, elle répondait mi-fermement, mi-fièrement, *Sa vie lui appartient. Et la tienne aussi. Un jour tu comprendras*. Puis elle nous ébouriffait les cheveux, ses longs doigts massant notre crâne pendant un bref et doux moment avant de reprendre sa navette.

Nous avons passé la matinée dans l'atelier de notre père pour tenter d'organiser et d'inventorier le chaos qui y règne. Je détestais autrefois cette pièce avec son désordre incontrôlable et l'odeur d'humidité des moisissures et des produits chimiques, mais à présent chaque fil électrique et tuyau et verrou, chaque outil et gadget et machine peut avoir une utilité, et c'est, semble-t-il, un réconfort et un reproche à la fois de s'asseoir au milieu de ses affaires, de s'en occuper, de les classer et de les nettoyer, de leur apporter le soin qu'il n'avait jamais le temps de leur consacrer.

Père gardait tout et ne triait rien. Notre mère se plaignait qu'il était comme ces ménagères bientôt séniles qui amassent des sacs en plastique, des boîtes de margarine et des cartons de viande en polystyrène. Il mettait tout de côté – les appareils cassés, les lunettes de toilette abîmées, le grillage rouillé. Je dois reconnaître qu'il a réussi à tirer parti de certains de ces objets. Il avait toujours une planche ou une vis susceptible de servir, même si – comme notre mère aimait à le faire remarquer –, il pouvait passer la moitié de l'après-midi à chercher celle qui convenait.

Quelle ironie de penser que tout son bazar est peut-être aujourd'hui notre plus grand trésor. Au-delà de notre clairière, il n'y a que la forêt, une étendue sauvage inutile avec des arbres et des herbes folles, des sangliers et des vers de terre. Mais l'atelier de notre père regorge de choses qui finiront peut-être par avoir une certaine valeur.

Il n'y avait rien de très exceptionnel dans les origines de mon père, bien qu'il ait toujours donné l'impression d'être encore plus excentrique que notre mère. Il était l'enfant du milieu dans une famille de fermiers du Middle West.

— Je suis un homme moyen, déclarait-il. Salaire moyen, classe moyenne, âge moyen, mais j'ai toujours mon doigt du milieu, et bon sang, je sais encore m'en servir.

Je me dis maintenant qu'il avait dû avoir une enfance difficile, bien que malgré sa faconde, il n'en parlait jamais. La ferme de son père semblait toujours sur le point d'être saisie.

Son frère aîné s'est noyé accidentellement quand il avait sept ans et sa mère ne s'en est jamais remise. Mais la seule chose que mon père paraissait avoir conservée de toutes ces épreuves était un dégoût pour le lait en poudre et un don extraordinaire pour maintenir en état de vieux camions et de vieilles voitures.

Il se souvenait même du climat du Middle West avec tendresse. Là où il avait grandi, l'hiver se traduisait par un long siège de neige et de températures en dessous de zéro, et il manifestait toujours son mépris pour ce que les Californiens appelaient l'hiver en refusant de porter un manteau.

— Ici, il y a l'été, et un temps pour les pull-overs, se moquait-il. L'hiver, ha ! Aucune saison ne mérite qu'on lui donne ce nom à moins d'avoir la certitude d'être bloqué par la neige pendant au minimum une semaine. Ici, on ne peut même pas présumer qu'il va geler.

Mon père n'était pas un homme grand. Il mesurait à peine quelques centimètres de plus que ma mère – presque maigre, mais fort –, avec des cheveux toujours un peu trop longs, sauf quand il venait de les couper, auquel cas on voyait une bande de peau non bronzée en travers de son front, derrière les oreilles et sur la nuque. Il avait les yeux les plus bleus du monde, adoucis par de fines pattes d'oie. Des mains agiles, un sourire comme un cadeau et une énergie fougueuse, presque maniaque. Des blagues et des projets et des idées à foison. Il faisait toujours quelque chose, bricolait, réparait, arrangeait, ajoutant une autre pièce à notre maison pleine de coins et de recoins, remontant un moteur, creusant un nouveau lit filtrant pour la fosse septique, nettoyant la source.

Il travaillait tout le temps et il disait tout le temps qu'il jouait.

— Je crois que je vais aller jouer sur le toit un petit moment, annonçait-il à Mère en sortant pour colmater la dernière fuite.

— Il est temps d'aller jouer dans le jardin, déclarait-il le samedi après-midi. Ou bien : je vais jouer avec ce carburateur aujourd'hui.

Et le lundi matin, il fourrait ses grands cahiers en lambeaux dans son sac à dos en toile, jetait une veste sport en velours froissée sur son épaule et lançait :

— Je pars jouer au directeur d'école.

D'après notre mère, il avait une aptitude infinie à apporter de la gaieté, quoique je me demande maintenant si ce n'était pas juste une aptitude infinie à l'aimer, car, après qu'elle nous a quittés, tout ça a changé. Quand elle est morte, la vie entière de notre père a semblé s'effondrer comme un trou noir, créant cette densité que l'encyclopédie appelle singularité, une force de laquelle rien ne peut s'échapper, une négativité qui dévore même la lumière.

LA vie en ces journées de mi-janvier est une routine usée avec toujours les mêmes petites activités – étudier, manger, essayer de dormir. Le toit a commencé à fuir au-dessus de l'ancienne chambre d'Eva, mais à part ça il n'y a rien à raconter en ce moment sauf les repas et les rêves et toujours et encore le temps humide. Eva danse et je lis, et les seules nouvelles viennent de l'encyclopédie. Malgré tout, je ne m'explique pas comment l'ordre strict de l'alphabet hante si fréquemment ma vie.

Aujourd'hui, j'ai lu : *BULBE, organe composé de feuilles charnues qui constitue la phase de repos de certaines plantes. Les réserves de nourriture du bulbe lui permettent d'être en dormance par temps rigoureux et de reprendre sa croissance au retour des conditions favorables.*

Notre mère est morte avant que le téléphone cesse de fonctionner. Elle est morte quand l'électricité semblait aussi naturelle que respirer, quand on entendait encore de nouvelles chansons à la radio. Elle est morte à l'hôpital – autant dire il y a longtemps –, elle est morte lentement des complications d'un cancer et non d'un des virus fulgurants ou d'un accident ou de la grippe qui tuent les gens aujourd'hui.

Le dernier hiver où elle était encore en vie, elle a pris la voiture un dimanche pour aller en ville, alors que le ciel était détrempé et la terre inerte, et elle est revenue avec des sacs pleins à ras bord de bulbes de tulipe.

— J'ai acheté tous les bulbes rouges que j'ai trouvés, a-t-elle annoncé triomphalement.

— Ils m'ont l'air plutôt marron, a dit mon père en jetant un coup d'œil à l'un des sacs avant de sortir un bulbe et de le porter à la lumière comme pour vérifier sa couleur. C'est quoi, de la nourriture pour cerfs ?

— Le livre sur le jardinage dit que les cerfs ne mangent pas les tulipes.

— J'espère que les cerfs ont lu le même livre, a-t-il répondu.

Pour sa plus grande joie, elle a soupiré avec une patience étudiée, a levé les yeux au ciel et lui a demandé à quelle profondeur il pensait qu'elle devait les planter. Puis elle a transporté ses sacs dehors et a passé la semaine à disposer ses bulbes. Elle n'avait déjà plus que la peau sur les os à cause du cancer, mais je me souviens comme elle semblait puiser une vitalité dans la terre fraîche, les bulbes dormants et l'air vif. Je me souviens de ses mains rouges et gercées par le froid, et de l'odeur de propre et de terre qu'elle dégageait quand elle rentrait pour se réchauffer près du poêle à côté duquel j'étais assise avec mon livre et un chocolat chaud.

— Vous ne voulez pas m'aider les filles ? lançait-elle gaiement, ragaillardie par la terre et le travail et la promesse contenue dans chacun de ces vilains oignons, me taquinant en glissant ses doigts glacés dans mon dos ou en pressant ses joues contre mon cou, s'arrêtant devant la porte ouverte du studio d'Eva pour demander encore : Vous ne voulez pas m'aider ?

Nous marmonnions *plus tard, après ce chapitre – dans un petit moment, quand j'aurai fini ces pliés*, et je retournais à la chaleur intime, chocolatée de ma boisson et au monde fermé de mon livre, et Eva finissait ses *pliés* et commençait à travailler ses *frappés*.

L'idée me vient maintenant qu'elle nous avait peut-être proposé de l'aider afin de pouvoir nous parler de sa mort qu'elle sentait proche. Elle, qui avait toujours répondu franchement à nos questions concernant les oiseaux blessés ou les grands-mères malades, n'évoquait jamais avec nous ce qui lui arrivait, et je me demande si elle n'essayait pas de créer une occasion d'aborder le sujet de sa fin imminente. Qui sait si, dehors, agenouillées sur le sol pendant que nous travaillions ensemble à enterrer les bulbes qui lui survivraient, elle ne serait pas parvenue à nous questionner sur ce que nous ressentions, ne serait pas parvenue à nous dire ce qu'elle pensait que sa mort signifiait, ce qu'elle souhaitait qu'on se rappelle quand elle ne serait plus là.

Mais tout ce que je savais alors, c'était que je ne voulais pas sortir de la maison. Il faisait trop froid dehors, et j'étais bien près du feu, faisant ce que je savais faire. Je ne voulais pas courir le risque de croiser son regard, de devoir entendre ces mots – *cancer* et *mourante* – dans la bouche de ma mère qui avait un cancer, qui était peut-être mourante.

Je crois qu'inconsciemment j'avais peur que si elle me demandait ce que je ressentais, mon chagrin et ma rage déchaînés nous tuent tous. Dans un coin de moi-même que je rejetais, je pleurais déjà et je hurlais et je la suppliais de ne pas me laisser, de ne pas partir. Si je me mettais à pleurer pour de bon, seul son réconfort pouvait me faire arrêter, et si elle mourait avant d'avoir fini de me réconforter, j'en serais réduite à pleurer pour toujours. Et puis, j'avais lu quelque part que l'attitude des patients atteints d'un cancer pouvait être à l'origine de leur maladie ou les en guérir, et je pense que j'avais peur que si nous admettions qu'elle pût mourir, ce simple aveu la tuerait.

Aussi a-t-elle planté ses tulipes toute seule, enfoui chaque bulbe elle-même, et quand ils ont tous été en terre, elle est retournée aux fleurs de sa tapisserie et n'a plus jamais travaillé dehors. Quand il a arrêté de pleuvoir et que les premières feuilles de tulipe ont pointé de la terre humide, il n'était plus possible d'échapper au fait qu'elle se mourait, mais elle était alors trop faible et nous étions trop effrayés pour le lui dire.

Ce printemps-là, la clairière était entourée de feu, un cercle de tulipes rouges brisé uniquement là où le chemin la traversait. Les cerfs à demeure avaient dû grignoter une ou deux pousses précoces et décider qu'ils n'aimaient pas les tulipes, car bientôt de toutes les fenêtres on voyait une rangée de tulipes écarlate, leur couleur vive et leur forme rudimentaire les faisant ressembler aux fleurs d'un dessin d'enfant ou aux mille fleurs de toutes ses tapisseries.

Elles formaient une bande rouge qui séparait le vert domestiqué de notre pelouse du vert sauvage de la forêt. Tous les matins, Mère s'installait sur le lit que notre père lui avait aménagé sur la terrasse et, enveloppée dans des couvertures, soutenue par des oreillers, son crâne chauve caché sous un turban, ses yeux dissimulés derrière des lunettes noires, elle regardait ses tulipes jusqu'à ce que la chaleur insistante du soleil la renvoie à la somnolence dans laquelle elle sombrait de plus en plus souvent.

— Elles reviendront tous les ans, a-t-elle murmuré un jour.

Elle est morte un mois plus tard, juste au moment où la glycine à l'extrémité sud de la maison avait commencé à fleurir. Ses tulipes n'étaient plus que des tiges flétries, étouffées par le vert, affaissées au bord de la clairière.

Elle a été enterrée dans le cimetière de Redwood, un jour d'avril où la luminosité était forte et la brise âpre, un jour où nos yeux nous piquaient non seulement à cause du chagrin, mais à cause aussi de la lumière crue du soleil et du gravillon porté par le vent. Un peu d'elle est encore là, j'imagine, se décomposant dans le satin et le contreplaqué du cercueil que l'entrepreneur des pompes funèbres a vendu à notre père. Mais pour moi elle s'est enterrée elle-même dans ce cercle de bulbes, et aujourd'hui je regrette de ne pas l'avoir aidée à les planter.

Nous détestions le thé avant que tout cela n'arrive. Je buvais du chocolat et Eva évitait la caféine, mais à présent les sachets de thé éventé de notre mère sont l'une des rares gâteries qui nous apporte un peu de bien-être. Même Eva est prête à rationner le thé. Dans une boîte de chez Fastco qui contenait autrefois quatre cents sachets, il n'en reste plus que neuf. Mais si on retire l'agrafe qui ferme le sachet et qu'on tamise le thé dans un bol, on s'aperçoit qu'il ne faut qu'une pincée, juste un peu de poussière de thé, pour transformer de l'eau bouillie en un liquide légèrement parfumé dans lequel flotte un soupçon de poudre, et c'est comme une sorte d'alchimie qui civilise l'eau, donne vie au fantôme – au moins – du thé.

Nous arrivons ainsi à faire durer un seul sachet une semaine, et peut-être que compter les sachets de thé nous en dit plus que n'importe quel calendrier sur le temps qui passe.

J'avance à toute vitesse dans l'encyclopédie. J'ai fini les *D* la semaine dernière, et cet après-midi j'ai lu de *Éden* à *Électricité.* Alors que je me plongeais dans tout ce qui concernait les charges et les courants et les conducteurs et les champs à la lumière du soleil inondé de pluie, il m'est venu une curieuse pensée, que peut-être notre électricité était déjà rétablie. Il était tout à fait possible que l'ampoule de la cuisine qui était restée allumée depuis six mois ait grillé sans que nous le sachions.

Plus je restais assise à la table et regardais la cour trempée, plus j'étais convaincue que tout ce que j'avais à faire, c'était me lever et allumer la lumière du salon pour que notre fugue dissociative cesse. J'ai éprouvé un frisson d'excitation, et la retenue prudente que j'ai observée ensuite n'était pas tant une mise en garde comme quoi je pouvais me tromper qu'une façon de prolonger le délicieux instant de la découverte – dans un moment, j'allais me lever de ma chaise, traverser la pièce plongée dans la pénombre et allumer la lumière. Déjà je sentais l'infime résistance de l'interrupteur qui s'enfonçait avec un petit bruit sec. Déjà je voyais la lumière inonder la pièce et j'entendais la joie dans ma voix quand je crierais :

— Eva, Eva, viens voir !

J'ai attendu le plus longtemps possible, puis, lentement, j'ai traversé la pièce, posé l'index sur l'interrupteur, inspiré profondément, et j'ai appuyé. Il y a eu un déclic à peine audible.

Et c'est tout.

Une déception brutale s'est abattue sur moi, puis j'ai pensé, C'est peut-être juste cette ampoule qui a grillé.

J'ai couru à la salle de bains et j'ai essayé là aussi. Il semblait qu'il me suffisait juste de le vouloir, qu'il me suffisait de me concentrer à fond pour que l'électricité parcoure les kilomètres de fils électriques vers ce petit interrupteur, et que la lumière jaillisse. C'était comme si cela ne dépendait que de moi, comme si je pouvais réussir, si seulement j'essayais vraiment. J'ai fermé les yeux, j'ai retenu ma respiration, et j'ai appuyé un petit coup sur l'interrupteur.

L'espace d'un moment, j'ai été certaine de voir de la lumière à travers mes paupières baissées, mais quand j'ai rouvert les yeux, la salle de bains était dans le noir. Ma main a lâché l'interrupteur. J'ai senti que tout mon être s'effondrait devant une défaite si monumentale qu'il était impossible d'y échapper.

Alors un espoir plus stupide encore m'a remise debout. Si l'électricité n'était toujours pas revenue, le téléphone remarchait peut-être, mais avant que quelqu'un songe à nous appeler, nous ne le saurions jamais. J'ai bondi dans la cuisine pour décrocher l'appareil avec le même empressement qu'autrefois quand il sonnait. J'ai arraché le combiné de son socle, je l'ai plaqué contre mon oreille. Mais à la place du bourdonnement qui l'avait jadis fait paraître vivant, il n'y avait que le silence. Un silence profond, absolu.

Au-delà de ce silence, j'ai entendu le tic-tac implacable du métronome d'Eva, le bruit de la pluie dont tout rythme était absent.

BIEN que la pluie qui tombe sans interruption sur la cour en friche et les arbres stoïques soit peut-être la même que celle qui tombait il y a une semaine, le calendrier prétend qu'aujourd'hui nous sommes le 1er février. Il nous reste huit sachets un quart de thé, et je suis à plus de la moitié de la lettre *F*.

Aujourd'hui, je suis arrivée à *FORÊT, communauté écologique étendue et complexe dominée par les arbres et capable d'assurer sa perpétuation*. Mais avant de pouvoir mémoriser les cinq grands types de forêt, avec leur densité d'arbres typiques, leur climat et leur sol, j'ai été interrompue par un autre souvenir, et j'ai levé les yeux de la page pour regarder la forêt par la fenêtre.

Dès qu'Eva et moi avons su marcher, notre père nous a emmenées faire de longues et lentes promenades le long du chemin de terre qui, partant de notre clairière, conduisait à la forêt. Nous regardions les fleurs sauvages, écoutions les oiseaux et sautions dans les filets d'eau claire du ruisseau. Nous ramassions des feuilles et poussions doucement du pied des millepattes et des araignées d'eau tandis que Père attendait à côté de nous, imposant, aussi patient et bienveillant qu'un arbre.

Lorsque nous avons été un peu plus âgées, Mère nous laissait de temps en temps parcourir toutes seules les quatre cents mètres du chemin vers le pont pour que nous puissions accueillir notre père à son retour du travail. *Ne traversez pas le pont*, nous recommandait-elle, jusqu'au jour où le pont nous a paru être une frontière si naturelle qu'il ne nous vint jamais à l'esprit de le franchir.

Notre rêve était de jouer dans la forêt. Chaque fleur, chaque oiseau, chaque mystérieux fracas nous invitait à nous frayer un passage à travers les arbres et les fougères, mais notre mère insistait pour que nous restions sur le chemin.

— Vous êtes trop petites, a-t-elle dit un jour où, âgées de six et sept ans, nous l'avons suppliée de nous permettre d'explorer la forêt. Vous allez vous perdre. C'est dangereux.

— S'il te plaît ! avons-nous imploré.

— Qu'est-ce que vous voulez faire là-bas, de toute façon ?

— On veut juste explorer, avons-nous plaidé. Nous promener, construire un fort peut-être. On sera prudentes.

— Vous pouvez construire un fort dans la clairière.

— Ce n'est pas pareil.

— Mais il y a des tiques et des crotales et du sumac vénéneux dans la forêt.

Cela nous a stoppées net avant qu'Eva n'objecte :

— Il y a des tiques et des crotales et du sumac vénéneux dans la clairière aussi. Tu te rappelles quand Papa a trouvé un serpent à sonnette dans la pile de bois ?

— Et les sangliers ? a dit notre mère.

Mère détestait les sangliers. Ils vivaient dans la forêt comme des motoculteurs fantomatiques, rarement visibles, mais laissant de profondes entailles dans la terre là où ils fouillaient avec leurs groins à la recherche de vers et de bulbes, et des trous bourbeux là où ils se vautraient dans les ruisseaux. Nous ne connaissions personne qui ait été blessé par l'un d'eux, mais curieusement, ils semblaient incarner toutes les peurs de notre mère concernant la forêt.

— Ils peuvent peser cent kilos. Leurs défenses sont aussi aiguisées qu'un rasoir. Même les crotales ne peuvent pas planter leurs crocs dans leur peau. Ils se nourrissent de déchets et de charognes. Ils pourraient vous tuer. Que ferez-vous quand vous en croiserez un dans les bois ?

J'étais prête à ne plus jamais quitter la sécurité de la clairière quand mon père est intervenu brusquement.

— C'est bon, Gloria. Ça se passera bien. Que tu le veuilles ou non, ces deux-là joueront sûrement dans la forêt tôt ou tard. Par ailleurs, les sangliers sont craintifs. Eva et Nell feront suffisamment de raffut pour effrayer tous les sangliers de la Californie du Nord. Bon sang, s'il restait encore des ours, elles les feraient fuir, eux aussi. Je suis d'avis qu'elles y aillent.

Mère l'a foudroyé du regard, mais elle a fini par revenir sur sa position. Elle nous a donné à chacune des sifflets de policier au cas où nous aurions des problèmes et nous a couvertes d'injonctions : nous devions toujours être à portée de sifflet de la maison, nous devions rester ensemble, nous n'avions pas le droit de fourrer nos mains ou nos pieds dans un endroit sans nous être assurées que des crotales ne s'y cachaient pas, nous devions nous soumettre à une inspection de tout le corps pour détecter la présence de tiques avant de rentrer dans la maison, et il nous était interdit de manger autre chose que les goûters qu'elle empaquetait pour nous.

— Je vous défends de manger quoi que ce soit de sauvage, nous rappelait-elle chaque fois que nous quittions la clairière. C'est bien compris ? Les plantes sauvages peuvent être mortelles.

OK, Mère. Oui, Mère, c'est promis, répondions-nous tandis que, excitées et apeurées, nous nous dirigions vers les bois.

Notre forêt est une forêt mixte à prédominance de sapins et de séquoias de seconde venue mais avec un petit nombre de chênes, d'arbousiers d'Amérique et d'érables. Père disait qu'avant que notre terre soit déboisée des séquoias vieux de mille ans y poussaient, mais il ne restait de cet endroit mythique que quelques troncs couchés, de la longueur et de la circonférence des baleines échouées, et plusieurs souches carbonisées de la taille d'une petite cabane.

Quand nous avions neuf et dix ans, Eva et moi avons découvert l'une de ces souches à un kilomètre et demi environ au nord de la maison, et nous nous la sommes appropriée. Elle était creuse, et l'espace à l'intérieur suffisamment grand pour faire office de fort, de château, de tipi et de chaumière. Un affluent du ruisseau qui borde notre clairière coulait à proximité et nous fournissait l'eau pour barboter, laver et confectionner des gâteaux de boue. Nous y gardions un service à thé ébréché ainsi que des couvertures, des déguisements et des casseroles cassées, et nous y passions chaque minute que nous pouvions grappiller ou obtenir par des cajoleries à jouer à faire semblant.

— On dirait qu'on serait…, déclarait l'une de nous, dès que nous atteignions la souche, encore essoufflées après notre rude ascension. … Des Indiens.

Ou des déesses. Ou des orphelines. Ou des sorcières.

— On dirait qu'on serait..., répondait l'autre avec l'intensité étouffée que le jeu exigeait. ... Perdues.

Qu'on traquerait les cerfs. Qu'on irait danser avec les fées. Qu'un ours arriverait pour nous attraper et qu'on devrait se cacher.

À cette époque, la forêt semblait posséder tout ce dont nous avions besoin. Chaque champignon ou fleur ou fougère ou pierre était un cadeau. Chaque bruit une aventure à explorer. Souvent nous voyions des cerfs ou des lapins ou nous entendions le cri des dindons sauvages. De temps en temps nous apercevions un renard gris ou une mouffette. Une fois nous avons vu un lynx tandis que, l'heure du dîner étant largement dépassée, nous nous dépêchions de rentrer. Deux fois nous sommes tombées sur des crotales se prélassant au soleil de l'été, mais chaque fois nous avons réussi à nous écarter sans les déranger.

Nous n'avons jamais parlé du lynx ni des serpents à notre mère, et elle s'est mise à nous appeler les "nymphes des bois", à rire de nos cheveux emmêlés et de nos bras égratignés, et à oublier de traquer les tiques avant de nous laisser entrer. C'était complètement idyllique, et à la fin d'une journée dans la forêt, nous abandonnions nos vies imaginaires et courions vers la clairière et nos parents, vers la réalité douillette d'un repas chaud et d'un bain brûlant et de baisers de bonne nuit.

Mais Eva a commencé la danse et tout cela a changé. Au début, j'essayais de la supplier ou de la soudoyer pour qu'elle m'accompagne dans la forêt.

— Pas maintenant, disait-elle. Il faut que je travaille mes *fouettés*. Plus tard peut-être.

Les rares fois où j'arrivais à la convaincre de préparer un pique-nique et de s'aventurer dans les bois, nos jeux manquaient de naturel, ils avaient quelque chose d'enfantin, et il semblait toujours que nous retournions à la maison brûlées par le soleil, piquées par des tiques et de mauvaise humeur. Je tentais de monter seule à la souche, mais le temps que j'y passais alors me paraissait s'écouler avec lenteur ; les bruits lointains des sangliers ou des cerfs me faisaient sursauter, je me mettais à bondir devant les branches abattues car elles ressemblaient à des serpents endormis, et finalement la forêt n'a plus rien représenté d'autre que la distance interminable qui séparait la maison de la ville.

Il pleut et il pleut et il pleut et il pleut et il pleut et il pleut. La pluie tombe et tombe encore, de grandes aiguilles d'argent qui cousent le ciel morne à la terre détrempée. En bas, la maison est dans le noir et il y fait chaud, bien que tous les récipients que notre mère utilisait pour ses teintures servent à l'étage à recueillir l'eau qui coule à travers le toit que notre père n'a jamais eu l'occasion de réparer.

Quand j'ouvre la porte pour laisser entrer un peu de lumière afin de lire, j'entends le ruisseau siffler avec la pluie. Eva reste dans son studio, et par-dessus le martèlement des gouttes, j'entends le tic-tac de son métronome, les quelques mesures de *Water Music* qu'elle fredonne, et le frôlement et le bruit sourd de ses pieds sur le Mylar.

Depuis quelques jours, je rêve de hot-dogs. Des hot-dogs – une saucisse fade sur un petit pain blanc, un ruban de moutarde jaune gribouillée dessus. Quand on mord dedans, il y a l'élasticité moelleuse du pain, le léger piquant de la moutarde, la toute petite résistance quand les dents percent la peau de la saucisse et s'enfoncent dans la viande lisse, et enfin le délicieux fondant du pain, de la moutarde et du porc.

Je n'arrive pas à me rappeler quand j'ai mangé un hot-dog pour la dernière fois, sans doute au Uptown Café, avec Eva et Eli et le reste de la bande de la Plaza. En général, nous proclamions tous que ces hot-dogs étaient affreux, faits avec des ingrédients auxquels il valait mieux ne pas penser, de la lèvre de porc, nous moquions-nous, et qui sait quel autre organe et partie. Mais de temps en temps, l'un de nous en commandait un, et un autre suivait, et nous finissions tous, sauf Eva, par engloutir d'énormes bouchées. À présent, j'ai tellement envie d'en manger un que je serais prête, je crois, à donner ce carnet pour me retrouver au Uptown avec un hot-dog dans les mains.

MÊME quand Mère a dû finalement partir à l'hôpital, nous avons continué à nous comporter comme si elle allait bientôt rentrer à la maison. En y réfléchissant, je ne saurais vraiment dire si nous étions mus par la peur ou l'espoir, si nous étions trop lâches pour admettre qu'elle était en train de mourir, ou si nous nous accrochions héroïquement aux dernières bribes de notre foi en sa guérison. J'ignore si nous étions complices, ou ignorants, ou innocents, quand nous nous promettions qu'elle serait de retour avant que la glycine ne fane.

Elle semblait plus vaillante le soir. Aussi, après le travail, Père passait prendre Eva au studio de danse de Miss Markova et ils venaient me chercher tous les deux dans le vieux pick-up Dodge, le seul véhicule que Père avait le temps de maintenir en état. Nous repartions à Redwood au soleil couchant, et là, Père nous laissait Eva et moi au Uptown Café. Eva buvait un soda light et je dévorais une barquette de frites pendant qu'il allait à l'hôpital, aidait sa femme dans toutes les procédures médicales qu'elle devait endurer, la forçait à avaler un peu de bouillon ou de Jell-O, à boire une autre gorgée d'eau.

Quand elle était assise dans son lit et que, par la force de son amour, il avait fait venir une touche de couleur sur son visage blafard, il partait, retournant par les rues éclairées au café où je léchais le ketchup de mes doigts et Eva aspirait les dernières gouttes de son soda avec une paille.

En silence, nous traversions les quartiers paisibles de Redwood jusqu'au petit hôpital où était notre mère. Assises côte à côte, Eva et moi fixions les cônes de lumière que projetaient les réverbères, regardions avec une sourde avidité les fenêtres des maisons qui défilaient, à travers les rideaux tirés desquelles nous imaginions entrapercevoir des vies normales.

Nous nous préparions calmement à passer d'un monde à un autre. Père, lui, était perdu dans ses pensées. Le pick-up semblait alors habité par une indescriptible tristesse, et pourtant je me souviens aujourd'hui de ces trajets avec nostalgie. Malgré toutes les peurs qui nous accompagnaient, notre père conduisait, Eva et moi étions encore des enfants dans la chaleur de la cabine, les rues ruisselaient encore de lumières et notre mère était toujours là, nous attendant avec un sourire qui illuminait tout son visage.

Ce matin, nous avons découvert que la baignoire ne s'était pas remplie durant la nuit, et pendant quelques minutes, j'ai été certaine que la source s'était asséchée, certaine que nous allions devoir chercher notre eau au ruisseau, certaine que je ne prendrais plus jamais de bain.

— Pourquoi la source s'assécherait-elle en plein hiver ? a demandé Eva en vérifiant que les robinets n'avaient pas été fermés.

Comme d'habitude, sa question m'a calmée, et nous sommes sorties examiner la citerne, puis nous avons grimpé derrière la maison vers la petite grotte où la source suinte du versant de la colline. Agenouillée par terre à côté du couvercle en bois, j'entendais le murmure de l'eau en dessous, je sentais son odeur minérale. J'ai soulevé le couvercle du bassin en béton, et nous avons vu que la rigole au fond était bouchée par de la vase. Au lieu de s'écouler le long de la canalisation qui mène à la citerne dans la clairière, l'eau de notre bain retournait dans la terre.

Cela nous a pris une bonne partie de la journée pour tout réparer, bien que nous ayons consacré une grande partie de ce temps à aller chercher des outils, à réfléchir à des stratégies et à anticiper les problèmes. Notre père avait construit l'alimentation en eau de la maison avant notre naissance, et comme tout ce qu'il faisait, c'était à la fois simple et imprévisible – un parfait exemple de sa singulière logique.

Par moments, quand l'eau de la source ruisselait sur nos mains glacées et que nous peinions pour réparer son travail, je ressentais un lien très fort avec lui. Mais sinon, j'étais surtout agacée par la façon qu'il avait toujours eue soit de faire les choses à notre place soit de nous laisser les comprendre par nous-mêmes.

APRÈS la mort de Mère, nous avons continué à aller en ville le soir. C'était presque comme si nous étions tous les trois si affamés de routine que même une routine liée à sa mort ajoutait une sorte de structure à nos vies. Et puis, un tour en ville était un moyen d'échapper à la maison où nous ne pouvions plus nous raconter qu'elle reviendrait, d'échapper au lourd fardeau de nos chagrins respectifs. Il semblait impossible de partager notre peine, même entre nous. En surface, la souffrance d'Eva ressemblait beaucoup trop à la mienne, et le tourment de notre père menaçait de nous englober tous les trois.

Du reste, en plein cauchemar du décès de ma mère, je passais par des moments qui me choquaient davantage que l'immensité de mon chagrin, des millisecondes où j'étais soulagée qu'elle soit partie, quand je m'avouais qu'il y avait une sorte de liberté dans le fait d'être débarrassée d'une mère, d'être capable de vivre sans elle. Et à d'autres moments j'éprouvais une bouffée d'euphorie d'une telle fulgurance à l'idée d'être en vie que j'en étais consternée. Même torturée par la douleur, c'était une sensation parfois si intense que la mort de ma mère ne semblait pas un prix trop lourd à payer pour l'éprouver.

J'étais atterrée par la trahison que représentaient ces pensées, par la créature sans cœur qu'elles révélaient. Si Père et Eva connaissaient des moments semblables, ils ne s'en ouvraient jamais, et j'étais incapable d'imaginer comment leur parler des miens sans les décevoir ou les dégoûter. Aussi pleurions-nous chacun de notre côté et attendions avec impatience, chacun à notre façon, les soirs où nous pouvions nous évader en ville.

Le samedi soir et, avant que l'essence ne commençât à manquer, souvent les soirs de semaine, nous nous entassions tous les trois dans le pick-up après un dîner hâtif et prenions la direction de Redwood. Une fois en ville, il y avait toujours des courses à faire. Nous nous ravitaillions au supermarché, passions à la quincaillerie ou au drugstore, à la bibliothèque.

Puis, cette tâche accomplie, Père nous déposait au Uptown Café, où Eva et moi étions de timides clientes depuis le jour où notre mère avait été admise à l'hôpital. Là, nous démarrions la soirée avec un Coca glacé et le tempo du juke-box, tandis que Père se rendait dans un bar plus calme, de l'autre côté de la ville, où parfois il retrouvait son ami Jerry et parfois était seul, lisant les livres de la bibliothèque et buvant par petites gorgées modérées une unique bière.

Pendant longtemps nous avons été des étrangères au Uptown. Eva et moi étions des filles de la campagne, scolarisées à domicile, une race à part comparées aux jeunes de la ville qui se comportaient comme si les banquettes en vinyle et le comptoir au bord chromé leur appartenaient. J'avais beau faire très attention à la façon dont je m'habillais ces soirs-là, il y avait apparemment toujours quelque chose qui n'allait pas dans ma tenue, et je n'arrivais jamais à faire que mes cheveux ressemblent à ceux des autres filles. Quand nous avons commencé à fréquenter l'Uptown, seule la serveuse nous disait bonjour.

Les autres jeunes paraissaient tellement sûrs d'eux quand ils commandaient des hamburgers et des frites, tapaient la chanson de leurs choix dans le juke-box et passaient en tourbillonnant d'une banquette à une autre dans ce qui ressemblait à une version sophistiquée des chaises musicales. Ils s'amusaient et plaisantaient. Ils se pinçaient et se poussaient et s'enlaçaient. Ils levaient les yeux au ciel. Ils se penchaient aux oreilles des uns et des autres pour murmurer quelque chose puis éclataient de rire, et j'aspirais à abandonner le bourbier où je m'enlisais pour devenir l'une des leurs.

Je ne sais pas très bien comment nous avons fini par traverser cette frontière, mais un soir, quelques mois après la mort de notre mère, quand le soleil du milieu de l'été ne se couchait pas avant neuf heures et qu'à l'extérieur de l'Uptown une odeur agréable flottait dans l'air doux du crépuscule qui se prolongeait, nous nous sommes aperçues que le groupe du café avait grossi pour nous inclure aussi naturellement qu'un ruisseau accepte quelques gouttes d'eau supplémentaires.

Qui sait s'ils n'ont pas été attirés par ce qui m'avait tant terrifiée. Au cœur de ma douleur et du choc, je connaissais une sorte de joie frénétique. Contre toute attente, Eva et moi étions en vie, et peut-être que la conscience irrépressible de notre force vitale nous donnait un éclat qui compensait largement notre gaucherie d'enfants non scolarisés. Nous avions la passion des survivants, et le manque de prudence des survivants. Nous étions immortelles cet été-là, immortelles dans un monde éphémère, et le groupe de l'Uptown avait dû le sentir et s'ouvrir pour nous laisser entrer.

Dès lors, toutes les soirées que nous passions en ville commençaient quand nous poussions les portes vitrées de l'Uptown et que nous en franchissions le seuil pour entendre nos noms sonner à nos oreilles.

— Nell ! Eva ! Par ici !

Nous faisions le tour du café, papotant avec ceux qui étaient arrivés avant nous, sautant de banquette en banquette, buvant et plaisantant avec les autres, clamant notre avis sur les prochaines chansons qu'il fallait mettre et saluant les nouveaux venus. Puis, quand nous avions bu tous les sodas que nous pouvions boire ou nous payer, et que notre groupe débordait des banquettes, une nouvelle effervescence s'emparait de nous. Alors, par deux, par trois, par quatre, nous sortions dans la nuit douce et agréable, traversions tranquillement la rue pour gagner la pelouse embaumée de la Plaza.

La Plaza était un îlot de verdure au cœur de Redwood, une vaste pelouse bordée d'un mélange improbable de palmiers et de séquoias, sillonnée par un chemin en béton et avec, ici et là, des bancs en bois et des réverbères à sodium. À l'une des extrémités se dressait un belvédère où des quatuors et des orchestres de jazz de la région jouaient autrefois tous les dimanches après-midi, et au milieu une fontaine tape-à-l'œil dans laquelle Eva et moi avions jeté les pièces que notre mère nous donnait pour faire un vœu. Nous nous rassemblions là, avec le reste des jeunes de la ville, nos visages illuminés par les réverbères orangés qui bourdonnaient tandis que nous nous groupions et nous regroupions, nous déplaçant d'une lumière à une autre avec la légèreté des papillons de nuit.

Je ne sais pas si c'est l'incertitude de cette époque qui conférait une dimension importante à ces soirées, ou si pour tout le monde il existe un moment où l'on a l'impression de faire partie des élus, de resplendir d'un éclat plus vif, plus chaud et plus farouche que cela n'a été ou ne sera le cas pour qui que ce soit. Mais il me semble maintenant, qu'à un niveau phéromonal, nous sentions déjà les changements à venir. Aujourd'hui, quand je repense à ces soirées depuis l'immobilité cloîtrée de cette clairière, il me semble que l'air même était chargé d'un sentiment d'urgence, et je me souviens que j'éprouvais une espèce de pitié pour tous ceux qui n'étaient pas nous.

À onze heures, notre père garait le pick-up du côté sud de la Plaza, et nous nous empressions de le rejoindre, lançant nos au revoir par-dessus nos épaules, courant telles des Cendrillon sur la pelouse envahie par la nuit, traversant le vaste fossé entre l'immédiateté totale du samedi soir et l'interminable tristesse du reste de la semaine.

Même si, à la Plaza, j'étais entourée de gens que j'appelais des amis, je me sentais encore atrocement seule. Je passais mes journées à étudier, isolée au milieu de mes livres, de mes cassettes et de mes rêves de Harvard. Je mourais d'envie d'être avec quelqu'un comme j'avais été autrefois avec ma sœur, à l'époque où elle n'avait pas encore commencé la danse, quand elle et moi vivions comme des ruisseaux jumeaux, bavardant et riant dans la forêt.

Au début, j'ai essayé de me trouver une meilleure amie parmi les filles qui venaient à la Plaza. Mais j'étais nouvelle dans le groupe et elles semblaient toutes se connaître depuis toujours. Elles se montraient chaleureuses avec moi, mais avaient en commun tout un univers fait de plaisanteries et de souvenirs et d'émissions de télé et de profs de maths et de déjeuners à l'école, et je n'ai pas tardé à comprendre qu'il était vain d'espérer m'y introduire.

Aussi ai-je renoncé à faire du charme aux filles, et je me suis mise à envisager la possibilité qu'un garçon pût mettre fin à ma solitude. Bien sûr, j'avais remarqué qu'il se passait des choses entre certains garçons et certaines filles du groupe, et j'avais vu ces relations s'enflammer et mourir, j'avais même ajouté mes propres observations et spéculations au réseau des commérages auxquels elles donnaient lieu. J'étudiais ces couples avec un désir confus tandis qu'ils parlaient pendant des heures, ou se regardaient dans les yeux en silence. Je les voyais disparaître dans l'obscurité des arbres et je les observais quand ils revenaient bien longtemps après, leurs visages détendus et boursouflés, leurs habits froissés et mal boutonnés, clignant des yeux sous la lumière des réverbères. Et je me disais que mon chagrin s'apaiserait peut-être si seulement j'avais, moi aussi, un petit copain.

Mais j'ignorais totalement comment m'y prendre pour en trouver un. Sous les lumières de ces réverbères, que je connaisse *Anna Karenine*, *Les Hauts de Hurlevent* et *Romeo et Juliette* ne m'était pas d'une grande aide.

— Tu n'as jamais voulu avoir un petit copain ? ai-je demandé un jour à Eva.

— Pour quoi faire ? s'est-elle contentée de me répondre d'un air si surpris que je suis restée muette.

J'ai toujours pensé qu'Eva était la plus jolie fille de la Plaza, avec ses cheveux blonds, ses yeux bruns et ses jambes de danseuse. Pourtant, on aurait dit qu'elle ne voyait pas les garçons qui, tout en affichant une nonchalance étudiée, tournaient autour d'elle au cours de ces longues soirées d'été. Elle était aimable avec eux, mais elle restait tellement sur son quant-à-soi qu'aucun d'eux ne parvenait à la faire rire ou rougir. Jamais elle n'a cherché à se renseigner discrètement sur l'un de ceux qui allaient et venaient d'un réverbère à un autre. Voyant cela, ils partaient en quête d'une autre fille. Moi seule semblais remarquer ce qu'elle avait raté.

Un soir d'automne, alors que certains d'entre nous étions sur la pelouse hors de portée de la lumière des réverbères, quelqu'un m'a passé une bouteille. J'ai senti le clapotement du liquide à l'intérieur et j'ai connu un instant de peur et de ravissement quand je l'ai portée à mes lèvres. J'ai renversé la tête en arrière, et, révélant ma gorge nue, j'ai bu une longue lampée avant de passer la bouteille à mon tour, tandis que le choc de l'alcool se propageait en moi. Je me suis mordu la langue pour m'empêcher de cracher et j'ai béni l'obscurité qui cachait mes larmes. Mais quand la bouteille m'est revenue, j'ai pris une autre gorgée et je l'ai trouvée plus facile à avaler. C'était presque comme glisser pour la seconde fois du grand toboggan dans le parc – le toboggan était toujours aussi raide, mais il y avait une file d'enfants qui s'impatientaient derrière moi, et du reste, j'avais survécu à un plongeon, appris que l'envolée et le frisson valaient la peine d'avoir eu peur.

Après cette première fois, j'ai ressenti une intimité nouvelle et chaleureuse avec ceux dont les bouches avaient touché aussi le goulot de la bouteille. On aurait dit que ma solitude s'était un peu atténuée. Personne ne parlait différemment, mais d'une certaine manière nos conversations habituelles avaient davantage de sens, comme si nos mots étaient une sorte de code qui faisait uniquement allusion à tout ce qui existait derrière eux.

Dès lors, j'étais toujours là quand la bouteille surgissait, et je buvais n'importe quel alcool qu'elle contenait, en général de la bière ou du vin, de temps en temps du rhum ou du gin ou du cognac. C'était les moments les plus agréables de la semaine, me trouver avec ce cercle d'amis dans le noir à boire au goulot d'une bouteille qui passait de mains en mains. Ce rituel me paraissait tantôt religieux tantôt semblable aux jeux en cercle des enfants, mais il m'a toujours aidée à apaiser ma solitude béante.

PARFOIS je me demande si quelqu'un viendra un jour pour moi, s'il y aura un jour un garçon – un homme – à qui je m'ouvrirai. Je me demande si je serai toujours comme ça, seule, toujours obligée de me satisfaire moi-même avec moi-même, ma main enfoncée entre mes jambes si bien que mon corps forme une espèce de cercle, un zéro, enfermant le vide limpide du néant, un ruban de Möbius ou un ouroboros – le serpent qui avale sa propre queue.

J'ai tellement envie que quelqu'un réclame ce que je rêve de donner. Mais je n'ai toujours que le visage d'Eli pour répondre à mon désir.

PENDANT tout l'hiver dernier, chaque samedi, l'Uptown Café s'assombrissait de plus en plus. Peu de temps après Noël, l'enseigne lumineuse dans la vitrine s'est éteinte. Au plafond, les tubes au néon ont grillé les uns après les autres et n'ont pas été remplacés. Peu à peu, les Coca ont semblé plus légers, les frites plus rances, et les hamburgers ont diminué de taille jusqu'à devenir presque inexistants. Le juke-box a cassé et n'a pas été réparé. Les serviettes en papier et les pailles ont disparu. Et de plus en plus souvent, bien avant la fermeture à neuf heures, le gros propriétaire faisait le tour des tables en râlant et disait :

— OK, les enfants. On ferme. Faut y aller maintenant. Vous revenez bientôt, OK ?

Nous ronchonnions, commandions des sodas à emporter – tant qu'il y avait encore des verres en carton où les transvaser – et nous nous poussions dehors de mauvais gré, dans la fraîcheur humide de la nuit hivernale.

À la fin janvier, les coupures de courant étaient si fréquentes qu'on ne pouvait raisonnablement pas les imputer aux tempêtes, et vers la fin février, la ville de Redwood n'a plus eu les moyens de maintenir les réverbères de la Plaza allumés. Bien sûr nous avons tous fait des plaisanteries de mauvais goût sur les pays du tiers-monde où les paysans n'avaient plus d'électricité dès que les lumières du château s'allumaient, mais d'une certaine façon nous nous sommes presque réjouis de l'absence d'éclairage et du silence des réverbères. La nuit devenait plus vaste et plus proche et plus excitante, et il ne nous a pas fallu plus d'une heure ou deux à nous affairer dans le noir pour découvrir le feu.

C'est devenu un autre rituel, de construire ce feu de camp. L'un d'entre nous a eu l'idée d'utiliser le bassin en béton de la fontaine vide comme foyer, et petit à petit, tout le monde a pris l'habitude d'apporter à la Plaza quelque chose qui pouvait brûler – un tasseau fendu, une branche, un bout de contreplaqué voilé, une poignée de pommes de pin.

Dès qu'il y avait suffisamment de bois et de cochonneries dans le bassin de la fontaine, quelqu'un grattait une allumette et enflammait les bouts de papier et d'herbe sèche à la base de notre bûcher funéraire. Nous regardions tous en silence le feu ondoyer à travers l'enchevêtrement de brindilles et de planches, et les premières étincelles s'envoler vers les étoiles. Pendant de longues minutes nous étions conscients de la nouvelle obscurité qui appuyait contre nos dos, mais bientôt notre solennité s'effondrait et nous nous intéressions de nouveau à nous, au réseau que nous tissions tous les samedis soirs.

Semaine après semaine, tandis que le temps commençait à se réchauffer un peu, les rumeurs se multipliaient, plus délirantes et menaçantes. Nous avons appris qu'une nouvelle sorte de fièvre hémorragique balayait le pays, ainsi que des souches plus virulentes de tuberculose et de sida. Nous avons appris que les émeutes augmentaient, que la fumée des incendies à Los Angeles était si épaisse que les aéroports avaient dû être fermés, et que les autoroutes étaient encombrées de voitures abandonnées par leurs propriétaires qui ne voyaient plus assez pour conduire.

Même quand il n'y a plus eu du tout d'électricité, curieusement, ces rumeurs ne signifiaient pas grand-chose pour nous autres à la Plaza le samedi soir. Elles faisaient partie de nos divertissements, un sujet sur lequel spéculer, du fioul pour nos conversations, mais rien de plus, vraiment. Le monde au-delà de la Plaza était fou et hors de notre contrôle, mais ce n'était pas nouveau – le monde des adultes n'avait-il pas toujours été ainsi ? Ce qui nous importait, c'étaient les événements au sein du cercle que le feu de camp projetait, car il semblait que rien d'aussi fascinant ne pouvait se passer ailleurs.

Un jour en mars, il y a eu une bouteille d'un whiskey qui brûlait comme de l'essence de briquet à la première gorgée. Une fois, deux fois, dix fois, j'ai attendu mon tour pour boire, jusqu'à ce que la bouteille ne tourne plus. D'un seul coup, la nuit était plus aromatique, plus ardente et plus pleine qu'elle ne l'avait jamais été, et j'ai regretté amèrement de n'avoir jamais été sensible à toute sa beauté.

Le regret me semblait une émotion familière. Mon esprit tâtonnait autour, comme si la lumière avait été éteinte dans une pièce connue où je finissais par trébucher sur la douleur du décès de ma mère. Je me rappelais avec mélancolie qu'elle était partie depuis presque un an. Mais même cette peine n'était pas aussi profonde que la tristesse qu'éveillait en moi la splendeur de la nuit.

— Quelle belle, belle, belle nuit, ai-je dit à Eva.

J'avais la bouche comme quand je sortais de chez le dentiste, mais mes yeux étincelaient de larmes.

Ma sœur m'a regardée bizarrement.

— C'est comme de la musique, ai-je dit. Une belle musique. *Water Music*. Une musique sur l'eau par une belle nuit.

L'instant d'après, je dansais.

Je me suis débarrassée de mon blouson, j'ai envoyé valser mes chaussures, j'ai retiré mes chaussettes, et j'ai dansé sur l'herbe, sautant et tournoyant et courant, dansant sur la musique de la nuit. Je dansais aux étoiles, dansant d'instinct ce qu'Eva avait mis des années à apprendre. Tous ces gens, tous ces gamins dans leurs vêtements épais, comme ils me faisaient pitié. Ils ne comprenaient pas ce que je savais au plus profond de moi-même. Ils ne connaissaient pas la douceur de leurs muscles, le pouvoir de leurs jolis poumons. J'étais arrivée à un nouvel accord avec la gravité. Mon corps était la conjonction d'un moment de chair et de feu et d'une musique que moi seule entendais, et j'ai su qu'il ferait tout ce que je lui ordonnerais.

Alors que je dansais, j'ai décidé que moi aussi, je deviendrais ballerine. Moi aussi, j'ignorerais les souhaits de ma mère et je marcherais sur ses traces. Je savais dans mes muscles tout juste découverts que je serais une aussi bonne danseuse qu'Eva – peut-être meilleure. Nous répéterions ensemble, nous danserions ensemble. Nous pourrions partager son studio comme nous avions autrefois partagé la forêt. Je ne me sentirais plus jamais seule. Ensemble, ma sœur et moi, nous consacrerions nos vies à la danse.

Je me suis retournée pour la chercher, pour l'appeler dans cette merveilleuse obscurité, Je sais maintenant. Je comprends. Regarde-moi ! Regarde ! quand un dernier *tour jeté* magnifique m'a catapultée sur le trottoir au milieu de la Plaza. Mon pied nu a *glissé* contre le béton et je me suis éraflée le gros orteil comme si c'était de la craie et non de la chair.

J'étais une masse sur le trottoir, étourdie et haletante. Les étoiles tournaient au-dessus de ma tête et je disais au cercle de visages qui me dévisageaient :

— Ça va, ça va. Je vais bien. J'ai juste trébuché. Je suis tombée.

Je ne sentais pas grand-chose, mais les jours suivants la douleur provoquée par ce saut m'a élancée dans toute la cuisse.

Mais ce soir-là j'avais seulement conscience d'une nouvelle sensation dans mon pied, non de douleur, mais simplement de changement.

Eva m'a soignée sur place. Elle a entouré mon pied avec un bandana que quelqu'un a sorti, et quand notre père est venu nous chercher, elle lui a dit :

— Nell s'est cogné le doigt de pied.

Je pense qu'elle voulait surtout lui épargner le chagrin d'apprendre que j'étais ivre, plutôt que me protéger de sa déception ou de sa colère, et je me souviens de lui avoir été reconnaissante de sa discrétion et désolée qu'il ne sache la vérité, car cela l'aurait peut-être tiré de son indifférence.

Mais Eva s'est assise à côté de lui sur la banquette du pick-up, lui tenant compagnie pendant que je m'affalais et m'assoupissais contre la portière. Une fois arrivés à la maison, elle m'a aidée à entrer et à monter me coucher pendant que notre père nous souhaitait vaguement bonne nuit.

— Dormez bien, les filles. J'espère que ton orteil ira mieux demain, Pumpkin.

Le lendemain, j'avais la gueule de bois, une telle gueule de bois qu'il m'était impossible – malgré mon embarras – de chercher à cacher à quel point j'avais mal. Mais quand j'ai réussi à sortir du lit, Père était déjà parti couper du bois, aussi n'eus-je qu'Eva à affronter. Elle était assise à la table et coupait un pamplemousse d'un air guindé quand je suis descendue en boitillant. J'avais l'impression que mon corps était difforme. Ma peau rampait sur mes os creux et mon cerveau s'agrippait à lui-même. Mon gros orteil était un désagrément mineur comparé à la douleur dans ma tête.

— Salut, ai-je dit piteusement, honteusement, avide de compassion.

— Salut, a-t-elle répondu, sans rien donner.

— Je suis désolée.

— C'est bon.

— Merci de m'avoir aidée.

Elle a haussé les épaules.

— C'est à ça que servent les sœurs, non ? a-t-elle dit.

Là-dessus, elle s'est levée et a disparu dans son studio, me laissant souffrir d'élancements et d'isolement.

Nous avons passé la matinée dans le garde-manger, Eva et moi, à tamiser la farine de blé et la farine de maïs pour ôter les vers et les résidus de cocons, à tuer les mites aux ailes poudreuses qui volètent autour de nos nouilles et de nos haricots.

La première fois que j'ai trouvé des vers dans notre nourriture, c'était en juillet dernier. Je versais une tasse de flocons d'avoine dans une casserole d'eau bouillante posée sur le poêle quand, en baissant les yeux, j'en ai vu un qui remontait à la surface de la tasse en se tortillant.

— Berk, ai-je lâché involontairement, et j'ai jeté la tasse loin de moi, répandant des flocons d'avoine sur le poêle et par terre.

Mon père était assis à la table, penché en silence sur un livre dont il ne tournait pas les pages, et il a levé les yeux vers moi d'un air surpris.

— Qu'est-ce qui se passe ?

— Un ver, ai-je répondu, prise de nausée et me sentant ridicule.

Les flocons sur le poêle ont commencé à fumer et à se ratatiner, et l'odeur n'a fait qu'ajouter à mon envie de vomir.

— D'où vient-il ? a demandé mon père.

— Des flocons d'avoine. Il était dedans.

Il a fermé son livre bruyamment et a repoussé sa chaise.

— Allons voir ça, a-t-il dit.

Je l'ai suivi dans le garde-manger où, quand nous avons ouvert le sac de flocons d'avoine, deux mites ont voleté dans l'air. Des grumeaux farineux collaient au papier déchiré. Quelques vers fins se tordaient au milieu des flocons.

J'ai eu la chair de poule.

— Il va falloir les jeter, ai-je dit.
— Non, ce n'est pas possible, a répondu mon père.
— Mais on ne peut pas les manger.
— Qu'est-ce qu'on va faire, Pumpkin ? Sauter dans le pick-up et aller chez Fastco pour en acheter d'autres ? Il est hors de question qu'on jette de la nourriture en ce moment juste à cause de quelques petits insectes.
— Mais on ne peut pas manger des vers.
— Dans ce cas, on va devoir se débarrasser d'eux. On les éliminera à l'aide d'un tamis, comme les pionniers autrefois.
— Mais même si on tamise les flocons d'avoine, il restera les toiles et les œufs ou autre chose. Il restera l'idée.
Il a haussé les épaules avec lassitude.
— L'idée ne te tuera pas… ni les œufs ni les toiles, surtout si tu as faim.
Ça a été une dure et chaude journée, durant laquelle nous avons trié les haricots et les macaronis et le riz, tamisé la farine de blé et la farine de maïs avec la passoire de Mère, à tel point que je me suis demandé si je n'aurais pas une crampe permanente à la main. À nous trois, nous avons déplacé chaque boîte et chaque sac et chaque carton. Nous avons lavé les étagères et les bocaux avec de l'eau bouillante et les dernières gouttes d'eau de javel, puis nous les avons séchés avant de remettre en place la farine tamisée et les céréales triées. Tout le temps que nous avons travaillé, je me suis retenue pour ne pas pleurer, pour ne pas penser à notre nourriture infestée de vers, pour ne pas penser aux vers dans le garde-manger de ma mère.
Ce matin, c'était une corvée comme une autre. J'étais immunisée à la fois contre le regret et la nausée. Mais au bout d'une heure ou deux à tuer des mites et à retirer leurs larves, j'ai aperçu les deux dernières bouteilles sur l'étagère que notre père appelait la “cave à vins”. Brusquement, je me suis retrouvée dans le passé, et bien que le souvenir déclenché par ces deux bouteilles poussiéreuses fût celui d'un événement anodin, je l'ai revécu avec une telle angoisse que pendant un moment j'ai été incapable de respirer.

C'était la mi-août, quelques semaines seulement avant la mort de Père. Nous venions de nous mettre à table pour manger notre maïs, nos tomates et nos pommes de terre bouillies quand il s'est levé d'un bond et a disparu dans le garde-manger.

— La meilleure occasion, c'est quand il n'y a pas d'occasion, a-t-il déclaré en revenant un instant plus tard avec une bouteille de vin rouge et trois des verres en cristal de notre mère.

Il a ouvert la bouteille, a penché le goulot sur un verre qu'il a rempli à ras bord. Inclinant la tête devant Eva, il le lui a tendu, puis, après nous avoir servis, lui et moi, il a porté un toast.

— À vos beaux yeux*, a-t-il dit avec tant de chaleur que j'ai eu un mouvement de recul, partagée entre le soulagement de voir qu'il s'efforçait de redevenir lui-même et la rancœur que je lui gardais d'avoir mis si longtemps.

Il a fait tourner le vin dans son verre, l'a humé, siroté et a hoché la tête avec satisfaction.

— Allez-y, les filles, videz vos verres et dites-moi ce que vous en pensez... Est-ce que l'alcool est à la hauteur de ce que les adultes racontent ?

Eva m'a lancé un regard d'une froide ironie, et j'ai su qu'elle aussi songeait à mes samedis soirs à la Plaza. Mais elle n'a rien dit. Elle a bu une gorgée de vin et a laissé le reste. J'ai pris mon temps pour boire le mien, en essayant de ne pas penser à Eli, et j'ai vraiment eu l'impression que le vin n'avait pas le même goût que d'habitude – bu à l'intérieur, dans un verre, et avec mon père. Père a fini son verre, puis celui d'Eva, puis la bouteille, tout en s'évertuant à débiter plaisanteries et menus propos, comme s'il cherchait à conjurer le bonheur devant nous.

---

* Réplique d'Humphrey Bogart dans *Casablanca* : "Here's looking at you, kid", classée cinquième dans la liste des cent meilleures répliques du cinéma américain et officiellement traduite par "À tes beaux yeux."

C'était affreux de le voir se forcer à manifester un entrain qu'il n'éprouvait pas, mais chacune de ses blagues qui tombaient à plat et de ses tentatives de conversation qui tournaient en eau de boudin ne contribuait qu'à faire grossir la liste des reproches que je continuais, presque à contrecœur, de lui faire. Je suis demeurée impassible, refusant ou incapable de répondre jusqu'à ce que, la bouteille finie, nous montions nous coucher tous les trois.

Après, tout l'alcool qui nous restait, c'était une bouteille de xérès à moitié vide et une bouteille de Grand Marnier couverte d'une telle couche de crasse et de poussière qu'il était impossible de voir combien elle contenait encore de liqueur.

— On va tenir ces deux-là en réserve, avait dit Père, pour des fins thérapeutiques. Morsure de serpent, engelure ou accouchement. Ce qui signifie, avait-il ajouté, qu'il n'y aura pas grand-chose à boire de sitôt par ici, à moins que la calotte polaire ne commence à se déplacer ou que l'un de nous soit attaqué par un crotale obligeant.

Nous aussi, on tient, ai-je pensé en tamisant la farine infestée de vers, on tient le coup, jour après jour, et tout ce qui nous menace, ce sont les souvenirs, tout ce qui me fait souffrir, ce sont les regrets.

J'AI arrêté de lire aujourd'hui à *HERSHEY, Milton Snavely**. Pourquoi de tout ce que j'ai perdu, c'est la nourriture qui me manque parfois le plus ?

JE ne le savais pas à l'époque, mais parmi ces silhouettes penchées au-dessus de moi tandis que le ciel nocturne tournait et que mon orteil saignait, il y avait Eli – Eli avec sa crinière châtain doré, Eli avec ses yeux noisette indolents, avec

* Fondateur de l'entreprise Hershey's, il a contribué à distribuer les confiseries au chocolat sur le marché américain.

l'émeraude de son piercing dans le lobe de l'oreille droite, et un harmonica à la bouche qu'il serrait, les mains en coupe, Eli le solitaire, Eli qui s'est approché de moi le samedi après mon accident et qui a dit : "Je t'ai vue danser". Pas, Comment va ton pied ? ni, Qu'est-ce que ton père a dit ? Ni même, T'étais ivre ? mais, Je t'ai vue danser.

Il ne m'a pas demandé de nouvelles de mon orteil, pourtant je boitillais encore. Non, il m'a dit, "Je t'ai vue danser", et j'ai su qu'il avait assisté et à mon saut et à ma chute. Je me suis sentie nue – fière et gênée en même temps. Ses paroles m'ont coupé le souffle. Elles ont fait dresser mes tétons, cambrer et se tordre ma taille et mis un soupçon de désir à l'endroit que je venais de découvrir entre mes jambes.

C'était la première fois qu'il me parlait vraiment, même si je le connaissais bien sûr, l'avais catalogué ainsi que tous les autres habitués de la Plaza, et que j'avais même essayé d'évaluer son potentiel en tant que petit ami capable de soulager ma solitude. Mais bien que j'apprécie son humour caustique et la fringale qu'exprimait la musique qu'il jouait, il semblait se protéger derrière une carapace d'assurance et je ne voyais pas comment la percer.

Eli affichait une attitude distante que je trouvais à la fois excitante et familière. Un solitaire, un observateur, il donnait toujours l'impression de rôder au bord des choses, et dans cette réticence, j'aimais penser que je me reconnaissais. J'aimais penser que c'était ma sophistication qui me retenait, moi aussi, d'appartenir entièrement au groupe, et je m'imaginais qu'Eli et moi étions deux individus d'une même espèce, des adultes s'abaissant à être des gosses alors que les autres de la bande étaient des gosses qui jouaient à être des adultes.

Je t'ai vue danser, a-t-il dit, et à partir de ce moment-là, nous étions ensemble. Nous avons passé le restant de la soirée l'un près de l'autre devant le feu de camp, et je me suis réchauffée à la chaleur de son corps tout proche, au son de sa voix dans l'obscurité au-dessus de ma tête. Certes, il jouait de son harmonica presque comme si je n'étais pas là, mais debout à côté de lui, je me sentais en vie comme jamais je ne l'avais été auparavant, chaque pore ouvert, chaque cellule réveillée, et il paraissait impossible que je sois aussi consciente de sa présence s'il n'était pas pareillement conscient de la mienne.

Il ne parlait pas beaucoup, mais tout ce qu'il disait – qu'il avait perdu son travail la semaine dernière quand la scierie avait fermé, qu'il essayait d'apprendre à lire la musique tout seul, qu'il pensait avoir une idée de là où nous pourrions trouver du vin – semblait contenir une signification sous-jacente qui n'était adressée qu'à moi.

Je suis retournée à la Plaza le samedi suivant prête à l'épouser, prête à jeter toute ma triste vie à ses pieds, à renoncer à mon projet d'aller à Harvard et à vivre avec lui pour toujours à Redwood. J'avais emprunté la blouse navajo d'Eva avec sa rangée de boutons argentés et ses manches amples en velours, et quand le soleil s'est couché, plutôt que de me couvrir avec mon blouson, je grelottais presque. J'ai passé la soirée entière dans un bouillonnement d'impatience, mais Eli n'est pas venu.

Toute la semaine, j'ai paniqué, vacillé entre la peur qu'il ne m'aime pas et la certitude qu'il était mort. Mais le samedi d'après, il était là, de nouveau autour du feu de camp, et je suis restée à côté de lui tout le temps, écoutant avec ferveur quand il parlait et ne livrant pas grand-chose moi-même. Plus tard, dans la soirée, il a joué un long morceau à l'harmonica, quelque chose à mi-chemin entre l'élégie et la berceuse, doux et dur et triste. C'était une musique qui m'agressait et me berçait, et j'étais persuadée que ce morceau était pour moi, à moi, sur moi. J'étais persuadée qu'il me disait, *Je comprends, je sais, et tout va bien.*

J'avais la conviction que nous étions liés par une conscience muette de la présence de l'autre, et quand, juste avant que mon père arrive pour nous ramener à la maison, Eli a posé sa main autour de ma taille, je jure que je parvenais à peine à respirer à cause du lien entre nous. Oh, je n'oublierai jamais ce moment où, même avec l'univers colmaté au-dessus de nous, brillant d'une infinité d'étoiles et noir d'un espace infini, il était impossible pour moi de penser que Ptolémée n'avait pas raison, que notre propre Terre, notre petite tribu et la main d'Eli autour de ma taille n'étaient pas au centre de tout ce qui était.

Le samedi suivant, il était de nouveau absent, et j'ai travaillé toute la semaine avec une détermination morose. Le samedi d'après, je m'étais mis dans la tête que j'avais tout imaginé. Mais ce soir-là, Eli attendait du côté des arbres qui bordaient la Plaza quand nous sommes arrivés, faisant le guet pendant que je disais au revoir à mon père et claquais la porte du pick-up derrière moi.

C'était la fin avril, la première soirée chaude de la saison. L'air était lisse comme de l'eau pure, le coucher du soleil baignait tout d'une lumière d'orchidée, et Eli était sur le trottoir devant nous.

— Salut, a-t-il dit.

— Salut, a répondu Eva, et d'un *chassé*, elle l'a laissé là et s'est élancée vers le feu qui venait d'être allumé.

Mais, moi, je me suis arrêtée et me suis tenue face à lui.

— Salut, a-t-il redit, doucement cette fois, comme si ce mot était trop intime à ses yeux pour que quiconque l'entende.

J'avais envie de lui demander : Où étais-tu la semaine dernière ? Qu'est-ce que tu fais quand tu ne viens pas ? Est-ce que tu aimes mes cheveux comme ça ? Je voulais lui parler de l'enterrement de ma mère, des silences de mon père, de ma dernière découverte en calcul intégral, de ce que j'avais mangé au dîner. Mais j'ai juste dit :

— Salut.

— Tiens, a-t-il répondu en brandissant quelque chose dans ma direction.

Je l'ai pris et j'ai vu que c'était une rose pourpre, ses pétales extérieurs déjà lâches et doux, ses pétales intérieurs encore soigneusement recourbés sur eux-mêmes.

Il a dû mal interpréter mon silence ravi car il a ajouté :

— Si tu veux.

— OK, ai-je dit, et j'ai piqué la fleur dans mes cheveux où, toute la soirée, j'ai essayé d'ignorer son poids contre mon oreille et le contact de sa tige et de ses épines.

Le lendemain matin, dans l'intimité de ma chambre, j'ai mangé l'un de ses pétales, j'en ai glissé un autre dans mon soutien-gorge, et j'ai mis le reste de la rose dans un vase, où je l'ai examinée comme une icône les jours suivants, tentant d'extraire l'amour des lambeaux de ce protoplasme.

Ça a continué ainsi, chaque samedi de mai et de juin. Certains soirs, Eli ne venait pas, et parfois, quand il venait, c'est à peine s'il me voyait. Mais même lorsqu'il faisait attention à moi, je me sentais toujours raide et intimidée en sa présence, et mes plaisanteries étaient trop élaborées, ma conversation trop sérieuse, mes silences trop longs. Pourtant, il y avait des moments où il semblait que toute l'électricité que Redwood avait perdue formait un arc entre nous.

Durant les longues semaines qui s'écoulaient d'un samedi soir à l'autre, je m'initiais à l'analyse mathématique et mémorisais les verbes irréguliers français et planifiais des mariages et cherchais des prénoms de bébés. J'étudiais l'histoire de l'Europe dans ses grandes lignes, je lisais l'*Iliade* et apprenais le cycle de Krebs et m'entraînais à écrire le nom d'Eli. Je retenais ma respiration pour me porter chance, je faisais des vœux quand je voyais une étoile filante ou un trèfle à quatre feuilles. Même ici, dans ce journal, c'est tellement gênant de l'avouer.

Mon père était si absorbé par son propre chagrin qu'il n'a jamais rien remarqué, mais Eva a fini par s'en apercevoir.

— Qu'est-ce qu'il a, ce type ? m'a-t-elle demandé un dimanche matin, au début du mois de juin, quand Père était descendu au jardin et que nous lavions notre linge dans la bassine en acier galvanisé de la buanderie.

— Quel type ? ai-je répondu en attrapant un jean gorgé d'eau et en frottant la toile alourdie.

— Eli.

— Qu'est-ce qu'il a ? ai-je demandé, transportée d'entendre son nom dans ma maison.

— Exactement, qu'est-ce qu'il a ? a répété Eva.

— Je l'aime bien, ai-je répondu en trempant le jean énergiquement.

— Pourquoi ?

— Parce que, ai-je commencé.

Et je me suis arrêtée.

Eva avait cessé de laver son linge pour me regarder.

— Parce que quoi ?

— Parce que.

J'avais pris un air indigné cette fois, comme si c'était plus qu'une réponse suffisante à une question aussi stupide.

— Il doit avoir au moins vingt ans.

— Et alors ?

— Quand est-ce qu'il va à l'université ?

— Je ne sais pas. On n'en a pas parlé, ai-je répondu en m'efforçant de donner l'impression que nous avions été trop occupés à parler d'autres choses.

— Est-ce qu'il a déjà lu un livre dans sa vie ?

— Bien sûr.

— Lequel ?

— Quelle différence ça fait, lequel ? Toi non plus tu ne lis pas.

— C'est vrai, mais toi si.

— Et alors ?

Elle m'a regardée avec curiosité.

— Si j'avais un petit ami, il faudrait qu'il s'y connaisse en danse classique.

À l'époque, je m'étais dit qu'elle était jalouse, et après cette scène j'avais écrit de longues listes avec toutes les raisons pour lesquelles j'aimais Eli et pourquoi il était parfait pour moi, de sorte que la prochaine fois qu'elle m'interrogerait, je n'aurais pas à chercher en bredouillant une réponse. Mais elle ne m'en a plus jamais reparlé.

VERS la mi-juin, quand le potager a commencé à bourgeonner et que la chaleur de l'été se prolongeait jusque tard dans la nuit, un samedi soir tandis que nous rentrions de Redwood, notre père a dit :

— Les filles, je déteste vous décevoir, mais j'ai bien peur que ce ne soit notre dernière sortie en ville pendant un petit moment. Ça fait deux semaines qu'il n'y a plus d'essence. Il nous reste à peu près onze litres dans le pick-up, mais à mon avis il vaut mieux les garder en cas d'urgence tant qu'on n'est pas sûrs de pouvoir faire le plein.

J'étais assise sur la banquette entre Eva et lui, en proie à un tourment silencieux, et ses mots m'ont arrachée à mes misères secrètes, m'ont coupé le souffle.

— Mais il faut qu'on y retourne la semaine prochaine, me suis-je exclamée.

Il fixait le faisceau lumineux que le pick-up projetait devant lui et quand il a parlé, c'était d'une voix distraite.

— Pourquoi ?

— Parce que, ai-je répondu affolée, incapable d'en dire plus.

PARCE qu'il fallait que je voie Eli.

J'étais allée en ville ce soir-là avec un plan aussi désespéré et précis que si je cambriolais une banque. Je m'étais résolue à faire enfin tomber les barrières de la réserve qui nous séparaient. Toute la semaine, j'avais réfléchi à ma stratégie, la reprenant maintes et maintes fois comme s'il s'agissait d'un scénario de film, changeant amoureusement un mot ici, un geste là, jusqu'à ce que je sois aussi sûre de son dénouement que si je l'avais déjà vécu.

J'avais décidé que mon besoin d'un lien tangible avec Eli était plus fort que ma fierté ou ma peur, et j'avais prévu d'attendre que nous ayons bu notre dose de la bouteille quelle qu'elle soit qui tournerait, pour lui prendre la main et l'éloigner du groupe.

Nuit après nuit, j'avais observé d'autres couples revenir de leurs petites expéditions derrière les arbres, tendres et détendus et intimes, et il me semblait que si seulement Eli et moi trouvions notre propre coin dans l'ombre, loin de cet oppressant cercle de feu et d'amis, alors ensemble nous découvririons sûrement un moyen d'exprimer la force qui s'érigeait entre nous. Je pensais qu'avec nos corps nous pourrions construire un chemin pour que nos mots l'empruntent, et j'étais persuadée qu'il me suffirait de me sentir bien avec Eli pour me débarrasser de tous mes chagrins.

J'avais passé l'après-midi à me préparer, chauffant l'eau de mon bain, brossant mes cheveux au soleil pour qu'ils sèchent, m'habillant avec le plus grand soin. Quand notre père nous a déposées à la Plaza, je me sentais à la fois chasseur et cerf tandis que je guettais l'arrivée d'Eli.

Mais il est venu tard ce soir-là. Pendant trois longues heures j'ai souffert, surveillant du coin de l'œil chaque nouvelle personne qui nous rejoignait autour du feu, éprouvant chaque fois un nouveau spasme d'angoisse quand je constatais que ce n'était pas lui. Bien sûr j'étais trop timide pour demander aux autres où il était, et quand, de temps en temps, quelqu'un disait, “Où est Eli ?”, je devais hausser les épaules et répondre le plus nonchalamment possible, “Qui sait ?”

La bouteille est apparue, a tourné et a été vidée, et il n'était toujours pas là. D'autres couples s'étaient depuis longtemps dispersés dans l'obscurité et commençaient déjà à revenir les uns après les autres près du feu. Le feu lui-même s'affaissait en braises. J'ai vu mon plan s'entortiller et s'embrouiller comme les fils emmêlés d'une chaîne, et mon esprit allait et venait à toute vitesse à travers un dédale d'inquiétude et d'indignation qui m'était à présent familier.

Finalement, une demi-heure avant que notre père ne vienne nous chercher, Eli est arrivé. J'avais renoncé à l'attendre et je me tenais, tendue et furieuse, près du feu qui faiblissait, quand j'ai instinctivement tourné la tête pour jeter un coup d'œil derrière moi. Il remontait tranquillement l'allée éclairée par la lune avec l'air de n'avoir aucune raison de se presser. Quand il a vu que je le regardais, il a levé le bras et a pointé l'index dans ma direction comme s'il tirait avec une arme à feu ou choisissait un prix. C'était un geste intime, à la fois ironique et possessif, et d'ordinaire, il m'aurait plu. Mais avant de me rejoindre, il s'est arrêté pour parler à plusieurs personnes légèrement à l'écart du feu déclinant.

— Hé, Eli, les ai-je entendu appeler.

Puis j'ai entendu sa voix qui répondait, puis les premières notes graves de son harmonica, et je me suis retournée pour faire face à ce qui restait du feu avec des larmes brûlant mes yeux comme de l'acide. Tandis que ma vision brouillée noyait les flammes, je me suis brusquement rendu compte que je n'avais pas le droit de me sentir blessée ou en colère, ni de me plaindre ou d'être indignée. Notre relation était ainsi, floue. Nous ne pouvions même pas nous disputer. Nous n'avions même jamais reconnu le lien qui aurait pu rendre une dispute possible. D'une certaine façon, nous étions plus éloignés que des étrangers car des étrangers ont au moins la possibilité de nouer des relations qui n'existent pas encore.

J'ai regardé fixement le feu jusqu'à ce que les flammes se reforment et que mes yeux réabsorbent mes larmes, et quand Eli a fini par s'approcher, j'étais en pleine discussion avec quelqu'un. Lorsque j'ai entendu mon père klaxonner, j'ai réussi à dire au revoir à toute la bande sans répondre au regard qu'Eli m'adressait, et je me suis forcée à traverser la pelouse en sautillant vers le pick-up qui attendait, comme si je n'avais jamais pensé à lui.

— PARCE que, ai-je répété, dans une piètre réponse à la question de mon père, on aura besoin de provisions.

— À mon avis, on a largement de quoi tenir pendant environ un mois, surtout avec le potager qui donne si bien.

— Mais il y a des gens à qui il faut qu'on dise au revoir.

— Quelqu'un en particulier ?

Je savais qu'il cherchait à atténuer le fait qu'il mettait un terme à notre seul divertissement, mais sa plaisanterie était le germe de cristallisation idéal pour ma frustration.

— Pourquoi tu ne nous as pas prévenues avant, bon sang ?

— Eh bien, je ne le savais pas moi-même avant d'essayer de prendre de l'essence ce soir, Nell. Et Jerry m'a dit qu'on n'en trouvait plus à Redwood depuis deux semaines.

— Tu vois... tu aurais dû être au courant. Si tu faisais un peu attention au lieu de ne penser qu'à toi, tu l'aurais su.

Dans le silence qui a suivi, j'ai vaguement entendu Eva retenir son souffle. Puis mon père a parlé, d'une voix plus lasse que jamais.

— Tu as probablement raison, et je suis désolé. Mais ne t'inquiète pas, Pumpkin. Ton jeune homme ne t'oubliera pas. Et s'il t'oublie, c'est qu'il ne valait pas un pet d'araignée dans une forêt pluviale.

— Ce n'est pas mon jeune homme et je ne suis pas ta fichue citrouille*, ai-je dit, clairement, fermement, énergiquement.

J'ai senti que la souffrance stupéfaite de mon père et ma propre douleur, mesquine, engloutissaient le pick-up, et je dois admettre que c'était grisant d'être autant en colère, d'être submergée par une émotion qui ne menaçait pas de m'emporter.

J'aurais pu tout arranger. Cela ne m'aurait pas demandé grand-chose – un mot, une plaisanterie, un geste. J'aurais pu mettre ma main sur son genou, poser ma tête sur son épaule, dire, "Pardon". Mais je suis restée impassible et intouchable, heureuse d'être pour une fois celle qui rejette l'autre.

Nous sommes retournés en ville une fois après cette horrible soirée. C'était presque la fin août, il y a moins de six mois,

* Citrouille se dit pumpkin en anglais.

bien qu'aujourd'hui cela paraisse aussi lointain qu'un rêve rêvé dans une autre vie. Neuf samedis s'étaient écoulés depuis notre dernier passage à Redwood. Nous n'avions plus d'électricité depuis cinq mois, le téléphone n'avait pas sonné depuis au moins quatre mois, pourtant nous parlions encore comme si à l'automne – ou à l'hiver au plus tard - tout serait restauré.

Pendant plusieurs jours, notre père avait procédé à quelques petits calculs dans le garde-manger et le potager, et un soir alors que nous dinions, il a dit :

— Les filles, je crois qu'on ferait bien d'aller en ville demain. On commence à manquer de provisions et plus vite on renouvelle le stock, mieux ce sera. Ça m'embête d'utiliser l'essence, mais je pense qu'on en a assez pour aller à Redwood et revenir. De toute façon, a-t-il soupiré, il faut bien qu'on tente le coup.

Cette nuit-là, j'ai fait bouillir de l'eau en plus pour me laver les cheveux. Je me suis rasé les jambes et épilé les sourcils, et j'ai repassé du mieux possible ma robe d'été verte en mettant notre fer électrique à chauffer sur le poêle.

Tandis que je repassais, Père a compté son argent.

— Heureusement que j'ai sorti ça à temps, a-t-il dit en étalant sur la table quatre cents dollars en billets comme une main gagnante au poker. La banque a fermé deux jours après. (Il a secoué la tête.) Dommage que je n'ai pas pu avoir accès aussi à notre compte épargne.

Eva a ajouté soixante-treize dollars à la pile. Je lui en ai donné cinquante-neuf.

Nous n'avions aucun moyen de savoir si cela représentait une somme importante.

— Bien sûr, je vous rembourserai toutes les deux, a-t-il dit en nous signant une reconnaissance de dette sur le dos de vieilles enveloppes. Dès que la banque rouvrira et que je pourrai récupérer mes économies, vous rentrerez en possession de votre argent. Avec intérêt.

Nous étions debout de bonne heure le lendemain matin, et quand nous sommes partis, j'avais l'impression d'être une fille sortie d'un conte de fées, une fille de la campagne allant en ville le jour du marché, pour voir les attractions, écouter la musique et goûter de petites douceurs, acheter peut-être un ruban ou une nouvelle bague, une fille parcourant le long trajet jusqu'en ville pour retrouver son amoureux.

Il ne pouvait exister de ravissement plus grand, de matin plus doux que celui-là, imprégné d'une joie pure, affirmative : j'allais en ville. Le soleil était chaud. Je portais ma robe d'été verte. Mes cheveux étaient légers sur mes épaules nues. Je verrais Eli.

Malgré mon humeur enjouée, la terre au-delà de notre clairière semblait curieusement étrangère. Déjà la route commençait à montrer des signes de désuétude. Les herbes folles poussaient dans les récents affaissements et fissures, et au milieu de la chaussée allait en s'élargissant un sillon d'herbes qui fouettaient et raclaient le châssis de la voiture.

À six kilomètres de chez nous, nous avons atteint la maison de nos voisins les plus proches. Les Coleman étaient des chrétiens fondamentalistes, et Père disait souvent que nous ne pouvions pas avoir meilleurs voisins qu'eux car nous n'avions absolument rien en commun – pas même une frontière puisque la forêt qui appartenait à l'État serpentait entre nos deux terrains. Mais leur maison autrefois soignée avait l'air saccagé à présent. Les fenêtres avaient volé en éclats, la porte d'entrée ne tenait plus que sur un gond, et l'herbe dans la cour était clairsemée et marron.

— Attendez ici, a dit notre père.

Il a attrapé la carabine et nous sommes restées dans le pick-up pendant qu'il se dirigeait vers la maison et appelait les Coleman.

— Ils sont partis.

C'est tout ce qu'il a dit quand il est revenu avant d'ajouter :

— J'ai l'impression qu'une truie a mis bas à l'intérieur.

— Où sont-ils ? ai-je murmuré.

Il a haussé les épaules.

— Ils se sont peut-être installés en ville.

À presque cinq kilomètres de chez les Coleman, nous avons rejoint la route goudronnée du comté. À mesure que le pick-up prenait de la vitesse, nous parlions de moins en moins et d'une voix étouffée, comme si nous étions dans un musée ou à un enterrement. Plusieurs des maisons devant lesquelles nous roulions avaient complètement brûlé ou avaient été manifestement pillées. Un chien squelettique a bondi en aboyant d'un abri de jardin aux fenêtres condamnées par des planches. Finalement, à quelques kilomètres de la ville, nous avons vu une mince volute de fumée monter d'une cheminée.

Alors que nous approchions de Redwood, nous avons remarqué d'autres signes de vie, une femme étendant du linge sur un fil, un homme, la mine sombre, à bicyclette, une poignée d'enfants ayant arrêté leur jeu de poursuite pour nous regarder passer. Pourtant, même en ce matin d'été lumineux, le paysage évoquait une région en état de siège, appauvrie et mise à rude épreuve.

Eva a fini par parler.

— Qu'est-ce qui se passe ?

Notre père s'est éclairci la gorge.

— Nous allons le découvrir.

Mais il n'y avait pas grand-chose à découvrir. Bien que quelques voitures et camionnettes soient garées le long des trottoirs, la nôtre était le seul véhicule à circuler quand nous avons tourné sur Main Street. Tous les magasins autour de la Plaza étaient plongés dans le noir. Certains avaient accroché des pancartes FERMÉ et d'autres de petites pendules dans leurs vitrines avec les aiguilles indiquant dix heures, comme si demain leurs propriétaires bien habillés reviendraient et rouvriraient leurs portes. D'autres vitrines étaient tapissées de papier alimentaire pour boucherie ou de contreplaqué, et quelques-unes étaient cassées, leurs trous aux bords irréguliers ouvrant sur le vide.

En passant devant l'Uptown, j'ai regardé à travers ses vitres les affiches décollées des murs, le juke-box sur le côté et les tables renversées. De l'autre côté de la rue, la Plaza était déserte. Sa pelouse autrefois luxuriante était sèche, avec des mottes d'herbes folles, et tous les réverbères étaient arrachés. Seuls les arbres étaient toujours les mêmes.

— Où est tout le monde ? a demandé Eva tout bas.

Personne n'a fait allusion à ce que notre père avait dit, que les gens de la campagne, comme les Coleman s'étaient installés en ville.

— Je crois que je vais faire un saut chez Jerry pour voir ce qu'il sait.

Jerry Miller était le prof de science et de maths des sixièmes et l'un des meilleurs amis de notre père. De forte corpulence, discret, il avait renoncé à un poste au MIT parce qu'il adorait les gosses et détestait la politique, et tous les vendredis soir, pendant des années, Père et lui avaient bu une bière avant que Père ne retourne dans la forêt pour le week-end.

La femme de Jerry était avocate à San Francisco, et comme ma mère et elle n'avaient jamais réussi à passer une soirée agréable en compagnie l'une de l'autre, nos familles ne se fréquentaient pas souvent, même si Eva et moi avions toujours apprécié les rares fois où nous allions chez eux et où nous nous baignions dans la piscine pendant que les adultes bavardaient dans le patio, leurs voix flottant autour de nous.

Les Miller vivaient à quelques pâtés de maisons de l'école primaire dans le seul quartier vraiment prospère de Redwood. Mais le long de ses rues en courbe, les pelouses de devant étaient brunies et tombées en friche, et des voitures soulevées par un cric ou sans pneus reposaient contre les trottoirs.

Père a tourné dans l'allée circulaire envahie d'herbes qui menait à la maison au toit en tuiles des Miller. Il a coupé le moteur du pick-up, mais avant qu'il ait le temps d'ouvrir la portière, un homme est sorti de la maison et est venu à notre rencontre. Il avait l'air de mauvaise humeur, et il tenait contre sa hanche un fusil pointé vers le sol.

Père s'est penché par la fenêtre.

— Bonjour, a-t-il dit avec la voix ferme et solennelle d'un directeur d'école primaire.

L'homme a hoché la tête.

— M. Miller est là ? a demandé Père.

L'homme a fait signe que non.

— Et Mme Miller ?

À nouveau l'homme a fait signe que non.

— Nan, a-t-il dit.

— Hum-hum, a acquiescé Père, comme si tout cela avait un sens. Vous ne sauriez pas par hasard où ils sont allés ? Jerry est un ami à moi.

— J'crois qu'ils sont partis vers le sud.

— À San Francisco peut-être ? Là où travaille Mme Miller ?

— Peut-être.

— Quand sont-ils partis ?

— J'sais pas. Avant qu'on arrive.

— Et c'était quand ?

L'homme a haussé les épaules.

— Bref, vous gardez la maison des Miller en attendant leur retour ?

L'homme a eu un regard furieux et a levé le canon de son fusil d'un centimètre ou deux.

— Bien, a dit Père, d'un air toujours aussi désinvolte. Je crois qu'on va y aller.

L'homme a opiné.

Au lieu de passer devant lui, Père a reculé sur l'allée, et nous avons roulé en silence, essayant de ne pas imaginer où les Miller pouvaient bien être partis, de ne pas imaginer ce qui leur était arrivé ou quand nous les reverrions.

Père a fini par parler.

— Je suppose que je ferais bien d'aller voir comment ça se passe à l'école, a-t-il dit, et nous avons parcouru les quelques pâtés de maisons comme dans un rêve, ahuris par le film d'étrangeté qui recouvrait ces rues familières.

Quand nous sommes arrivés à l'école primaire de Redwood, Père s'est garé à côté du poteau en haut duquel ne flottait aucun drapeau, et nous sommes restés dans le pick-up, scrutant cet endroit qui avait été pendant des années sa seconde maison.

Les portes d'entrée étaient fermées par des chaînes, et la longue rangée des fenêtres des salles de classe condamnées avec des planches.

— C'est Mike qui a dû faire ça, a dit Père, en parlant du gardien qui avait travaillé là encore plus longtemps que lui. Jerry l'a peut-être aidé avant de partir.

Nous avons balayé du regard la cour de récréation et le terrain de sport désert. Une corde pendait sinistrement de la cage à poules, et les chaînes qui retenaient autrefois les sièges des balançoires oscillaient dans le vide. Il n'y avait aucun enfant en vue.

Au bout d'un long moment, Père a passé la marche avant.

— On n'entre pas ? ai-je demandé.

— Non, a-t-il dit. Je ne suis plus utile à rien ici, maintenant. Et puis, il vaut mieux qu'on termine ce qu'on a à faire et qu'on se dépêche de rentrer.

Après un autre silence, il a ajouté :

— J'aimerais bien tomber sur quelqu'un qu'on connaît et, qui sait, avoir des nouvelles. Mais je ne vois personne en qui j'ai confiance qui vit dans le coin. Et on ne peut pas se permettre de gâcher plus d'essence à tourner en ville… le trajet du retour est suffisamment risqué comme ça.

Depuis que Père avait parlé d'aller en ville, j'avais chéri l'image d'un Redwood comme le centre trépidant d'une nouvelle – bien que temporaire – société. Je m'étais figuré la Plaza grouillant de monde et bordée d'étals comme pour un marché. J'imaginais des fermiers vendant des poulets qui piaillaient, des œufs frais et des légumes de leur potager, des camelots vantant de jolis bibelots et des outils d'occasion. Des musiciens de rue, des marchands ambulants proposant de la nourriture et des gens qui faisaient leurs courses, un panier au bras, s'arrêtant pour marchander et cancaner. Je m'étais même représenté des charrettes et des chevaux, comme si, tandis que nous attendions le retour de la vie que nous avions connue, tout le monde avait décidé de jouer à revenir à un monde de l'ancien temps, pittoresque et au charme suranné.

Pendant longtemps j'avais supposé que si seulement j'arrivais à parcourir les cinquante kilomètres jusqu'à la ville, si seulement je parvenais à couvrir la distance qui séparait notre clairière de la Plaza, alors je verrais Eli, et si je pouvais le voir, tout irait bien entre nous. Mais la Plaza déserte a cristallisé la réalité qui s'était lentement insinuée en moi : je ne verrais pas Eli. J'ignorais où il habitait ou comment tenter de le trouver. Je ne pouvais pas lui téléphoner. Et je ne pouvais pas recruter Eva et mon père pour dépenser notre temps et notre essence à le chercher. Sans compter que je ne savais pas s'il était encore en ville. Je n'étais même pas sûre qu'il soit encore en vie.

Et même si je réussissais à le trouver, et après ? La dernière fois que je l'avais vu, j'avais fait mine de l'ignorer. Tout à coup, je me suis rendu compte que mes espoirs à propos d'Eli étaient aussi irréels que mes visions d'un jour de marché. Je n'avais aucune idée de qui était Eli. Tout ce que j'avais connu, c'étaient mes fantasmes, et à présent, eux aussi étaient partis, étouffés et flétris comme la pelouse de la Plaza désertée.

Une colère aveuglante s'est abattue sur moi. Je voulais cogner, être aussi cruelle avec quelqu'un que la vie l'était avec moi. Je suis restée sous le choc, respirant à peine, cherchant une parole blessante à dire à mon père ou à ma sœur, cherchant un moyen de les faire souffrir, eux aussi. Mais finalement, je n'ai rien dit et, angoissée et vide, j'ai laissé défiler les rues sinistres de Redwood.

Père est d'abord allé à l'épicerie Savewell, mais les portes étaient condamnées, comme celles du supermarché concurrent à côté de la poste cadenassée.

— Peut-être que tout est fermé, a murmuré Eva.

— Possible, a répondu notre père en redressant les épaules.

Il a jeté un coup d'œil à la jauge d'essence puis a roulé jusqu'au bout de la ville, jusqu'à l'entrepôt Fastco.

Fastco était le seul hard-discount à s'être aventuré dans un petit quartier isolé de Redwood, et bien que de nombreux habitants de la ville refusent d'en franchir les portes, il attirait suffisamment de clients pour qu'il y ait toujours du monde. Tout chez Fastco était présenté en quantités énormes – le liquide vaisselle dans des bidons de plus de trois litres, la farine dans des sacs de vingt kilos. Notre père l'appelait "Les courses à usage industriel", et il prenait un malin plaisir à se moquer de Mère au sujet de la taille des paquets de papier toilette qu'elle rapportait à la maison. Quand il a appris qu'il fallait acheter une carte d'adhérent pour y faire ses courses, il adorait expliquer qu'"Ici en Amérique, on doit maintenant payer pour avoir le privilège d'acheter."

À l'époque, le parking de Fastco était toujours rempli de caddies et de voitures et d'enfants. Mais ce jour-là, à l'exception de quelques véhicules à l'air désolé éparpillés sur l'immense espace goudronné, le parking était désert. Les vitrines du magasin étaient éteintes, et les affiches scotchées pour annoncer des promotions sur le thon en boîte et les asperges et les produits assouplissants étaient passées et déchirées. Après nous être quand même garés, nous sommes sortis du pick-up et Eva et moi avons attendu pendant que Père dénichait un rouleau de scotch tout aplati de la boîte à gants. Puis, ensemble, nous nous sommes dirigés vers l'entrepôt.

— C'est ouvert ? a demandé Eva quand nous sommes arrivés devant l'inutile porte automatique.

Père a marqué une pause l'espace d'une seconde presque imperceptible, puis a dit :

— Il n'y a qu'une façon de le savoir.

Il a poussé le battant qui a cédé, ouvrant sur l'entrepôt sonore, froid et haut de plafond comme une cathédrale. Nous sommes restés sur le seuil un instant, en attendant que nos yeux s'habituent à la pénombre. Au-dessus de nous, dans le toit, après le réseau d'étais en acier, quelques lucarnes en fibre de verre laissaient filtrer une pâle traînée de lumière.

— Il y a quelqu'un ? a appelé Père.

— Un peu qu'il y a quelqu'un, a répondu une voix enthousiaste dans le noir. Il ne reste pas grand-chose, mais tant que vous payez en liquide, c'est à vous.

Ça a été un choc de voir cet entrepôt géant si sombre et vide. Les larges allées étaient désertes. Il n'y avait pas de mères pressées poussant des caddies remplis de paquets de couches jetables et de boîtes de céréales sucrées. Pas de couples à la retraite faisant des provisions de graines pour oiseaux ou d'alcools. Pas de chariots élévateurs tournant gracieusement aux coins des rayons.

Et apparemment il n'y avait pas non plus de nourriture. Les étagères, depuis le sol en béton jusqu'à mi-hauteur du plafond, étaient pratiquement vides. Ce que nous arrivions à y distinguer ressemblait plus à des détritus qu'à des denrées alimentaires, des tas et des piles dispersées de cochonneries, quelques cartons défoncés et boîtes de conserve écrasées.

— On arrive trop tard, a dit Eva tout bas. Il ne reste rien.

Mais Père était déjà au travail, détachant un caddie de la rangée qui se trouvait devant le magasin. Il l'a poussé en direction de la première allée en faisant étalage de son ancienne détermination.

— Il reste plein de choses, au contraire, nous a-t-il lancé avec une énergie qui semblait contagieuse. Il faut juste chercher. Prenez un caddie, les filles, et suivez-moi.

Nous avons alors accompli ce rituel autrefois familier qui consistait à aller et venir le long des allées et bientôt, nous avons vu que Père avait raison – ici et là, sur les grandes planches de contreplaqué qui servaient d'étagères il y avait encore un peu de nourriture qui pouvait être sauvée.

La première allée que nous avons prise regorgeait autrefois d'ingrédients pour la pâtisserie. À présent, environ une dizaine de bouteilles d'un demi-litre d'imitation d'extrait de vanille, quelques paquets de papier sulfurisé pour les moules à muffin et plusieurs récipients grand format contenant du sel à l'ail et de la levure chimique étaient disséminés au hasard des étagères.

— Voilà qui sera utile, a dit Père en jetant la levure et le sel dans son caddie. De quoi d'autre a-t-on besoin ? a-t-il demandé, et nous nous sommes regardés, ne sachant pas très bien quelle part de l'ironie présente dans sa question était voulue.

— Farine, a répondu Eva, et nous sommes passés devant des rayonnages vides à l'exception d'un peu de cacao et d'une boîte de farine de maïs éventrée.

Nous avons trouvé, étalés dans le noir tout au fond de l'étagère du bas, six sacs de farine de vingt kilos, mais quand nous nous sommes penchés pour les hisser dans le caddie d'Eva, nous avons vu qu'ils étaient à moitié vides, et quand nous avons essayé de les soulever, nous n'avons réussi qu'à faire voler de gros nuages blancs.

— Je le savais que ça nous serait utile, a dit notre père en sortant le rouleau de scotch de sa poche. Rien ne mérite de finir à la poubelle tant qu'on peut le réparer avec du scotch, a-t-il ajouté en se citant lui-même dans une épigramme qui faisait toujours grincer des dents notre mère.

Nous l'avons aidé à rafistoler les sacs à grands coups de ruban qui traçaient des X, à les soulever et les mettre dans son caddie.

— Ça va nous durer six mois, facile, a-t-il dit en frottant ses mains et les jambes de son pantalon, à moins qu'Eva décide d'arrêter la danse classique et de se mettre au sumo.

— On ne devrait pas en laisser pour quelqu'un d'autre ? a demandé Eva tandis que nous chargions le dernier sac volumineux dans son caddie.

Elle a indiqué les affiches placées à hauteur d'yeux sur lesquelles on pouvait lire PENSEZ AUX AUTRES et LIMITEZ-VOUS – VOUS ÉVITEREZ LE RATIONNEMENT IMPOSÉ PAR LE GOUVERNEMENT !

Un instant, notre père a eu l'air ébranlé. Puis il a dit :

— On ne reviendra pas ici pendant un bout de temps, du coup, je n'ai pas l'impression d'abuser. De toute façon, personne ne semble vouloir se jeter dessus.

Au bout de l'allée, nous avons trouvé un sac de sucre de quatre kilos qui, de toute évidence, avait pris l'humidité à un moment ou à un autre car le sucre à l'intérieur était aussi dur que du béton.

— Il n'est pas bon, ai-je dit en tâtant le sac.

— Pourquoi ? a demandé Père.

— Il est dur.

— Il aurait disparu depuis longtemps s'il n'avait pas quelque chose qui n'allait pas, mais c'est toujours du sucre.

Nous l'avons mis dans mon caddie.

Dans les rayonnages de l'allée suivante il y avait quelques nettoyants W.-C. dans des bouteilles géantes, des cartons abîmés de détergents pour lave-vaisselle, plusieurs manches à balai, un paquet déchiré d'éponges et des flaques vertes desquelles montait une odeur d'ammoniaque. Nous avons pris un sac en plastique renfermant plusieurs pains de savon fendus, et Père a scotché une boîte presque vide de lessive pour lave-linge et l'a rajoutée à notre chargement.

— On a besoin de bougies, a dit Eva.

Mais nous n'avons trouvé qu'une unique bougie de cuisine cassée.

Nous avons continué, fouillant dans les recoins sombres de l'entrepôt, longeant l'allée des réfrigérateurs qui ne contenaient rien que des flaques d'eau noire, passant devant des piles de boîtes avec des cassettes vidéo vierges à l'intérieur, des répondeurs téléphoniques, des lecteurs de CD, des programmes informatiques et des fax, tandis que nous cherchions du matériel utilisable et des aliments comestibles.

Au fond de l'entrepôt, là où l'obscurité était encore plus dense, nous avons découvert des boîtes de soupe, de thon, de salades de fruit et de choucroute qui avaient été oubliées. Elles étaient toutes rouillées ou bosselées et la plupart n'avaient plus d'étiquette, mais nous les avons quand même prises avec des paquets de quatre kilos de spaghettis cassés et un de macaronis écrasés. Nous avons trouvé des sacs à moitié vides de haricots bicolores. Une boîte de deux kilos de crackers en miettes et trois gros pots en plastique de beurre de cacahuète dont les couvercles étaient tapissés d'une substance qui ressemblait à du goudron noir.

Au bout d'un moment Père a déclaré que nous avions assez.

— Je regrette qu'on n'ait pas pu se procurer plus de bocaux, mais bon, on est plus que parés en attendant que l'électricité soit rétablie, surtout avec le potager et ce que le verger donnera à l'automne.

Alors que nous poussions nos caddies vers la rangée de caisses qui attendaient telles des sentinelles à l'avant du magasin, nous avons aperçu un homme, assis à une des caisses du milieu, lisant un journal à la faible lumière qui filtrait par la lucarne au-dessus de lui. Il a levé les yeux quand nous nous sommes approchés, et je me suis rendu compte que je l'avais déjà vu ici. Il portait une veste avec le logo de Fastco, et le nom STAN et les mots DIRECTEUR ADJOINT étaient brodés à la hauteur de son cœur.

— On y va ? a-t-il demandé en souriant et en bondissant de son siège

— Oui, avons-nous marmonné, décontenancés par son énergie, par l'étrange normalité de sa présence en ce lieu, et par quelque chose d'autre, une petite lueur de folie dans ses yeux marron.

— Je peux voir votre carte, s'il vous plaît ?

L'espace d'un instant, notre père a eu l'air interdit, puis il a sorti son portefeuille de sa poche arrière, a retourné ses cartes bancaires et ses cartes de crédit, sa carte d'identité et sa carte de la bibliothèque avant de tomber enfin sur la carte orange vif prouvant qu'il était adhérent de Fastco.

— Merci, monsieur, a dit Stan après avoir comparé le visage de Père à la photo sur la carte.

Nous l'avons observé avec étonnement tandis qu'il soulevait de nos caddies les sacs rafistolés et les boîtes cabossées et les empilait soigneusement dans des cartons, additionnant tout de tête en même temps.

— Trois quarante-neuf plus 4,95, ça fait 8,44, plus 1,95, ça fait 10,39, plus 7,39, ça fait 17,78, plus 6,49 ça fait 24,27, plus 3 fois 1,89, ça fait 29,94.

Il semblait sortir les prix comme par magie, même si j'avais remarqué qu'il facturait quatre-vingt-dix-neuf cents chaque boîte de conserve sans étiquette. Cela ne nous a pas traversé l'esprit de mettre en doute ses tarifs ou son addition.

À la fin, quand la dernière boîte abîmée a été rangée avec le reste de nos achats, il s'est tourné vers notre père pour annoncer :

— Plus 11,89 ça fait 404,54. Ce sera tout monsieur ?

Notre père s'est éclairci la gorge.

— Oui.

— Ça nous fera un total de 404,54. Il n'y a pas de TVA en ce moment, a ajouté Stan avec un clin d'œil.

Père a compté ses billets et les a tendus à l'employé qui les a froissés entre ses doigts, examinés à la loupe et finalement tamponnés dans un coin avec un bout de coton qu'il avait trempé dans un bol rempli d'un liquide clair.

— On voit beaucoup de faux billets, ces temps-ci ? a demandé notre père.

— On voit pas grand-chose de rien du tout. Mais on n'est jamais trop prudent. C'est pour ça que j'ai Sheila ici, pour me tenir compagnie.

Il nous a adressé un autre sourire et a caressé le fusil que nous avons alors remarqué, appuyé contre le lecteur de code-barres obsolète.

— Sheila a été une vraie amie. Surtout quand les pilleurs ont essayé de venir.

Il a secoué la tête avec un soudain profond dégoût.

— Les gens, ils veulent des trucs pour rien, c'est ça qui nous a foutus dedans. Mais Sheila, elle aime pas plus ça que moi, et ils ont vite compris que seuls les clients qui payent étaient les bienvenus ici.

Ses doigts se sont attardés sur le canon du fusil pendant un moment, puis il a glissé l'argent que Père lui avait donné dans la fente du coffre cadenassé posé à côté de sa chaise.

— On habite loin de la ville, a dit notre père en cherchant à maintenir le côté informel de la conversation, bien qu'il ait baissé la voix. Ce qui fait qu'on n'est pas au courant de grand-chose.

— Y a pas grand-chose à savoir, a répondu Stan en sortant la monnaie de sa poche pour la déposer dans la main tendue de notre père.

— Où est passé tout le monde ? La ville a l'air assez déserte.

— Des tas de gens sont partis, bien sûr, à la suite des rumeurs. Il y en a qui sont allés à Sacramento. D'autres ont pris la direction du sud. J'ai entendu dire qu'il y avait du travail là-bas, et que les services d'utilité publique fonctionnaient. La belle vie, pas vrai ? (Il a haussé les épaules). Toutes ces rumeurs. Moi, ça me paraissait un peu risqué, mais après tout, qu'est-ce que j'en sais ? Personne n'est revenu pour l'instant. C'est peut-être bon signe, c'est peut-être mauvais signe, si vous voyez ce que je veux dire.

— C'est arrivé tellement vite, ai-je observé.

— Ouais. (Il semblait ravi.) C'est ce que racontent la plupart des gens. Mais on nous rabâchait toujours aux congrès de la grande distribution qu'il suffisait de trois jours d'interruption de service pour que les rayonnages commencent à se vider. Quand on y pense, c'est dingue qu'on ait duré aussi longtemps.

Nous avons hoché la tête.

— La ville a surtout l'air vide parce que les gens sont partis. Mais des maladies l'ont nettoyée, aussi. Il y a un mois ou deux, la rougeole a emporté pas mal de monde. C'est comme ça que j'ai perdu mon petit dernier.

"Un autre truc est venu après, un truc qui avait à voir avec le ventre, et d'autres gens sont morts. Et puis dans le coin il y en a qui ont succombé à différentes choses, intoxications alimentaires, deux ou trois cas d'appendicite. Même une coupure suffit, si ça saigne trop ou si ça s'infecte.

— Où sont les médecins ? ai-je demandé.

Il m'a fixée d'un regard absent pendant une minute puis a répondu :

— Ils sont toujours là, je suppose, certains du moins. Non que ça serve à grand-chose, maintenant qu'on ne trouve plus leurs médicaments et que leur matériel sophistiqué ne marche plus. Il y a une femme en ville qui fait des trucs avec des plantes, des gens vont la voir quand ils ont besoin d'aide. Je ne sais pas, personnellement, je préfère prendre un cachet. Mais j'imagine qu'il va falloir attendre un moment. Je touche du bois pour qu'on se passe des docteurs avant que les choses reprennent.

— Les gens qui sont restés, où sont-ils ?

— Chez eux. La plupart ne s'éloignent pas trop de leurs maisons. Ils jardinent, ils élèvent des poules, ce genre de truc. Ils attendent.

Nous avons acquiescé.

— Moi, c'est pas pareil, je suppose, a-t-il continué. J'aime bien sortir un peu, venir ici, m'occuper, quoi. (Il a secoué la tête avec l'air de s'excuser.) Il ne se passera rien tant que le gouvernement ne se remettra pas sur pied.

— Quelles sont les nouvelles de ce côté-là ?

— La rumeur court qu'on paiera de nouveau des impôts à l'automne. Mais les rumeurs, ha ! J'ai entendu dire que des gars à Grantsville avaient construit un vaisseau spatial et vendaient des tickets pour la lune.

Il a émis un rire bref, dur, un son méprisant qui a fait se soulever puis brusquement s'affaisser ses épaules, et à ce moment-là, son visage a perdu son amabilité travaillée et il a eu l'air désespéré.

— Sur quoi ils vont nous faire payer des impôts, j'en sais rien. Vos billets sont les premières vraies coupures que je vois depuis un paquet de temps. Plus personne n'achète rien. Il y a plus de sous.

— On trouve de l'essence en ville ? a demandé Père en rangeant ce qui restait de notre argent dans son portefeuille usé.

Stan a ri à nouveau, du même ricanement caustique.
— Le vieux Mick Mitter, à la station Exxon, prétend qu'il va recevoir une livraison d'un jour à l'autre. Mais vous connaissez Mick. Ou peut-être pas. Il aime bien parler. Il attend cette livraison depuis juin.

Stan nous a adressé son sourire de Directeur adjoint de chez Fastco, bien que ses yeux expriment toujours quelque chose d'à la fois farouche et vide. Il a mis le dernier carton de courses dans le caddie d'Eva et a demandé :
— Vous voulez que je vous aide à porter ?

AUJOURD'HUI est une journée pire que Noël. Aujourd'hui est une journée qui mérite de laisser tomber le calendrier pour y échapper. C'est une journée qui ne pourra jamais rien signifier d'autre que le regret et la perte et un chagrin comme l'acier – si dur, si vif, si froid que l'air même paraît brutal. Respirer fait mal. Mon cœur souffre à force de pomper le sang. Comme le mythe de Midas à l'envers, tout ce que je touche ou que je regarde, que je lis ou que je me rappelle se transforme en poussière. Parce qu'aujourd'hui, c'est l'anniversaire de mon père, et toutes les pensées qu'il m'inspire sont ternies par le souvenir de sa mort.

C'ÉTAIT au début de septembre dernier. Les matins étaient frais, couverts d'une brume venue du littoral, les après-midi lourds de chaleur, et les soirées qui suivaient amples et douces, avec l'air sur nos bras nus comme de la soie et des nuages roses haut dans le ciel d'un bleu s'assombrissant. Le potager avait connu des jours meilleurs. Les laitues et les épinards et la moutarde étaient montés en graines des mois auparavant ; nous avions mangé depuis longtemps tous les radis et les petits pois, et nous arrivions à la fin du maïs et des betteraves et des carottes. Les haricots et les courgettes et les tomates commençaient à diminuer, et dans le verger les pommes étaient presque prêtes à être ramassées.

Père disait que nous nous en sortirions. L'électricité serait bientôt rétablie, promettait-il. Le téléphone marcherait à nouveau, et il ferait du stop pour aller chercher de l'essence en ville. L'école primaire de Redwood rouvrirait, Eva reprendrait ses cours de danse et passerait son audition, et je pourrais me préparer sérieusement pour mes Achievement Tests en novembre.

C'était comme si le garrot que le chagrin avait posé sur nos vies se desserrait enfin. Père disparaissait encore souvent à l'étage bien avant le coucher du soleil, mais les heures qu'il passait à couper du bois et à jardiner semblaient lui procurer une nouvelle vigueur. Il n'était plus aussi distant qu'il l'avait été, et parfois il rompait son deuil d'une plaisanterie.

Pendant ce temps, je lisais – ou plutôt relisais – tous les romans qui se trouvaient dans la maison. J'étais depuis longtemps venue à bout de la dernière pile des livres de la bibliothèque, mes cassettes de langues se taisaient, l'ordinateur était une boîte couverte de poussière, les piles de ma calculatrice étaient mortes, aussi retournais-je aux romans pour me nourrir de pensées et d'émotions et de sensations, pour me donner une vie autre que celle en suspens qui était la mienne.

Siddharta. M is for Murder. Bilbo le Hobbit. Le Carnet d'or. Tess d'Uberville. Catch 22. Chroniques martiennes. Adam Bede. Quand je lisais un roman, j'étais plongée, immergée dans l'histoire qu'il racontait, et tout le reste n'était qu'une interruption. Je pouvais lire pendant plusieurs heures d'affilée, et chaque fois que quoi que ce soit me dérangeait – une question, un repas, la tombée de la nuit –, je me hérissais, agacée.

De temps en temps je me surprenais à rêvasser à Eli, mais le sentiment d'urgence s'était en grande partie dissipé de ces fantasmes. Son souvenir était comme un vieil ours en peluche tout usé, quelque chose dont je dépendais autrefois mais qui avait fini par passer. Il m'arrivait encore de m'y cramponner par habitude, mais j'étais arrivée à la conclusion qu'Eva avait raison, Eli n'était pas fait pour moi, et j'avais même commencé à imaginer son remplaçant – le garçon que je rencontrerais à Harvard.

Le matin nous faisions des conserves.

Mère avait hérité de bocaux qui lui venaient de parentes âgées des deux côtés de sa famille, et parfois elle préparait quelques bocaux de douceurs – des carottes aux herbes aromatiques ou des pêches épicées ou du chutney de tomate. Après sa mort, nous avons trouvé dans le garde-manger presque un carton entier de bocaux de chez Fastco, et un soir d'été, quand les plants de tomates croulaient sous les fruits, que les betteraves saillissaient de terre et que les haricots pendaient tels de longs doigts de leurs tiges souples, Père s'est installé sur la terrasse, *Le Livre des conserves maison* étalé sur ses genoux pendant qu'il passait de la table des matières à l'index. Au bout d'un moment, alors que le dernier nuage rose se teintait de noir bleuté dans le ciel au-dessus de nous, il a fermé le livre, a levé les yeux, et a déclaré :

— C'est décidé les filles, cet été, nous mangerons ce que nous ne pouvons pas conserver, et ce que nous pouvons conserver, nous en ferons des conserves.

Il s'est mis à nous réveiller tous les jours à l'aube, et chaque matin nous ramassions et lavions et épluchions et coupions et mettions en bocaux et stérilisions jusqu'à ce que les plis et les crêtes papillaires de nos doigts soient tachés de façon permanente par le jus des tomates, des betteraves et des prunes, et nos visages et nos bras rouges et gonflés à cause des marmites d'eau bouillante au-dessus desquelles nous étions, semble-t-il, constamment penchés.

Le poêle à bois devait ronfler pour maintenir l'eau dans la marmite en ébullition rapide comme le préconisait *Le Livre des conserves maison*. Au milieu de la matinée, il faisait si chaud dans la maison que c'était presque une corvée de respirer. Petit à petit, les tas de fruits diminuaient et les piles de noyaux et de pelures grossissaient. Petit à petit, la table se couvrait de bocaux de fruits bouillonnant, et par-dessus le ronronnement du feu, nous commencions à entendre les petits "poc" des couvercles qui se fermaient hermétiquement en refroidissant. Et petit à petit Eva et moi étions de moins en moins indispensables et de plus en plus bougonnes, et mon père finissait par dire :

— Allez, ouste, je vais terminer cette dernière série. Hé, vingt et un bocaux d'un litre ! Voilà une bonne matinée de travail.

Un jour j'ai lâché d'un ton brusque :

— À quoi ça sert de faire tout ça ? Je croyais que tu avais dit que tout redeviendrait bientôt normal ?

— Oh, je ne sais pas, a-t-il répondu d'une voix un peu trop égale. Je suppose qu'un bocal de fruits en conserve sera toujours utile à un moment ou à un autre – au moins comme monnaie d'échange. Et puis, ce serait une honte de gâcher quoi que ce soit en ce moment.

Je me suis renfrognée, et Eva et moi avons couru dehors dans la chaleur plus supportable, laissant à notre père les soucis et le rangement. Aujourd'hui, je me demande s'il n'en savait pas plus qu'il ne voulait l'admettre quand il insistait pour que chaque matin nous travaillions jusqu'à ce que tous les bocaux que nous possédions soient remplis. Il restait moins d'une centaine de couvercles dans le carton que notre mère avait acheté, et même les pommes que le vent avait fait tomber et les pêches piquées par les abeilles étaient mises en conserve et rejoignaient les étagères surchargées du garde-manger.

Quand, à l'heure la plus chaude de la journée, il sortait enfin de la maison, c'était pour travailler dans le potager ou couper du bois dans la forêt.

— J'avais l'intention de remettre des bardeaux au toit et de consolider la buanderie cet été, a-t-il annoncé ce jour-là, mais pour l'instant, j'ai l'impression que les vivres et le bois sont plus importants.

Il voulait, disait-il, rentrer et faire sécher avant les pluies de l'hiver suffisamment de bois de chauffage pour tenir au moins trois ans. Et il voulait aussi en couper plus pour en vendre.

— On a intérêt à avoir un peu d'argent d'avance cet automne, a-t-il dit une fois. On peut être sûr que l'école publique sera la dernière institution solvable qui soit. Et j'ai deux filles qui réclameront une dot un de ces jours. Ou du moins des chaussons de danse, de quoi payer leurs frais de scolarité et du rouge à lèvres. Une minute, ce n'était pas le carmin de Kiss Me Quick ou le mauve de Move Over ? Quoi qu'il en soit, il faut qu'on mette un peu d'argent de côté pour le rouge à lèvres.

Je savais qu'il essayait d'arranger ce qui s'était dégradé entre nous, mais alors même que je brûlais d'envie de plaisanter avec lui, le ressentiment me serrait la gorge. Une part de moi rêvait de l'entendre me charrier, rire et m'appeler Pumpkin, mais une autre se hérissait encore, furieuse de le voir heureux, et tout aussi furieuse qu'il ne l'ait pas toujours été. Je m'accrochais au pouvoir de ma colère, à l'assurance d'avoir le dessus, et quand il a vu que je refusais une fois de plus son offre de paix, il a ramassé sa tronçonneuse et sa scie à archet et a quitté la clairière, lançant par-dessus son épaule tout en s'éloignant :

— Il était une fois un pauvre bûcheron qui n'avait rien qu'une petite fermette dans les bois et deux solides filles qui voulaient du rouge à lèvres…

Il a parcouru les bois, abattant des arbres qu'il laissait sécher à la chaleur de l'été, ou ébranchant ceux qu'il avait déjà abattus, les débitant en rondins de la taille d'un poêle, et les empilant le long des anciens chemins forestiers, prêts à être chargés à l'arrière du pick-up dès qu'il pourrait y mettre de l'essence.

Il en avait gardé un peu pour la tronçonneuse.

— C'est du carburant bien dépensé, avait-il déclaré quand je lui avais reproché d'en conserver pour sa tronçonneuse mais pas pour aller en ville. Une tronçonneuse est un outil avec un moteur à combustion interne parmi les plus efficaces. Et pour l'instant, j'ai bien peur que nous ayons plus besoin de bois de chauffage que de faire un tour en ville.

Tandis que l'été avançait, il se servait plus souvent de sa scie à archet et de sa hache, mais c'était un travail fastidieux, et de temps à autre nous entendions encore sa tronçonneuse vrombir au loin tel un moustique vaguement agaçant.

Pendant qu'il passait ses après-midis dans la forêt, Eva et moi restions dans la clairière, désherbant le potager, bricolant dans la cuisine de plus en plus spartiate, ou essayant de poursuivre ce qui avait été autrefois nos passions. Mais nous abandonnions de plus en plus souvent toute prétention au travail, quittions la maison étouffante pour l'étourdissante chaleur de la journée. Côte à côte, nous nous allongions sur le tapis moucheté d'ombre des aiguilles de pin, près de la citerne. Là, pantelantes, nous nous assoupissions, priant pour que souffle un frisson de brise.

Nous étions montées à la citerne cet après-midi-là. Il était tard, presque l'heure pour Père de rentrer, et pour nous de songer à préparer le dîner. Par pur ennui, je me peignais les ongles avec ma petite réserve de vernis, et je sens encore le chatouillement frais du pinceau, je perçois encore l'odeur chimique s'échappant du flacon court et trapu, je vois encore les ovales humides rouge foncé de mes ongles au bout de mes doigts tachés par les fruits, j'entends encore le vrombissement de la tronçonneuse quelque part à l'intérieur de ma conscience. Dans mon souvenir de cet instant, je suis trop innocente pour être tout sauf heureuse.

Soudain nous avons entendu un cri.

C'était un son qui ébranlait tout ce qui avait fini par être réel pour nous. L'espace d'un vaste moment suspendu, nous avons été incapables de donner du sens à ce son, et nous avons réfléchi à toute vitesse, cherchant aveuglément à identifier sa cause.

Je n'avais jamais entendu mon père hurler, n'avais jamais imaginé une telle chose. Comme le voir pleurer à l'enterrement de notre mère, cela me faisait honte, pas tant à cause de ce que cela révélait de lui, mais parce que je n'avais jamais considéré la possibilité que mon père puisse pleurer – ou hurler.

Ce devait être son cri. Il n'y avait personne d'autre, même si, alors que nous courions à travers la forêt, je n'arrivais pas vraiment à croire que ce son vienne de lui, même quand, essoufflées par la fatigue et la peur, nous sommes tombées sur l'endroit où il gisait, la cuisse entaillée et le sang battant.

Je me demande encore comment nous avons su qu'il fallait aller dans cette direction. Il avait une forêt entière pour se perdre, et les sons portent étrangement entre ces collines, pourtant nous avons bondi l'une et l'autre de nos rêvasseries et couru, sûres de ne pas nous tromper, vers l'écho de ce cri, couru à travers les buissons enchevêtrés de sumac vénéneux et les ronces des mûriers sauvages, couru dans l'indifférence des serpents et des sangliers, couru là où notre père perdait le sang de sa vie dans la terre.

Il avait le visage blême, la peau tirée, tendue au niveau des pommettes. Il était torse nu, et ses avant-bras bronzés et couverts de sciure de bois tranchaient abominablement contre la pâleur de sa poitrine. Ses yeux étaient noirs et déjà lointains, et pourtant il a souri quand il nous a vues et m'a adressé un regard si plein de chaleur et de tristesse, si plein d'amour et de pardon que je me dis parfois qu'il est la cause de tous mes cauchemars.

— Ça va aller, a-t-il murmuré. Ça va aller.

Pendant un moment, nous avons hésité à nous approcher, comme si, même après notre course tête baissée à travers la forêt, nous éprouvions un sentiment de répulsion, une réticence à l'idée d'être tachées de sang, de devoir regarder la viande, les lambeaux pêle-mêle de muscles et de tendons et de graisse qu'était devenu notre père. Je crois que nous ne voulions pas admettre la vérité, non par peur, mais portées par l'espoir fou que si nous n'acceptions pas que notre père était blessé, alors il ne le serait pas – si nous refusions de voir sa blessure, alors il se lèverait de là où il gisait et rentrerait avec nous par les bois aux fragrances d'été.

Mais ce moment est passé et nous nous sommes approchées de lui, agenouillées sur le sol de la forêt, une pâte d'aiguilles de pins, d'humus, et du sang de notre père.

— Qu'est-ce que tu as fait ? a sangloté Eva.

Il avait le visage crispé, et les mots lui venaient difficilement.

— Une branche. A dû se détacher. M'a heurté. Par derrière. Suis tombé. Sur. La tronçonneuse.

— Je croyais que ça ne devait pas arriver, ai-je soufflé en regardant horrifiée la tronçonneuse couverte de sang avec sa chaîne aux dents rieuses.

Il a grimacé.

— Pris. Le frein de chaîne. Enlevé. Semaine dernière. Idiot. Ça m'apprendra.

— Que devons-nous faire ? a demandé Eva, sans préciser à qui elle posait la question.

Notre père, en agnostique qu'il était, a souri, et avec un son aussi proche du petit rire étouffé qu'un homme mourant peut émettre, il a répondu :

— Prier.

— Que devons-nous faire ? a-t-elle répété, et cette fois, c'était à moi qu'elle le demandait.

Ma première réaction – même après tous ces mois d'isolement – était de chercher de l'aide. Le numéro 911 a jailli dans mon esprit, et je me suis vue courir vers la maison, décrocher le téléphone, taper ces trois chiffres sacrés. Puis j'ai entendu le mur blanc de silence dans le micro du combiné mort depuis six mois.

J'ai pensé ensuite aux Coleman qui vivaient à six kilomètres d'ici, et je me suis imaginée filant sur la route vers chez eux. Mais je me suis rappelé que leur maison était abandonnée, une décharge pour sangliers. J'ai pensé rouler à tombeau ouvert pour demander du secours en ville, mais il n'y avait plus d'essence dans le pick-up. En dernier lieu, j'ai pensé aux sifflets de policier que notre mère avait autrefois accrochés à nos cous comme des amulettes, et je crois bien que mes doigts ont palpé ma poitrine comme si, en retrouvant ce sifflet perdu et en soufflant dedans aussi fort que possible, je pourrais faire voler en éclats la barrière entre les vivants et les morts, et ma mère laisserait son métier à tisser et accourrait de la maison pour nous aider.

Je voulais quelqu'un pour sauver notre père. J'avais peur d'essayer de le sauver toute seule.

— Allez, a hurlé Eva, il faut faire quelque chose.

— Quoi ? ai-je supplié. Je ne sais pas quoi faire.

J'ai pensé à la trousse de premiers soins dans la salle de bains, avec ses pansements et la teinture d'iode et le manuel de secourisme.

— La trousse de premiers soins, ai-je dit en me relevant d'un bond. Le manuel nous dira quoi faire.

Mais Père a répondu :

— N'y va pas. Nellie. Tu. Me manquerais. Trop.

J'ai éprouvé la même sensation qu'à l'âge de huit ans, quand j'avais eu 40,5°C de fièvre et que tous mes sens étaient si atrocement aigus que les crêtes papillaires de mes doigts ressemblaient à des montagnes et qu'il me semblait sentir le grain de la réalité, chacune de ses particules rugueuses. J'ai eu l'impression que ma vie entière n'avait été jusqu'alors qu'un rêve terne, et je venais juste de m'éveiller – en entendant le cri qui était en moi depuis toujours, un courant souterrain d'horreur s'écoulant jour après jour.

L'unique échappatoire, je le voyais, ouvrait sur la folie. Je pouvais me lever et m'éloigner par les bois ensoleillés et ne jamais recouvrer la raison, et une part de moi le souhaitait. Mais c'était mon père qui gisait là, ma sœur qui attendait de moi que je le sauve, aussi ai-je fait ce que j'ai pu, bien qu'à la fin ce ne fût rien.

Il se tenait le haut de la cuisse, et quand j'ai écarté ses mains et que j'ai vu comment la tronçonneuse avait emmêlé le tissu du jean à sa chair, j'en ai eu le souffle coupé. Sans réfléchir j'ai plaqué mes mains tremblantes contre sa cuisse, cherchant à reformer sa jambe, à tout contenir ensemble afin qu'il ne perde plus de sang.

Je pense que son artère fémorale avait dû être sectionnée. Elle avait presque arrêté de saigner quand nous sommes arrivées, mais chaque fois qu'il bougeait, de nouvelles gouttes de sang s'écoulaient entre mes doigts. À un moment, je me souviens d'avoir essayé de stopper l'hémorragie en comprimant l'artère. J'ai appuyé le talon de ma main contre son pubis là où j'espérais que l'artère passait, et je ne saurai jamais s'il aurait survécu si j'avais pensé à le faire plus tôt.

Il s'était mis à trembler, et j'ai compris qu'il était en état de choc. J'ai demandé à Eva de le couvrir avec sa chemise et de lui soulever les jambes en tenant ses pieds sur ses genoux. Mais même avec les jambes en l'air et sa chemise étalée sur lui, il grelottait comme si le sol sur lequel il était allongé était tapissé de neige.

Il a dit qu'il avait soif, et Eva a attrapé son thermos et je l'ai aidé à boire les dernières gouttes qu'il contenait. Mais il en restait si peu que c'était dérisoire. Un peu d'eau, une chemise en coton, et nos quatre mains ne pouvaient panser sa blessure, et je ne savais pas quoi faire d'autre.

Il est mort en même temps que le soleil se couchait. Nous l'avons tenu, nous avons caressé son visage et lui avons parlé comme les mères parlent à leurs enfants malades, leur promettant que ça irait, leur murmurant les mensonges qui se transcendent eux-mêmes, deviennent une sorte de vérité simplement par la force de l'amour ou la nécessité qui les commande. Il a écouté ces mensonges et a essayé de se reposer.

— Ça va aller, a-t-il balbutié une fois, longtemps après qu'il se fut senti capable de parler. Ça va aller.

Puis il a rassemblé tout son être qui s'évanouissait, a porté son regard sur moi et a dit :

— Ne t'inquiète pas. Pumpkin.

Et longtemps après que son regard se fut tourné vers l'intérieur, longtemps après qu'eut cessé même son tremblement et que sa respiration irrégulière nous eut prises de court, nous lui avons parlé.

— Pardon, ai-je dit d'une voix étranglée, tandis que les premières étoiles paisibles apparaissaient dans le ciel clair.

Mais quand j'ai été capable de prononcer ces mots, je m'adressais à un cadavre.

Nous étions désormais orphelines, seules dans la forêt, avec la nuit qui tombait. Peu importe ce qui va arriver par la suite, peu importe ce que l'on doit encore endurer, il ne peut y avoir pire moment que cette nuit-là. Nous devions rester avec lui. Nous ne pouvions pas supporter l'idée d'abandonner son corps aux sangliers, et pourtant, ils nous terrifiaient, comme les serpents et les fantômes que l'obscurité, nous en étions certaines, appelait.

Il était trop tard pour retourner à la maison prendre des couvertures et des allumettes, trop tard pour aller chercher la carabine qui nous aurait donné le courage d'affronter la nuit, aussi nous sommes-nous essuyées du mieux possible avec la chemise de Père, bien que nos mains soient encore poisseuses, et l'odeur âcre du sang, omniprésente. Nous avons chacune trouvé une branche tombée d'un arbre, lourde comme une batte de base-ball et, recroquevillées près du corps de notre père, nous avons regardé les dernières couleurs se retirer du ciel, regardé les ténèbres prendre la terre, attendu les bêtes et les démons qui nous achèveraient.

Il ne s'est rien passé. Serrées l'une contre l'autre dans la nuit fraîche, trop engourdies par le froid et le choc pour parler ou même pleurer, nous avons empoigné les branches sur nos genoux chaque fois qu'une brindille cassait ou qu'un arbre craquait ou que nous entendions l'appel creux d'une chouette. Nous avons enduré. Heure après heure, nous avons enduré tandis qu'en nous le cri de la vie continuait de résonner, irrépressible. Quand les étoiles se sont mises à s'éteindre imperceptiblement, nous étions toujours là, nous respirions toujours, et notre père était toujours mort à nos côtés, le visage à la fois ferme et avachi.

Mais il s'était peut-être passé quelque chose. Car quand la forêt a commencé à réapparaître, nous nous sommes senties à peine soulagées pour le remarquer. Elle n'était plus le lieu bienveillant de notre enfance ni même le lieu neutre qu'elle avait été la veille. La forêt qui se révélait à mesure que la nuit se retirait était un lieu dur, indifférent, un lieu où un homme pouvait verser le sang de sa vie dans le sol, et les arbres, les pierres, la terre même ensanglantée demeuraient identiques. Seuls les vautours, les sangliers et les vers s'intéressaient à ce qui était arrivé.

Nous l'avons enterré là parce qu'il le fallait, au milieu de ces bois cruels, recouvert de la terre que son sang avait gorgée. Quand le ciel a été assez clair pour distinguer la piste des cerfs qui nous avait conduites vers lui, Eva est partie chercher des pelles, de l'eau, des serviettes et une chemise propre pendant que j'attendais, hébétée, près de son corps. Lorsqu'elle est revenue, nous lui avons fait une sorte de toilette mortuaire grossière. Nous lui avons lavé le visage, redressé les membres, et nous sommes débattues pour lui enfiler la chemise.

Nous avons passé la journée à creuser. Nous avions choisi pour l'enterrer un endroit près de là où il gisait, mais quand ma première tentative pour ouvrir la terre desséchée par le soleil s'est soldée par une épaule déboîtée et des raclures de poussière, j'ai failli renoncer. Seule la pensée de ce qui se produirait si nous ne l'enterrions pas m'a poussée à enfoncer de nouveau ma pelle dans l'entaille que j'avais pratiquée.

Et c'est ainsi que, pelletée après pelletée durement gagnée, nous avons creusé la tombe de notre père. Nous travaillions l'une en face de l'autre, à chaque extrémité du trou. Vers le milieu de la matinée, nos ampoules s'étaient percées et saignaient, et le ridicule vernis rouge foncé de mes ongles cassés s'était depuis longtemps écaillé. À midi, nous avions bu toute l'eau qu'Eva avait apportée, mais nous avons continué à travailler, déterminées à creuser une tombe qu'aucun sanglier ne défoncerait – tandis que les vautours tournoyaient haut dans le ciel au-dessus de nous, leurs ombres planant froidement sur nos dos en sueur.

Seule la menace de passer une autre nuit dehors nous a fait arrêter, car le soleil était déjà derrière la colline quand nous avons cessé de creuser. Comme nous devions encore le recouvrir avec la terre que nous avions retournée, nos adieux ont été brefs. Nous l'avons embrassé, avons rapproché son corps du bord de la tombe, et l'avons poussé. Il était impossible de le faire glisser petit à petit, impossible d'y aller avec douceur, de masquer le fait que c'était un cadavre roulant dans un trou. Il était impossible d'éviter que les pelletées de terre ne recouvrent son visage, et il y a eu un moment où, alors que l'on ne voyait plus que la moitié de son corps, je n'ai pas pu empêcher le cri de jaillir de ma bouche.

La nuit était tombée quand nous avons enfin fini. Nous avons rassemblé les pelles et les serviettes, le thermos et la bouteille d'eau vide et la scie à archet dans nos mains brisées.

— Et la tronçonneuse ? a demandé Eva.

J'ai baissé les yeux, j'ai vu les taches sombres et les caillots de sang et j'ai frémi.

— Laissons-la.

— Papa nous tuerait, a-t-elle murmuré. On pourrait en avoir besoin.

De retour à la maison, nous avons descendu nos matelas dans le salon. Nous avons verrouillé les portes, fermé les fenêtres et sommes passées à tour de rôle dans l'eau froide de la baignoire. Après avoir utilisé un peu du savon que nous avions mis de côté pour éliminer ce qui ne nous quitterait jamais, nous sommes tombées l'une et l'autre, dégoulinantes, sur nos matelas, trop abasourdies et épuisées pour manger ou pleurer ou même nous sécher.

Il semble que nous sommes restées pendant des jours repliées en nous-mêmes tandis que les mauvaises herbes envahissaient ce qui restait du potager d'automne. À la limite, je crois que je préfère l'avoir vu mourir, aussi insupportable que ce fut, plutôt que d'affronter le vide qui a suivi. Car ce qui a suivi, c'étaient des jours d'inertie complète, quand nous jouions au backgammon ou faisions des puzzles comme deux malades d'Alzheimer attendant sans parler quelque chose qu'elles ont oublié, capables ni de pleurer ni d'espérer.

C'est au cours de cette période que mes cauchemars ont commencé. Nuit après nuit, je rêvais que mon père était arraché de sa tombe. Je rêvais que les sangliers avaient fini par le trouver, l'avaient déterré avec leurs solides défenses. Quand j'essayais de remettre la terre en place sur son corps à l'aide de ma pelle, je rêvais que la pelle fondait. Quand je me servais de mes mains pour ramasser la terre et combler la tombe, mes mains se dissolvaient et mes bras se transformaient en moignons. La seule façon pour moi d'enterrer mon père, c'était de me coucher sur lui avec mon corps sans bras, et j'avais peur de le toucher, peur qu'en le touchant, il ne me transmette sa mort.

MAIS que je le touche ou que je m'enfuie, que je rêve ou que je sois éveillée, le jour de son anniversaire ou n'importe quel autre jour, ma vie entière est contaminée par le fait qu'il est mort.

NOUS avons mangé les derniers haricots verts aujourd'hui. J'ai forcé le couvercle du bocal en verre, j'ai essayé de me rappeler et de ne pas me rappeler la chaleur, mon torticolis et mon profond et morose ressentiment quand je me penchais au-dessus du saladier posé sur mes genoux pour équeuter des haricots et que mon père sortait de nouveaux bocaux fumants de la marmite d'eau bouillante.

AUJOURD'HUI nous avons fait une découverte merveilleuse, fabuleuse, miraculeuse ! Aujourd'hui nous avons trouvé la lumière et la chaleur et la musique ! Nous avons trouvé la source d'énergie et le moyen de voyager, le fluide qui change tout ! Aujourd'hui nous avons trouvé de l'essence ! Je pourrais remplir ce cahier de points d'exclamation, ils n'exprimeraient pas à quel point nous sommes heureuses.

Il était midi. Nous avions travaillé dans l'atelier toute la matinée, tâchant d'y voir clair dans le fouillis qui régnait sur l'établi et les étagères de notre père. J'avais les doigts ankylosés à cause du froid et noirs à cause du cambouis. Ma nuque était raide. Mes pieds engourdis. Il était l'heure de rentrer, l'heure de nourrir le feu et de laver nos mains et de préparer quelque chose à manger. Eva devait s'entraîner, et je voulais essayer de finir la lettre *J* avant de dîner.

J'étais assise à la table métallique, devant un carton mouillé rempli de bric-à-brac. J'avais tout trié jusqu'à la dernière maudite poignée de contre-écrous crasseux, de paille de fer rouillée, de fils électriques tordus et de petits bouts de caoutchouc noir non identifiables qui – même maintenant – n'avaient peut-être aucune valeur.

Eva avait fini avec les étagères et se trouvait dans un coin au fond de l'atelier, fouillant dans un affreux amas de pots – laques, vernis, diluants, antirouille – et bocaux remplis de liquides d'aspect sinistre dont les étiquettes faites maison s'étaient depuis longtemps effacées ou décollées. C'était le plus gros chantier auquel nous devions encore nous attaquer, et une véritable crainte nous poussait à le retarder le plus possible.

— Ne te mets pas à ça maintenant, ai-je dit. Aide-moi plutôt à finir ce carton, et on en aura terminé pour aujourd'hui.

— Je veux juste voir ce qu'il y a là, a-t-elle marmonné en écartant un cageot de fruits contenant des pinceaux et des rouleaux en mousse et des grattoirs rouillés.

— Ça peut attendre demain. Allons-y. J'ai froid.

— Une minute. Aide-moi à déplacer ce compresseur.

— Eva, il fait froid. Allons-y, ai-je répété.

Je sentais l'impatience m'irriter la gorge alors même que je parlais. Tout à coup, elle a hurlé et a plongé derrière le compresseur.

— Oh, Nellie, regarde ! a-t-elle dit en dégageant un bidon en plastique rouge de dessous un tuyau d'arrosage tout emmêlé.

— C'est quoi ?

— Je crois que c'est de l'essence.

J'ai bondi de ma chaise. Mais juste après la montée d'adrénaline, la peur d'une nouvelle déception a suivi, et j'ai demandé avec méfiance :

— Tu es sûre ?

Elle a dévissé le couvercle, a reniflé et m'a tendu le bidon.

— Sens.

J'ai aspiré par le nez, et l'odeur m'a fait l'effet d'une drogue. L'odeur brute, douce, qui donne mal à la tête, l'odeur de mille stations-service s'est déployée dans mon esprit, me ramenant non pas à un souvenir en particulier, mais à la sensation totale d'un autre temps. L'espace d'un instant, mon corps était composé d'autres cellules, des cellules dont je m'étais, d'après l'encyclopédie, débarrassée depuis longtemps, et j'attendais de nouveau à la station-service pendant que l'un de mes parents faisait le plein et que le tuyau noir crachotait et que l'odeur de l'essence se répandait jusqu'à la banquette arrière.

— Il est presque plein, a dit Eva. On a un peu moins de vingt litres !

— Je n'arrive pas à y croire.

Et au milieu du désordre glacial de l'atelier de notre père, nous avons sauté en l'air et nous sommes étreintes et avons poussé des cris telles des créatures sauvages.

MAIS ce qui promettait de nous sauver hier a tout gâché aujourd'hui, a corrompu l'air même entre ma sœur et moi.

Nous avons porté le bidon d'essence dans la maison, l'avons posé sur la table pour en profiter pendant que nous mangions nos haricots bicolores. Nous étions fières comme des chercheurs d'or qui venaient de tomber sur le filon mère. Tout l'après-midi notre joie nous a stimulées – nous avions de l'essence, de l'essence, de l'essence ! et grâce à elle, nos problèmes étaient pour ainsi dire résolus.

Jusqu'à ce que nous tentions de nous mettre d'accord sur son utilisation.

— Je vais aller remplir le générateur, a dit Eva au début de la soirée, quand notre excitation avait fini par se calmer pour n'être plus qu'une lueur chaude et solide.

— Quoi ? ai-je fait.

— Je vais remplir le générateur, a-t-elle répété, la main déjà sur la poignée du bidon.

— Maintenant ?

— Évidemment maintenant. Si j'attends, il fera trop noir pour y voir quoi que ce soit.

— Mais pourquoi ?

— Pour notre fête.

— Quelle fête ?

— On va faire la fête ce soir. On allumera toutes les lumières, on prendra des douches chaudes, on lavera du linge. Et, a-t-elle ajouté en exultant, on mettra de la musique. Et je danserai.

— On ne peut pas faire ça, ai-je dit.

— Pourquoi pas ? Je suis sûre que le générateur marche.

— Ce que je veux dire, c'est qu'on ne peut pas utiliser l'essence.

— Pourquoi ?

— On doit la garder pour le pick-up. Pour ne pas avoir à faire du stop pour aller en ville.

— Mais ça ne nous intéresse pas d'aller en ville en ce moment. Tu te rappelles la dernière fois ?

— Oui. Mais tôt ou tard il faudra qu'on y aille, et on aura besoin de l'essence.

— Il y a presque vingt litres là-dedans. On n'en a besoin que de sept pour aller en ville.

— Et sept autres pour revenir.

— Donc quatorze. Ce qui nous laisse six litres pour ce soir.

— Qui sait jusqu'où on devra rouler pour en trouver à nouveau. Et puis, si l'une de nous tombe malade et qu'on a besoin du générateur, ou si on doit en utiliser pour la tronçonneuse ou autre chose ? On pourrait peut-être même s'en servir comme monnaie d'échange. On ne peut pas se permettre de tout dépenser.

— On ne dépensera pas tout, juste assez pour la musique, ce soir, c'est tout. Ce ne sera pas perdu.

— Écoute, Eva, je suis désolée. Mais on doit garder cette essence pour une urgence.

— Et si c'était une urgence maintenant ?

— Une urgence ? ai-je répété, ahurie.

Elle a répondu d'une voix virulente et désespérée à la fois.

— J'ai besoin de danser, Nell. Je dois danser sur de la musique. Juste quelques minutes. Pour me donner du courage.

J'ai regardé ses mains, ses longs doigts qui serraient la poignée du bidon. Je ne sais pas pourquoi, mais j'ai revu les mains glaciales de notre mère tenant délicatement ses bulbes de tulipes, et pendant une seconde, j'ai eu envie de dire oui à l'idée folle de ma sœur. Mais j'ai ensuite revécu ce moment dans la forêt quand mon père se vidait de son sang et je me suis souvenu qu'il n'y avait plus d'essence dans le pick-up.

— Je veux que tu danses, Eva, tu le sais bien. Mais ne comprends-tu pas… que l'essence est notre assurance sur la vie ?

— *Notre* assurance sur la vie ?

— Oui.

— *Notre ?* La moitié est à moi ? a-t-elle dit.

— Bien sûr. Tu as la moitié de tout. Tu le sais.

— Et si j'utilisais ma part ?

— Il n'en resterait pas assez pour que l'essence nous serve à quoi que ce soit. On doit tout garder. Pour le jour où on en aura vraiment besoin.

J'ai attendu son argument suivant, mais son visage s'est éteint puis s'est fermé.

— Il sera peut-être trop tard alors, a-t-elle dit, et elle est sortie de la pièce, m'a laissée debout seule à côté du bidon sale, m'a laissée me détester parce que j'avais dit non, parce que j'avais raison.

—•—

Il y a quelque chose qui ne va pas avec Lilith. Lorsque j'ai ouvert le poulailler ce matin, elle était tapie près de la porte et n'a même pas bougé quand Pinkie l'a bousculée pour se précipiter vers les restes du dîner. J'ai penché le seau pour lui montrer son contenu – quelques fines épluchures de pommes de terre et un trognon de pomme grignoté jusqu'à la tige et les pépins – et elle l'a regardé d'un air morne. Je l'ai poussé doucement du pied vers elle, et elle s'est avancée de quelques pas douloureux en se dandinant, puis est retombée de nouveau dans sa position à moitié accroupie. De son cloaque distendu et gonflé s'écoule un liquide affreux.

Je ne sais pas quoi faire.

—•—

Quand nous étions petites, Eva et moi jouions aux jumelles que nous pensions que nous aurions dû être, puisque pendant trois jours, tous les ans, nous avions le même âge. Nous nous habillions de la même façon, adoptions des prénoms qui rimaient, étions les deux moitiés égales d'une seule chose.

Quand nous étions petites, Eva et moi formions comme une étoile binaire, chacune tournant en orbite autour d'un centre de gravité commun, chacune reflétant la lumière de l'autre. Nous nous réveillions le matin après avoir fait si souvent les mêmes rêves que nous avons fini par nous y attendre. Plus tard, nous avons eu nos règles en même temps, jusqu'à ce que le cycle d'Eva devienne irrégulier à cause de la danse.

Bien sûr, nous nous chamaillions. Presque tous les jours nous avions des différends que notre père appelait "La guerre des Que-Pas" à cause de la façon dont nous réduisions chaque dispute à son conflit essentiel : *Même que*, disait l'une de nous en réponse à ce qui avait été la cause de notre querelle, et l'autre répliquait, *Même pas. Même que. Même pas. Même que.*

Même pas. Que ! Pas ! À ce moment-là, nous avions le fou rire, et notre plaisir devant cette ridicule litanie qui traduisait notre discorde rétablissait notre harmonie.

Mais à présent nous n'arrivons même pas à être d'accord sur ce qui sauvera nos vies.

QUAND je suis allée voir le poulailler ce matin, Lilith gisait comme une masse près de la porte, et Bathsheba et Pinkie picoraient son cloaque gonflé. Horrifiée, je me suis élancée vers elles, et je leur ai donné des coups de pied en hurlant. Elles se sont sauvées en poussant des cris d'indignation, abandonnant Lilith avec indifférence. Elle avait les yeux ouverts, et son corps aux plumes ébouriffées se soulevait quand elle respirait. Je me suis agenouillée près d'elle, mais je n'ai pas pu me résoudre à la toucher.

J'ai couru consulter l'encyclopédie, mais quand je suis revenue avec le volume sur les volailles, Lilith était morte. Je crois qu'un œuf est resté coincé en elle.

Je n'arrive pas à m'entendre avec ma sœur. Je n'arrive même pas à maintenir une poule en vie.

Je regrette de ne pas avoir été capable de la toucher au moins.

EVA s'entraînait. Il pleuvait. La cour disparaissait sous une sinistre nappe de brouillard et de fumée que la pluie transperçait mais ne parvenait pas à dissiper. J'essayais de lire l'encyclopédie, progressant dans les *K* comme si j'avançais péniblement sur un sol de terre glaise, et j'avais un mal fou à ne pas tricher et passer à n'importe quel autre article qui promettait de retenir mon attention.

J'ai abandonné ma morne place à la table et j'ai arpenté la pièce. Dans un moment d'inattention, j'ai pris le couloir menant au studio d'Eva. Mais mon souvenir de l'essence m'est revenu avec la violence d'une vague glacée à marée montante, et j'ai fait demi-tour devant sa porte. Voilà trois jours que nous avions trouvé l'essence, et nous n'avions toujours rien à nous dire.

J'ai fini par monter à l'étage par l'escalier froid et je suis entrée dans la pièce qui avait jadis été ma chambre. Elle était sombre et glaciale, et la vie l'avait désertée. Il y régnait une odeur de poussière, et sous la poussière le parfum légèrement sucré d'un sachet de fleurs séchées disparu depuis longtemps. Mes affiches de voyage étaient punaisées aux murs – des îles et des océans et des châteaux et des villes illuminées la nuit. Mon ordinateur n'était pas dans sa housse, et des peluches, des barrettes pour les cheveux, des colliers de perles brillantes jonchaient le plancher comme si la personne qui vivait là autrefois était partie précipitamment.

Nous n'avons pas encore essayé de dresser l'inventaire de nos chambres, car nous savons ce qu'elles contiennent, et nous savons que le peu qu'elles contiennent ne nous sera pas d'une grande utilité. Je me suis mise à fouiller par désœuvrement dans les tiroirs de ma commode et à regarder les vêtements que je n'avais plus aucune raison de porter. On aurait dit qu'ils appartenaient à une étrangère, ces collants fripés, ces socquettes bordées de dentelle, ces chaussettes aux teintes éclatantes. J'ai enfoncé mes bras jusqu'aux coudes dans la fraîcheur des sous-vêtements jetés pêle-mêle, et tout à coup mes doigts ont senti quelque chose de dur.

Je l'ai sorti du tiroir – un petit écrin en forme de cœur que mon père m'avait rapporté d'une conférence à laquelle il avait assisté. Presque machinalement j'ai soulevé le couvercle en cherchant à me rappeler quels trésors j'avais peut-être cachés à l'intérieur. Là, sur le satin rouge qui en tapissait le fond il y avait un bracelet à breloques cassé, un talon de ticket, quelques épingles à cheveux de couleurs vives, une plume d'oiseau bleu, deux coquillages.

Et quatre chewing-gums.

Et un chocolat enveloppé dans du papier argenté.

J'ai refermé l'écrin. Je l'ai rouvert et ils étaient toujours là – quatre chewing-gums et un chocolat enveloppé dans du papier d'aluminium, rangés dans cette petite boîte à une époque où un chewing-gum ne représentait rien, où une poignée de chocolats suffisait à satisfaire un besoin momentané, à une époque où j'étais si riche que je pouvais me permettre d'oublier quatre chewing-gums et un chocolat.

J'ai eu envie de m'asseoir sur le plancher de cette pièce dans laquelle j'avais été une petite fille et de les fourrer dans ma bouche d'un seul coup, les chewing-gums et le chocolat en même temps en une seule bouchée douce et sucrée. Puis je me suis rappelé Eva, et l'espace d'une seconde, j'ai eu envie de courir à son studio.

Mais elle devait d'abord me pardonner de garder l'essence.

Je suis restée là à soupeser le chocolat dans ma paume ouverte. Je me suis remémoré toutes les fois où elle se mettait en colère parce que je mangeais des bonbons en sa présence. *Ne fais pas ça devant moi*, lâchait-elle. *Si tu dois manger ces cochonneries, débrouille-toi pour que je ne te voie pas s'il te plaît. Rien que l'odeur pourrait me faire grossir.*

J'avais déjà retiré délicatement le papier argenté comme si j'écartais les pétales d'une fleur ouverte. Le bonbon à l'intérieur avait pâli avec le temps, mais il sentait encore le chocolat – la riche odeur veloutée qui était, semblait-il, l'essence de tous mes désirs. Je l'ai tenu en équilibre dans ma main pendant un moment, et, sans réfléchir, je l'ai porté à ma bouche et j'ai raclé la surface marbrée avec mes dents. Le chocolat a éclos dans ma bouche, et l'empreinte de mes dents a rayé le bonbon.

Il était trop tard pour revenir en arrière. Et puis, ai-je pensé, Eva n'a pas besoin de savoir que je l'ai mangé. Elle était trop occupée, elle avait sa danse. Elle me remerciera probablement. Et de toute façon, elle n'avait qu'à ne pas être aussi têtue au sujet de l'essence. J'ai pensé, Je lui donnerai un de mes chewing-gums.

Je me suis assise sur le sol glacial et j'ai sucé le chocolat, envahie par une profonde satisfaction matérielle. J'ai oublié Eva et la pluie et l'essence et j'ai mangé le chocolat en entier en un délicieux rêve goulu.

Quand je l'ai fini, j'ai écrasé le papier, j'en ai fait une minuscule boule dure, une pépite d'argent que j'ai laissé tomber dans l'écrin avec les chewing-gums, et j'ai remis l'écrin dans le tiroir. Une fois en bas, je suis allée directement dans la salle de bains. Devant le miroir, je me suis essuyé les lèvres plusieurs fois de suite. Puis je me suis rincé la bouche, j'ai bu et craché jusqu'à ne rejeter que de l'eau claire.

APRÈS une matinée ensoleillée, les pluies de mars recommencent. Eva se retire dans son studio. Je retourne aux *K*, lisant de manière si stupide que je pourrais tout autant parcourir les pages avec mes mains plutôt que mes yeux. Je vendrais mon âme pour que le magnétoscope marche.

Juste avant la tombée de la nuit, Eva sort de son studio, ouvre la porte du poêle, s'assied par terre et se masse les chevilles en regardant fixement les flammes encagées.

— Qu'est-ce qu'on va manger ce soir ? je demande.

— Je n'ai pas faim.

— Du riz et des tomates ?

— Je m'en fiche.

— Il reste un bocal d'abricots. On pourrait l'ouvrir.

— Je n'y arrive plus, dit-elle au feu. Je ne peux pas continuer à danser au son d'un métronome. Je travaillais mes sauts aujourd'hui, et je sais que je ne saute pas aussi haut qu'avant. (Elle lève les yeux vers moi avec la férocité d'un animal prisonnier.) Balanchine disait que la musique était le sol sur lequel danser, et je n'ai plus de sol, je n'ai plus rien pour prendre appui. C'est comme si je ne faisais que tomber. Comme si je ne sauterai plus jamais.

Tout à coup, elle demande, implorante :

— Nell, s'il te plaît, utilisons un peu d'essence. Juste un peu. Donne-moi juste dix minutes de musique. S'il te plaît.

Je n'arrive pas à parler. Cela me terrifie de voir Eva sombrer vers le désespoir, mais je suis pareillement terrifiée à l'idée d'utiliser ne serait-ce qu'une goutte d'essence.

Pour finir, je réponds :

— Eva, je suis désolée, mais on doit tenir encore un moment.

— Je ne peux pas, répond-elle d'un ton morne. Je ne peux pas continuer à danser comme ça.

— Il le faut, dis-je, surprise de constater à quel point j'en suis venue à compter sur la danse de ma sœur.

Je saisis la première idée qui s'offre d'elle-même. Telle une mère qui tente de distraire un enfant malheureux, j'annonce vivement :

— J'ai une surprise. Elle n'est pas aussi agréable que l'essence, mais je l'ai trouvée hier, et je crois que tu vas l'aimer.

Elle ne redresse pas la tête quand je quitte la pièce. Elle ne lève même pas les yeux quand je redescends avec l'écrin en forme de cœur.

Je le lui tends d'un geste volontaire.

— Ouvre !

Comme elle ne réagit pas, j'ôte le couvercle, penche l'écrin vers le feu pour qu'elle puisse voir ce qu'il contient.

— Regarde… quatre chewing-gums.

— D'où viennent-ils ? demande-t-elle en les touchant d'un doigt timide.

— Je les ai trouvés hier pendant que tu t'entraînais. Dans le tiroir de mes sous-vêtements. Il y avait un chocolat, aussi.

— Où est-il ?

— Je l'ai mangé.

— Quand ?

— Quand je l'ai trouvé.

— Où j'étais ?

— Dans ton studio.

— Pendant que j'étais en train d'essayer de danser, tu mangeais un chocolat ?

— J'ai pensé que tu t'en ficherais.

— Tu as pensé que je m'en ficherais ?

— Eh bien, tu faisais tes exercices. Je ne voulais pas te déranger.

— Je ne peux pas le croire.

— Tu ne manges jamais de chocolat, de toute façon.

— J'ai encore le droit d'avoir la moitié de tout ce qui est dans cette maison.

— Mais c'était mon chocolat.

— Pourquoi ?

— Parce que je l'ai trouvé dans mon tiroir.

— Est-ce que ça veut dire que l'essence est à moi parce que je l'ai trouvée ?

— Mais le chocolat était dans *mon* tiroir. C'est *moi* qui l'y ai mis. Il était à moi, avant que tout ça ne commence. Écoute, dis-je, hésitant entre la colère et l'abattement. Je suis désolée.

Mais elle était déjà retournée en trombe dans son studio plongé dans le noir et avait claqué la porte.

IL s'est passé deux jours depuis l'incident du chocolat. J'ai donné tous les chewing-gums à Eva, mais j'ignore si elle les a mangés ou pas. Ce n'est plus un plaisir que nous pouvons partager. Ni l'une ni l'autre ne s'est excusée, mais la vie continue de s'écouler. Parfois j'ai envie de lui crier, Ce n'était qu'un malheureux chocolat ! Parfois j'ai envie de pleurer, Je suis désolée, je suis désolée. Prends toute l'essence. Pardonne-moi. Mais je ne dis rien, et elle non plus. Nous dormons près du même poêle, nous partageons la même bouilloire d'eau chaude, mangeons les mêmes repas frugaux, et par moments j'arrive presque à me convaincre que notre différend n'était qu'un autre de mes cauchemars.

Même se disputer est un luxe qu'on ne peut pas se permettre quand sa vie entière a été réduite à une seule personne.

Nous étions rentrées pour la nuit. Bathsheba et Pinkie étaient dans leur enclos, les bûches empilées près du poêle, les portes fermées à clé, l'eau de notre bain chauffait. Tard dans l'après-midi, les quelques nuages blancs dans le ciel dégagé avaient commencé à s'épaissir et à s'assombrir, et quand la pluie est arrivée, elle était si régulière et calme que c'en était presque un réconfort. Eva et moi ne nous adressions toujours que très peu la parole depuis notre dispute, mais le silence devenait plus doux, comme si une nouvelle tendresse meurtrie se développait entre nous.

Nous étions assises l'une en face de l'autre à la table près de la fenêtre et mangions des betteraves en boîte et des miettes de macaronis bouillis à la lumière grise du jour finissant. Nous mangions en silence, écoutant le bruit de la pluie et le bourdonnement du feu et le sifflement de la bouilloire où de l'eau chauffait, écoutant tous ces sons qui semblaient faire descendre la nuit en douceur sur nous.

On a frappé à la porte.

Un léger *toc, toc* qui nous a déchirées comme un cri, nous a laissées paralysées dans le sillage d'une vague d'adrénaline. Nous sommes restées abasourdies un instant. Puis on a frappé à nouveau – trois petits coups rapides contre une porte qui n'avait pas été heurtée pendant ce qui paraissait une éternité, le bruit qui traduisait nos plus profondes terreurs ou nos plus grands espoirs était enfin arrivé.

— Eva, ouvre le poêle, ai-je sifflé.

Elle s'est agenouillée, a tiré la porte du poêle.

À la lueur du feu, j'ai fouillé dans la penderie et j'ai trouvé la carabine de notre père. Je ne savais pas comment la tenir ni dans quelle direction la diriger, aussi pointait-elle devant moi comme un troisième bras rigide, et elle me terrifiait presque autant que ce qui nous attendait, quoi ce que soit, dehors. Je me suis glissée jusqu'à la porte et me suis collée contre elle comme si je pouvais deviner, à travers les vibrations du bois, les intentions de la personne que le battant nous cachait.

— Qui est là ? ai-je grommelé – ou tenté de grommeler –, la gorge nouée par la peur.

— Nell ?

— Que voulez-vous ?

— Est-ce que Nell est là ?

— Oh, a murmuré Eva, qui se trouvait toujours près du poêle.

Elle s'est relevée et m'a observée.

— Nell. C'est Eli. C'est toi ?

Tout à coup, j'ai été éperdue de soulagement. J'ai senti le regard d'Eva, tel un coup de poignard, mais je ne me suis pas arrêtée. Une joie étourdissante m'inondait comme une pluie chaude. Dans la seconde qu'il m'a fallu pour déverrouiller la porte, j'ai essayé de me rappeler comment j'étais habillée, si j'étais coiffée.

Ce n'était pas le Eli d'il y a un an qui se tenait devant moi. Il semblait plus massif, avec les traits plus marqués. Son visage était mouillé, et l'eau ruisselait de ses cheveux plaqués sur son poncho qui lui tombait aux genoux, couvrant le sac dans son dos, si bien qu'il ressemblait à une énorme tortue de mer.

Peut-être était-ce le choc de me trouver face à une autre personne que ma sœur, mais l'espace d'un moment, j'ai eu envie de claquer la porte, de faire comme si nous n'avions pas entendu frapper, de demeurer, si ce n'est en sécurité, du moins dans un rapport familier avec tout ce qui nous menaçait. Mais je me suis écartée, et il est entré.

J'ai songé à tendre la main, à le toucher pour lui souhaiter en quelque sorte la bienvenue. Mais tandis qu'une part de moi en avait envie, une autre avait conscience de ce qui se présentait comme les innombrables strates de changement et de temps qui me séparaient de la fille de la Plaza, et je me suis rappelé avec une petite pointe de rancœur ce que j'avais compris la dernière fois que j'avais vu Eli – nos liens étaient si ténus que je n'avais aucun droit, même pas celui de réclamer qu'il me prenne dans ses bras.

— Salut, ai-je dit, un peu platement.

Il n'a pas paru le remarquer.

— Eva. Nell.

Il s'est à moitié incliné, d'abord en direction d'Eva, puis de moi, bien que son sac et son poncho nuisent légèrement à l'élégance de cette salutation.

Puis il a avancé un index mouillé et m'a touchée, enfonçant son doigt juste un instant dans le creux à la base de ma gorge, là où les clavicules se rejoignent. C'était un geste curieux, plus intime que tous ceux qu'il avait eus à mon égard auparavant, et je lui ai jeté un coup d'œil pour voir si ce n'était pas une autre de ses facéties. Mais son visage avait perdu son air satisfait et détaché, et semblait solennel, fatigué. Ma gorge m'a picoté à la suite de ce contact, et j'ai dû me retenir pour empêcher mes mains de me toucher là, à mon tour.

— Où est votre père ? a-t-il demandé en cherchant à percer l'obscurité au-delà de la faible lueur du poêle.

Nous sommes restées silencieuses, déroutées à l'idée de devoir résumer ce que nous avions vécu à quelques paroles. Puis Eva a fini par répondre :

— Il est mort.

— Oh, a fait Eli, toujours debout contre la porte. Mais vous allez bien ? a-t-il continué en me regardant d'abord moi, puis Eva. Vous n'êtes pas malades ou quoi que ce soit. Vous allez bien, toutes les deux ?

— On va bien, ai-je dit avec une envie de pleurer.

— Comment es-tu arrivé jusqu'ici ? a demandé Eva.

Il a passé son poncho par-dessus ses épaules, s'est débarrassé de son sac qui a couiné en glissant de son dos, a secoué la tête, si bien que des gouttes d'eau sont tombées éparses de sa crinière flottante et qu'un subit grésillement s'est fait entendre quand elles ont atterri sur le poêle.

— Je suis d'abord parti à vélo, mais j'ai crevé et je n'ai pas réussi à réparer le pneu. Du coup, j'ai marché. Je suis parti hier. Comme j'ignorais quelle était votre maison, j'ai dû les faire les unes après les autres. Vous savez que vous êtes les seules ici ? Il n'y a plus personne qui habite sur cette route sur au moins quinze kilomètres.

J'avais envie de me jeter dans ses bras, de fondre, de me durcir, de m'ouvrir à force de pleurer, jusqu'à ce qu'enfin je m'endorme, la tête contre sa poitrine. Mais la dernière fois que nous nous étions vus, nous n'avions même pas échangé une parole. Il avait toujours été un étranger, et à présent il était un étranger là où je vivais.

— Tu as faim ? ai-je demandé, et je me suis penchée timidement au-dessus de nos petites marmites, prélevant plus que sa part pour la déposer sur une troisième assiette.

Comme cette pièce paraissait différente avec lui à l'intérieur, avec une autre voix pour remplir l'obscurité. Et comme c'était étrange d'être avec Eli loin des projecteurs du samedi soir, de l'aider à étendre ses vêtements pour qu'ils sèchent, de le conduire à la salle de bains plongée dans l'obscurité où nous lui avions fait couler un bain. Pendant qu'il trempait et soupirait, je suis montée à l'étage en tâtonnant dans le noir et j'ai cherché à l'aveuglette des couvertures et un oreiller supplémentaire dans les armoires.

Quand il est sorti de la salle de bains, Eva a alimenté le poêle de sorte que les flammes projettent un coin de lumière sur le plancher, et nous nous sommes assis en tailleur tous les trois au bord de ce demi-cercle tremblant, nos genoux éclairés par le feu, nos visages dans l'ombre. Nous n'avons rien dit pendant un moment et avons regardé les flammes. Je me suis rappelé la Plaza, essayant de relier nos feux de camp à ce feu, le Eli froid et moqueur à cet homme silencieux. Mais la Plaza était à un monde de distance, et nous n'étions plus ces enfants qui s'étaient autrefois pavanés et avaient gloussé sous les palmiers et les séquoias.

— Qu'est-ce qui se passe en ville ? a fini par demander Eva en s'efforçant de parler avec légèreté, comme notre père avec Stan, chez Fastco.

— En ville ?

Eli avait la voix si pâteuse qu'on aurait dit qu'il venait de se réveiller en sursaut. Il s'est éclairci la gorge et a répondu :

— Pas grand-chose.

— L'électricité a été rétablie ? ai-je lâché.

— Non. Pas encore.

— Quelles sont les nouvelles ? Tu sais quand elle va l'être ?

— Pas vraiment. Il y a des gens qui ont entendu dire que… que le courant remarchait sur la côte Est.

Il a marqué une pause pendant ce qui semblait un moment d'indécision, puis s'est empressé d'ajouter :

— Mais ce ne sont que des rumeurs.

— Quelles autres rumeurs circulent ?

— Il n'y en a pas tellement. Les gens ont tendance à rester chez eux. Tout le monde a peur des microbes. Et il n'y a pas vraiment de raisons de sortir. Il n'y a pas de travail. Pas d'école. Et des tas de gens sont partis. Ou sont morts.

— Morts ? a répété Eva.

— Pendant environ six semaines, cet automne, tout le monde attrapait la grippe, ou quelque chose dans le genre, a-t-il dit en regardant le feu, en s'adressant au feu. Personne n'était complètement sûr de ce que c'était. Et personne ne savait quoi faire. Mais il y a eu beaucoup de morts et ça a rendu les gens parano. Ma mère est morte.

— Ta mère ? ai-je répété.

— Oui.

Il a marqué de nouveau une pause puis s'est empressé d'ajouter :

— Les gens de la Plaza… certains sont morts, aussi.

— Qui ? ai-je demandé, même si la seule chose qui m'intéressait était de savoir ce qui était arrivé à sa mère, et ce que cela lui avait fait de la perdre.

— Justin et Bess. À ma connaissance. Oh, et Big Mike. On pense qu'il a eu l'appendicite. J'ai cru que vous étiez mortes, aussi, quand vous avez arrêté de venir en ville.

— On n'avait plus d'essence, ai-je dit. On y est allés une fois l'été dernier pour se ravitailler, mais on n'a vu personne.

— Vous avez des vélos ? a-t-il demandé.

— Non, a répondu Eva.

Et j'ai expliqué :

— Notre père les a donnés à des gamins de son école. C'étaient des vélos d'enfants, de toute façon.

— Dommage, a dit Eli, mais avant que je puisse lui demander pourquoi, Eva a changé de sujet.

— Pourquoi tu as fait tout ce trajet si tu pensais qu'on était mortes ?

Je l'ai maudite et remerciée, et j'ai retenu mon souffle.

— Comme je le disais tout à l'heure, il ne se passe pas grand-chose en ville. J'ai pensé que ça me changerait, j'imagine.

Nous avons oublié de verrouiller les portes la nuit dernière avant de nous coucher. Je me suis réveillée une fois, stupéfiée d'entendre la respiration d'Eli dans le coin de la pièce, mais le cristal de peur que ce bruit plantait dans mon ventre a fondu, et une nouvelle chaleur s'est répandue sur moi, en même temps qu'un frisson d'excitation venu de la ville.

Quand le jour s'est levé, il était là, les muscles de ses épaules et de ses bras se gonflant et se contractant lorsqu'il est sorti de ses couvertures pour s'étirer. Il m'a regardée, tout chiffonné dans la chemise en flanelle déchirée de mon père, et il a dit :

— Je l'ai toujours su, que tu étais splendide au réveil.

J'ai senti la brûlure d'une rougeur, j'ai eu chaud, j'étais oppressée, la tête me tournait. Je ne parvenais pas à faire la part de l'ironie et de l'honnêteté dans sa voix, et la seule réponse que j'ai trouvée était trop longue et triste :

— Au moins, tu n'as pas oublié comment manier la plaisanterie, ai-je dit, et je me suis précipitée dans la salle de bains pour me cacher.

Dans ce sanctuaire obscur, j'ai fouillé dans le placard jusqu'à ce que je déniche la boîte sur laquelle Eva et moi avions écrit *Maquillage, Etc.* Je l'ai ouverte et j'ai sorti le flacon de parfum français qui jadis trônait sur la commode de ma mère. J'avais ôté le bouchon avant de m'apercevoir que je n'avais pas demandé à Eva si je pouvais m'en mettre. Mais la pièce était déjà inondée de l'odeur de ma mère, les rares soirs où mon père et elle sortaient sans nous, quand elle était plus grande que d'habitude avec ses talons hauts, et qu'il émanait d'elle une fragrance étrangère et délicieuse lorsqu'elle nous embrassait pour nous dire bonne nuit.

J'ai soulevé ma chemise et j'ai tamponné le creux de mon estomac avec le bouchon. Le doux picotement du parfum m'est monté au nez. J'ai renfoncé le bouchon dans le flacon, remis le flacon dans la boîte et la boîte dans le placard. À la lumière éternellement blafarde de la salle de bains, j'ai scruté mon reflet dans le miroir, comme si j'allais y déceler un savoir qu'il ne m'était pas encore donné de percevoir à l'intérieur de mon crâne. J'ai croisé mon regard, et j'ai reculé, étonnée pour la première fois de ma vie par mon propre visage. C'était le même visage que celui auquel j'avais à peine jeté un coup d'œil la veille, les mêmes yeux bleus et cheveux clairs, la même large bouche et le même nez terne, mais aujourd'hui il semblait différent, c'était un visage qui méritait d'être regardé, un joli visage, à la fois doux et frappant, avec une intensité nouvelle qui brillait dans les yeux.

Eva est entrée à ce moment-là pour se laver les dents, et je me suis détournée de mon reflet, gênée, comme si elle m'avait surprise en train d'observer quelque chose que je n'aurais pas dû voir.

Elle a reniflé et m'a lancé un regard brusque, mais s'est contentée de dire :

— Qu'est-ce que tu en penses ?

— De quoi ?

J'ai plongé mon visage dans l'eau froide qui tremblotait au creux de mes paumes, savourant son choc glacial contre mes paupières.

— D'Eli.

— C'est sympa de le voir, ai-je dit en relevant mon visage qui dégoulinait tandis que je me demandais pourquoi je n'avais pas envie de répondre, pourquoi je me sentais malhonnête et confuse d'énoncer quelque chose d'aussi innocent – et sincère – que ça.

Elle m'a toisée pendant quelques secondes avec presque de la sagacité dans le regard, comme si elle connaissait un secret qu'il me fallait encore découvrir.

— Bon, a-t-elle dit en me tendant la serviette.

Après le petit déjeuner, nous avons fait visiter la maison à Eli. Au cours d'une brève interruption de la pluie, nous lui avons présenté Bathsheba et Pinkie, l'avons conduit dans l'atelier rangé, emmené au verger dormant. Il a appelé les poules en gloussant, a ouvert plusieurs tiroirs dans l'atelier pour admirer leur organisation, m'a laissé lui dire quel nom correspondait à quel arbre, mais je sentais bien que nous étions plus avides de montrer que lui de voir.

Je lui ai demandé quand tailler, s'il pensait que la batterie du pick-up tiendrait la charge, comment j'aurais pu sauver Lilith, mais il m'a répondu qu'il n'avait jamais taillé d'arbre fruitier, qu'il n'y connaissait pas grand-chose en batteries ou en poules. Il semblait distrait, comme si la vie qui comptait pour lui était vécue ailleurs.

PENDANT que j'écris, Eli se prélasse devant le poêle tout en soufflant doucement dans son harmonica. Il le tient dans ses mains en coupe comme s'il lui murmurait ses pensées. De temps en temps, il me jette un coup d'œil, et quand il se détourne et continue de jouer, on dirait que sa musique est un secret qu'il raconte sur moi dans une langue que je ne comprends pas vraiment.

Je me sens nerveuse et vulnérable. Je veux qu'il parte. Mais voilà deux jours que la pluie qui a commencé l'après-midi avant son arrivée continue de tomber, et il ne semble guère pressé de se retrouver à nouveau en dessous. Les poules sortent par intermittence et fouillent la cour détrempée à la recherche de la moindre chose rampante ou pointant de terre qu'elles n'auraient pas vue ; sinon la clairière est vide de tout sauf de pluie.

Nous restons à l'intérieur, Eli et moi dans le salon, Eva dans son studio, avec la porte fermée. Elle n'en sort plus, même pour venir surveiller le feu. Mais alimenter le poêle nous donne à Eli et à moi quelque chose à faire, une occupation qui nous distrait de nous-mêmes.

Ce n'est pas évident, après tout ce temps, d'avoir quelqu'un d'autre dans la maison. Hier j'étais ravie d'être seule avec Eli dans une pièce où il faisait bon pendant que la pluie battait dehors. C'était comme si ma vie, de façon alambiquée, prenait enfin la forme de mes désirs. Mais après une matinée de conversation insipide et tâtonnante comme jamais cela n'avait été le cas à la Plaza, je me suis surprise à penser à tous ces contes de fées dont la morale est “Méfie-toi de ce que tu souhaites”. J'étais là, incapable de m'asseoir ou de me tenir debout ou de parler sans avoir l'impression d'être une nigaude ou une enfant ou une vieille fille, incapable de débrouiller la situation avec ma sœur, incapable d'étudier, incapable de rien faire que subir sa présence.

Jusqu'ici, nous avons beaucoup parlé de la pluie et un peu de la bande de la Plaza, bien que même ce sujet semble risqué, hanté maintenant par l'espèce de sincérité dont nos propos ne pourraient jamais supporter le poids. Eli fait les cent pas dans la pièce tandis que je suis assise bien sagement à la table, m'efforçant de continuer de parler, m'efforçant de ne rien dire, priant pour qu'il s'en aille.

Ce matin Eva est allée directement dans son studio avant qu'Eli ou moi ne soyons debout. Elle ne s'est pas arrêtée pour se laver la figure, n'a pas nourri le feu. À midi quand elle est sortie pour manger deux pommes toutes ridées, elle a souri d'un air distant mais n'a pas croisé mon regard. Puis elle est retournée en vitesse dans sa pièce et a fermé la porte.

Eli a levé les yeux de son harmonica pour demander :

— Elle est toujours comme ça ?

— Elle s'entraîne beaucoup, ai-je dit, déconcertée de voir que je ne me sentais pas plus tiraillée d'un côté ou de l'autre, surprise de constater le peu d'allégeance que j'éprouvais envers eux deux – Eva qui m'en voulait toujours à cause de quelques litres d'essence et d'un chocolat, et Eli un étranger qui prenait trop de place dans ma maison.

— Je la croyais plus sympa.

— Elle est sympa. Elle travaille dur, c'est tout. Ce n'est pas facile d'être exigeant avec soi-même quand on est seul.

— Pourquoi elle fait ça ?

Je m'apprêtais à hausser les épaules et à changer de sujet, mais tout à coup, je me suis rendu compte que je me fichais de l'effet de mes paroles sur Eli. La politesse m'agaçait, la prudence me fatiguait. Eli mangeait notre nourriture. Il me gardait captive dans ma propre maison. Pourquoi ne pas lui faire endurer mes chagrins ? Peut-être que s'il me voyait le visage rouge et hoqueter, il partirait et me laisserait en paix afin que j'étudie l'encyclopédie et que j'essaie de me réconcilier avec ma sœur.

Aussi me suis-je mise à parler.

Je lui ai raconté comment Eva avait découvert la danse classique et comment je m'étais sentie abandonnée quand elle avait commencé à y consacrer sa vie. Je lui ai raconté comment j'avais décidé d'aller à Harvard, et comment, durant les mois sombres précédant la mort de ma mère, je m'étais concentrée sur mes études et Eva sur sa danse. Je lui ai raconté ce que je m'étais imaginé ne jamais pouvoir dire à quiconque, avoué ces moments de stupéfaction où j'étais soulagée de demeurer en vie alors que ma mère n'était plus. J'ai raconté à Eli ce qui s'était passé lors de notre dernière expédition en ville, comment Eva et moi avions enterré notre père, comment nous avions survécu depuis, comment Eva avait continué de danser.

Je n'ai pas pleuré.

Curieusement, je n'étais même pas triste ni gênée en parlant, même si je lui racontais les histoires qui dans mon imagination auraient fait fondre son cœur, les secrets dont je pensais que j'aurais eu honte. Mais je ne cherchais plus la pitié ou la compassion ni même qu'on me comprenne. En fait, l'émotion que j'éprouvais avec le plus d'intensité s'apparentait presque à la colère. J'en avais assez de mes propres histoires, assez de les avoir vécues et assez d'avoir dû les traîner avec moi depuis si longtemps. Je voulais m'en débarrasser à présent, et Eli se trouvait là, sur leur chemin, voilà tout. D'une certaine façon, cela me rappelait la légende du vieux Paul Bunyan, comment dans le camp de bûcherons un hiver avait été si rude que tous les mots prononcés par les hommes se transformaient en glace, et le printemps suivant lorsque le dégel était enfin arrivé l'air était lourd de paroles en fusion à mesure que les mots gelés reprenaient vie.

Puis est venu le tour d'Eli.

Il m'a raconté comment ça avait été en ville, et ce qu'il m'a raconté était pire que ce que j'avais imaginé. Dire que pendant tout ce temps, je pensais qu'il n'y avait pas plus durs combats que les nôtres, me demandant si la vie n'était pas plus facile et plus sûre à Redwood, craignant que nous ne commettions une erreur en ne retournant pas en ville.

Mais Eli m'a parlé de la faim et de la colère et de la peur, du retour de la méfiance et de la superstition, il m'a dit comment les gens avaient fini par perdre patience face au présent sinistre et aux vagues promesses de changement, comment ils s'étaient mis à se méfier de leurs voisins dont ils venaient à peine de faire la connaissance. Il m'a parlé de la façon déroutante dont ils s'accrochaient à des habitudes longtemps après que ces habitudes ne signifiaient plus rien – des ménagères allant péniblement tous les matins voir si elles avaient du courrier six mois après la dernière distribution, des hommes lustrant leurs voitures les dimanches après-midi même si cela faisait des mois qu'il n'y avait pas suffisamment de pression au robinet pour les laver ou d'essence pour les conduire. Il m'a parlé des acclamations et des hurlements à la Plaza un soir, à l'automne dernier, et comment on avait découvert le directeur de la banque pendu à un lampadaire le lendemain matin, le visage de la couleur d'une aubergine pourrie, ses orteils effleurant les herbes folles roussies.

Il m'a raconté comment la grippe était survenue et m'a parlé du choc et de la colère et de la terreur des gens quand ils se sont rendu compte qu'il n'y avait personne ni rien pour les soigner. Il m'a décrit la peur de la contagion qui s'était emparée de la ville, comment les gens avaient arrêté de se serrer la main et de partager un repas, comment ils se cachaient chez eux et pourtant mouraient, ils allaient bien, et la semaine d'après, ils étaient morts.

C'était ainsi que sa mère s'en était allée. Il m'a raconté comment ils l'avaient enterrée, dans un cercueil que ses frères et lui avaient fabriqué avec une vieille clôture et une porte cassée pendant que son père, dans le salon, fixait l'écran vide de la télé et buvait le cognac qu'ils avaient gardé pour fêter le retour de l'électricité.

Quand Eli s'est finalement trouvé à court de mots, il s'est assis, inerte comme une pierre, et a regardé la pluie lasse. Je l'ai observé pendant un moment, et puis, renonçant aux mots moi-même, je me suis levée, l'ai rejoint là où il était, et j'ai posé mes mains sur ses épaules affaissées, je les ai laissées là, pesantes et patientes et plus sages que je les avais jamais connues, jusqu'à ce qu'il se tourne pour me faire face.

Toutes nos histoires se sont évanouies dans ses yeux mouchetés d'or.

La porte du studio d'Eva s'est ouverte brusquement, et nous avons sursauté comme si nous nous étions ébouillantés.

— Où en est le feu ? a-t-elle demandé en tirant sur la porte du poêle avant de remuer les braises. Il a l'air un peu faible.

C'ÉTAIT hier. Aujourd'hui je me sens une fois de plus intimidée, mais aujourd'hui ma timidité a une douceur en elle, et notre conversation, bien que superficielle, est dépourvue des hésitations et de la causticité que je redoutais. Aujourd'hui je peux étudier, je peux même me lever pour aller aux toilettes sans me tourmenter à propos de ce qu'il voit, de ce qu'il entend, de ce qu'il pense. Aujourd'hui quand Eli joue de son harmonica j'aime le son de sa musique.

— ESSAIE juste de ne pas tomber enceinte, siffle Eva quand nous sortons toutes les deux en fin d'après-midi pour aller chercher du bois.

— Hein ?

— Quoi que tu fasses, sois prudente. C'est tout ce que je dis.

— Qu'est-ce que tu racontes ?

— La dernière chose dont on a besoin en ce moment, c'est d'un bébé. Et tu sais très bien qu'il ne lui faudrait pas longtemps pour se volatiliser.

— Pourquoi tu crois qu'il fera quelque chose ?

— Pas lui. *Toi* et lui.

Elle sourit, et je suis si décontenancée que je suis incapable de lire le mélange d'émotions dans sa voix.

CE matin il faisait un temps clair et radieux – froid et humide quand j'ai sorti les poules mais avec une promesse de chaleur dans l'air.

Eli m'attendait à la porte quand je suis revenue, les bras chargés de bois.

— Allons nous promener, a-t-il dit.

J'ai frappé à la porte du studio d'Eva, et comme elle ne répondait pas, je l'ai entrouverte. Elle se tenait à la barre, de dos par rapport à moi, mais je voyais son visage dans le miroir, serein comme l'eau dormante. Sa main reposait majestueusement sur la barre, et elle faisait des *grands battements*, sa jambe en action montant encore et encore, aussi raide qu'un point d'exclamation.

— On va faire un tour, Eli et moi, ai-je dit à son dos droit.

— Parfait, a-t-elle répondu, et elle a monté sa jambe plus haut.

— À tout à l'heure, ai-je ajouté d'une voix mélancolique.

Elle s'est tournée pour me faire face.

— Amuse-toi bien. Et ne mange rien de sauvage.

Elle avait repris les paroles de notre mère avec tellement d'ironie que je me suis avancée vers elle avidement, impatiente de partager sa plaisanterie. Mais quand j'ai croisé son regard, j'ai été choquée de ne voir ni humour ou ni même espièglerie, mais une fraction de seconde de douleur à l'état brut.

Eli et moi avons détalé comme des enfants qu'on libère, couru à perdre haleine et ri en traversant la cour lumineuse gorgée de pluie. Nous sommes passés devant l'atelier et quand nous avons sauté par-dessus le cercle pourrissant des tulipes de l'an dernier j'ai cru ressentir un bref tiraillement. Mais je m'en suis débarrassée comme un chien qui s'ébroue pour secouer l'eau de son pelage, et je suis entrée dans la forêt avec Eli.

Après toute cette pluie, les bois étaient humides – vaporeux et voluptueux dans la soudaine générosité de la lumière du soleil, et je me suis sentie à la fois déroutée et emplie d'une vie nouvelle, comme si je venais de me réveiller après une longue maladie. L'eau gouttait de toutes les feuilles et brindilles, un après-la-pluie étincelant qui gazouillait tel un lointain ruisseau, tandis que celui tout proche bouillonnait à la manière d'une rivière.

Les aiguilles des séquoias luisaient, et les boutons durs et tassés des bourgeons, comme de minuscules poings ou des tétons dressés, étaient partout. L'air lavait nos poumons. Plissant les yeux dans le torrent de lumière humide, nous avons remonté le ruisseau.

Même après cinq jours en sa présence, j'avais l'impression de marcher avec un étranger. Nous avions laissé derrière nous la pièce à l'odeur de renfermé où nous marchions de long en large et mangions et dormions et parlions, et à présent – pour la toute première fois – nous étions vraiment seuls.

— Où est-ce que tu m'emmènes ? a-t-il demandé en enjambant derrière moi les branches et les rochers qui bordaient le ruisseau.

— Pourquoi devrais-je t'emmener quelque part ? ai-je plaisanté.

— C'est ta forêt.

Je m'apprêtais à rétorquer que ce n'était pas ma forêt quand je me suis rappelé la souche du séquoia que nous nous étions appropriée autrefois, Eva et moi.

J'ai éprouvé un tiraillement de culpabilité et me suis demandé si, en découvrant que j'avais montré cet endroit à Eli, Eva m'accuserait de trahison. Mais me sont revenues toutes les fois où elle avait refusé de quitter son studio quand je la suppliais de m'y accompagner, et j'ai pensé, Elle ne dira rien. Et de toute façon, ça n'a pas d'importance.

— OK, ai-je dit. Je vais t'emmener quelque part. Suis-moi.

— Où allons-nous ?

— Tu verras.

Nous étions arrivés là où le versant de la colline boisée monte à pic, et bien qu'il n'y ait pas de sentier en vue, j'ai commencé à grimper. Genoux pliés, pieds tournés de côté par rapport à la colline, je me suis hissée, cherchant à creuser des prises dans la litière de feuilles de chêne et de laurier qui tapissait le sol, écartant les mains de mon corps, prête à reprendre mon équilibre ou à m'accrocher.

— Ne touche pas le sumac vénéneux, ai-je lancé à Eli.

Je l'entendais avancer tant bien que mal en dessous de moi. Je sentais l'odeur du terreau de feuilles que mes pieds dérangeaient. Une fois j'ai dérapé et je suis tombée sur les genoux, attrapant des poignées de feuilles humides et étreignant la colline avec mes cuisses jusqu'à ce que j'arrête de glisser. Je haletais lorsque j'ai enfin atteint le plateau au sommet, et mon jean était mouillé au niveau des genoux. Je me suis tournée pour regarder Eli gravir les derniers mètres.

— Qu'est-ce qu'il y a là-haut ? a-t-il demandé, pantelant.

— La forêt.

— On a escaladé tout ça pour voir encore de la forêt ?

— Attends un peu, ai-je dit, moqueuse.

Nous nous sommes tenus côte à côte un moment, le temps de reprendre notre souffle pendant que j'essayais de me repérer. Ici, bien au-dessus du ruisseau, la forêt commence à s'éclaircir un peu. Il y a moins de broussailles, quoique les arbres soient encore suffisamment denses pour que les yeux aient du mal à savoir vers où se diriger, suffisamment denses pour que l'on rêve d'entrevoir une étendue de ciel ouvert. Les arbres sont plus gros, et çà et là un cercle de séquoias entoure la large dépression qui est la tombe de quelque arbre séculaire.

— Qu'est-ce que je suis censé voir ? a demandé Eli.

— Tu le sauras quand tu le verras, ai-je répondu.

Il s'est incliné, et nous nous sommes de nouveau mis en route.

Une fois que nous avons commencé à marcher, ma gêne est revenue. Je me suis remémoré l'époque où Eva et moi jouions aux Indiens, et pour vaincre ma timidité, j'ai essayé de montrer à Eli comment avancer le plus furtivement possible au milieu des feuilles dans lesquelles nous nous enfoncions jusqu'aux chevilles et enjamber l'enchevêtrement des branches mortes. Au bout d'un moment, il a estimé que j'y arrivais mieux que lui. Il m'a poussée contre un arbre couché, et bientôt nous jouions à chat, courant à travers la forêt étincelante, haletant et riant, bruyants comme le ruisseau.

— On jouait ici, Eva et moi, autrefois, ai-je dit quand nous avons enfin marqué une pause pour reprendre haleine, tout près l'un de l'autre.

— Vous veniez ici quand vous étiez petites ?

— Tout le temps. On vivait pratiquement là.

— Pourquoi vous avez arrêté ?

J'ai senti que mon visage se vidait de son sourire. J'ai haussé les épaules.

— Eva a commencé la danse. Et ensuite ma mère est tombée malade. On a grandi, je suppose.

Eli a relevé la tête, m'a regardée pendant une minute, mais il a changé d'avis et n'a rien dit. Il a juste pris ma main dans la sienne et nous sommes repartis à travers les bois ruisselants.

Ce n'est pas facile de se tenir par la main tout en marchant dans une forêt. Il y a des branches à esquiver, des rondins à enjamber, des arbres à contourner. Mais nous y sommes arrivés. J'entendais encore au loin le grondement du ruisseau, plus insistant que jamais, mais assourdi à présent par un million de feuilles. Je pensais à ma sœur, s'exerçant dans son studio à l'intérieur de la maison silencieuse, le visage vide d'expression, le dos droit, la main reposant sur la barre comme si elle flottait sur l'eau, la jambe s'élevant toujours plus haut dans l'air calme, alors que loin d'elle, dans la fraîcheur de la forêt printanière, j'étais heureuse avec quelqu'un d'autre.

À plusieurs reprises, je me suis sentie désorientée, soit à cause d'Eli soit parce que la forêt avait poussé et changé, je ne sais pas, mais aucun arbre ne m'était familier, et j'ai presque été sur le point de renoncer. Je réfléchissais à la plaisanterie que je ferais pour justifier que nous redescendions de la colline quand soudain j'ai entendu la musique de l'eau toute proche. Tournant dans sa direction, j'ai reconnu le ruisselet qui coulait près de la souche.

J'ai conduit Eli en amont sur une centaine de mètres environ, et elle était là, surgissant de façon toujours aussi inattendue, si bien qu'une minute nous étions entourés par un enchevêtrement d'arbres, et la minute suivante nous nous trouvions à six mètres de la souche creuse d'un séquoia, de la taille d'une chambre.

Nous nous sommes arrêtés, main dans la main.

J'avais oublié à quel point elle était massive, à quel point elle était solide. On l'aurait plus dit en pierre qu'en bois, et pourtant elle semblait vivante. Ses murs extérieurs étaient couverts d'une forêt miniature de mousses et de lichens. Du côté nord, il y avait une ouverture assez large pour permettre à deux enfants d'entrer main dans la main, et je l'ai fait franchir à Eli. Les murs à l'intérieur, calcinés par quelque ancien feu, noircis, couverts de lichen et salement dégradés, dégageaient une légère odeur de fumée si vieille qu'il n'y avait sans doute plus personne encore en vie pour se rappeler les flammes.

J'ai regardé Eli debout au milieu de la litière des feuilles de l'an passé, écartant les bras puis tournant lentement sur lui-même. Partout les murs étaient à au moins cinquante centimètres de lui.

— C'est pour ça que tu m'as amené ici ? a-t-il dit.

— À ton avis ?

— Ça ressemble au genre de choses que tu as envie que je voie, a-t-il répondu, et avant que je comprenne ce qu'il voulait dire par là, il m'a attrapée et m'a attirée contre lui.

J'ai été alors trop occupée par le choc que me causait la douceur inattendue de ses lèvres pour m'embêter à chercher plus longtemps.

Nous aurions pu développer des racines, tellement nous sommes restés là longtemps. Développer des ailes et nous élever tels des anges à travers le tunnel de la souche jusqu'au ciel, sans cesser de communiquer par ce langage muet que nous venions de nous découvrir en commun, le langage fluide et précis des langues. Parfois la forêt donnait l'impression de mener sa vie dans son coin, parfois elle donnait l'impression de se rapprocher, de planer au-dessus de nous.

Nous avons fait l'amour, bien que *tâtonné* soit probablement un meilleur mot pour décrire ce qui s'est passé entre nous. Il y a eu une confusion de boutons et une imbrication de manches de chemise et de jambes de pantalon, des exhibitions de soi timides, avides, et criblées de chair de poule. Nous avons étalé nos habits sur les feuilles, et là, sur le sol froid de la forêt, où un séquoia avait poussé pendant mille ans, nous avons fait ce que nous avons pu avec nous-mêmes.

Pour moi, la plus grande révélation du sexe n'a pas été le pénis d'Eli, qui avait presque un côté petite fille d'une certaine façon, si lisse et impatient, se dressant de sa touffe de poils auburn et ballottant entre nous telle une marionnette sur un fil. Non, c'est plutôt la surprise de sa peau tout entière, dense, contre la mienne, avec ses exquises gradations de texture et de température et de musculature. Ce qui m'a le plus choquée, ce n'était pas nos différences mais nos similitudes.

Nous avons œuvré longtemps pour qu'il entre en moi, et je ne sais pas si c'est son inexpérience, à lui aussi, qui a ajouté à notre dilemme, mais il semblait que nous hésitions l'un et l'autre non seulement sur l'aspect mécanique, mais aussi sur le protocole de ce que l'encyclopédie appelle la *pénétration*. Longtemps, il s'est pressé contre moi, jusqu'à ce que même moi je réalise qu'il avait besoin d'aide, et finalement, les joues rouges plus d'embarras que de désir, j'ai tenté de l'assister. Mais il y avait maintenant deux mains maladroites entre nos quatre jambes.

J'essayais de trouver une façon polie de mettre un terme à tout cela quand soudain j'ai senti que quelque chose cédait, j'ai découvert une nouvelle et soyeuse dimension de moi-même. Après une douleur sourde, un autre niveau de résistance, il a commencé à bouger en moi. Je dois avouer que c'était plus étrange qu'agréable, bien qu'à la fin, lorsqu'il a laissé échapper un cri d'une sonorité si pure, j'ai cru entendre la voix de son âme.

Quand ça a été terminé, nous sommes restés allongés un moment, puis Eli a glissé de moi, et un liquide a coulé partout entre mes cuisses. Nous étions affalés sur le tas pêle-mêle de jambes de jean et de manches de chemise, de feuilles de chêne dentelées qui nous piquaient le dos et les coudes et les genoux, de feuilles de séquoia comme des nœuds d'amoureux dans nos cheveux. J'ai ouvert les yeux, regardé le ciel au-delà des branches entrelacées tout en haut de la souche, et il me semblait entendre la sève s'écoulant dans le bois fantomatique.

C'était étrange de redescendre de la colline, avec mes vêtements froissés, mes cheveux hérissés de feuilles, mon entre-jambe sensible et poisseux, et Eli me tenant par la main.

Eva se trouvait dans la cuisine quand nous sommes arrivés, et elle lavait la vaisselle du petit déjeuner. Elle a levé les yeux de l'évier et a demandé :

— Vous avez fait une belle balade ?

— Nell m'a montré la souche, a répondu Eli, dans un nouvel effort pour être sympathique.

L'espace d'un instant, Eva a paru bouleversée. Puis son visage s'est fermé, et, se tournant vers moi, elle a dit :

— Quelle souche ?

Le lendemain après-midi, Eli et moi étions de nouveau étendus l'un contre l'autre à l'intérieur de la souche. Nous venions de faire l'amour et nous nous prélassions dans cet après langoureux, nous assoupissant et nous taquinant, et souriant vaguement, par-delà les murs calcinés, au ciel balayé par la brise. Ma tête reposait sur le torse d'Eli et j'écoutais les battements sûrs, réguliers de son cœur.

Mais à un moment, ma léthargie s'est évanouie comme la brume au soleil du matin, et je me suis redressée pour lui faire face, pour le regarder m'annoncer que toutes nos attentes étaient enfin terminées. Parce qu'à l'Est, a-t-il dit, du côté de Boston, la vie a recommencé. Ils ont de nouveau l'électricité là-bas. Le téléphone marche. Les gens trouvent du travail. Il y a à manger dans les magasins.

— Comment tu le sais ? ai-je demandé, hésitant entre la joie et l'incrédulité.

— Par un ami de mon oncle.

— Il y est allé ?

— Il est allé à Sacramento. Il est revenu la semaine dernière.

— Mais comment…

— Sur le trajet du retour, il a rencontré un homme, et ils ont fait pratiquement tout le chemin ensemble. Le type a de la famille dans les environs de Grantsville. Bref, Charlie a dû lui plaire parce que juste avant d'arriver à Redwood, il lui en a parlé, il lui a dit qu'il rentrait chercher sa famille pour les amener à Boston avant l'hiver prochain.

D'après l'homme de Grantsville, ça a été affreux pendant un moment sur la côte Est, voire pire que ce qu'on a jamais connu ici. Il y a eu des émeutes terribles, et apparemment les gangs assuraient le seul ordre qui existait. Beaucoup, beaucoup de gens sont morts de faim ou de froid ou de maladie. Mais Eli a dit que les choses suivaient leur cours maintenant. Et que les gens qui restent vivent comme des rois.

Ils sont en train de reconstruire Boston. Ils ont instauré un gouvernement temporaire et mis en place un système pour permettre aux gens de s'approprier les immeubles désertés s'ils acceptent de les réparer et de les occuper. Boston est en plein développement. Sauf que ceux qui se trouvent déjà sur place ne tiennent pas à l'ébruiter.

— Si tout le pays est au courant, Boston sera dévalisé, a poursuivi Eli. C'est pour ça que Charlie a parcouru cent cinquante kilomètres avec ce type avant qu'il lui en parle, parce que dès que les gens l'apprendront ils plieront aussitôt bagage pour prendre la direction de l'Est.

— C'est la ruée vers l'or à l'envers ! ai-je déclaré en me levant d'un bond. Pourquoi tu ne nous l'as pas dit plus tôt ?

Il a souri et s'est appuyé sur ses coudes pour se mettre debout.

— Je voulais d'abord savoir qui tu étais.

— Comment ça, qui je suis ?
— La femme avec qui je veux partir là-bas.
Même nue devant lui, avec la trace de notre amour qui commençait à goutter de moi sur l'humus de forêt, ça m'a fait un choc de l'entendre m'appeler une femme.
— Comment ça ? ai-je répété.
— Je veux que tu m'accompagnes.
À ces mots, une chose plate, vide à l'intérieur de mon corps s'est gonflée comme un troisième poumon. Je voulais qu'Eli s'arrête, qu'il s'abandonne avec délices à cette sensation, qu'il célèbre - avec moi – ce qu'il venait de dire. Mais il a recommencé à parler à toute allure.
— Il ne faut pas tarder à partir pour ne pas se retrouver à passer l'hiver dans le Dakota du Sud. Chaque jour de perdu signifie que quelqu'un d'autre prend de l'avance sur nous.
— Et Eva ? ai-je demandé.
— Elle peut venir aussi.
Ses frères sont du voyage. Ainsi que leur cousin. Avec Eva, nous serons six.
— Six, c'est un bon nombre, a dit Eli. Ce n'est pas trop pour qu'on ait du mal à se suivre, et c'est assez pour prendre soin de nous-mêmes. Mais on doit partir vite, a-t-il répété, maintenant que c'est bientôt le printemps. On est déjà mi-mars, et il faut compter une journée et demie pour gagner la ville à pied. Mike et Adam m'ont dit qu'ils pouvaient m'attendre deux semaines seulement, et je suis ici depuis une semaine.
Ça faisait bizarre d'entendre quelqu'un parler de nouveau en semaines, de penser que quelque part elles existaient encore, cinq jours ouvrés pivotant autour d'un week-end. Je me suis rappelé à quel point la notion de *lundi matin* ou de *samedi soir* semblait importante autrefois. Et j'ai réalisé, avec une pointe de quelque chose ressemblant à de la concupiscence, qu'à Boston, ces mots avaient retrouvé leur signification.
Rien que de penser à tout cela, je me suis sentie vibrante de chaleur, de générosité, je me suis sentie pleine de vie. J'ai imaginé Boston, resplendissant de lumières. J'ai imaginé des

magasins d'alimentation et des stations-service, des musées et des galeries marchandes, des restaurants et des salles de jeux vidéo et des cinémas. J'ai pensé à ce que j'éprouverais si je cessais d'amasser et de me terrer et d'être dans le chagrin, et pour la première fois de ma vie, j'ai pleuré de joie.

— Vous êtes fous, a dit Eva lorsque, assis le soir tous les trois autour du poêle ouvert, nous l'avons mise au courant. Vous n'y arriverez jamais.

— Bien sûr que si, a rétorqué Eli en tisonnant le feu dans le foyer tandis que nous fixions les flammes avec une intensité hypnotique, comme autrefois la télé.

— Vous allez marcher jusqu'à Boston ?

J'ai grimacé en entendant le mépris dans sa voix.

— Oui, a répondu Eli.

— Avant l'hiver prochain ?

— Oui.

— Que se passera-t-il si vous n'y arrivez pas ?

— On attendra quelque part.

— Où ? Qui accepterait d'accueillir six personnes en plus pendant l'hiver ?

— On gagnera notre gîte et notre couvert. Joe a un fusil. Et un chargeur. Et si vous venez toutes les deux, il y aura aussi votre carabine. On peut chasser et couper du bois. On s'en sortira.

— Tu sais chasser ?

— Bien sûr. (Il a souri.) Pourquoi je ne saurais pas ? J'apprends vite.

— Et Boston a quelque chose qu'on n'a pas ?

— Oui.

— Quoi ?

— Le courant. À manger. Du travail.

— Comment tu le sais ?

— Je t'ai dit. Un ami de mon oncle…

— Et s'il se trompait ? Et si c'était encore une rumeur ?

— Si c'était une rumeur, tu crois que ce type l'aurait gardée secrète pendant si longtemps ? Charlie et lui ont marché pendant cent cinquante kilomètres avant qu'il en parle. Ça ressemble à une rumeur, ça ? En plus, Charlie, c'est un malin. Il l'aurait vu si le type était un imposteur.

— Comment ?

— Il l'aurait vu. Mais écoute. Même s'il se trompe, ce qui n'est pas le cas, ce ne sera pas pire là-bas qu'ici. Et au moins on sera sur place quand les choses repartiront.

— Si tu es tellement sûr de Charlie, où sont les avions ?

— Les avions ?

— Exact. Pourquoi personne n'a pris l'avion pour venir sur la côte Ouest, ou sa voiture, d'ailleurs. Si la vie a redémarré à l'Est, pourquoi ne sommes-nous pas au courant ?

— Écoute, Eva, a dit Eli avec une patience étudiée, ces lumières ne marchent pas à l'essence. Il n'y a plus d'essence depuis longtemps. On est passé à des énergies alternatives, solaires ou éoliennes. Bien sûr qu'il n'y a pas d'avion. Sans compter que personne ne veut divulguer le secret. Il n'y a pas assez pour tout le monde.

— Pourquoi tu y vas, alors ?

— Pour chercher fortune. Pour reprendre le contrôle de ma vie. (Il est resté silencieux pendant un moment, et plus triste que je ne l'avais jamais vu.) Ça a été dur à Redwood.

— Oh, Eva, me suis-je brusquement exclamée, tu pourras danser. Il y aura de la musique. Et des professeurs. Tu pourras entrer dans une compagnie de danse, et je pourrai aller à Harvard.

Elle m'a regardée dans les yeux avec une expression qui ressemblait à un avertissement, mais son message était trop dense, et j'étais trop exaltée pour essayer de le déchiffrer.

— Les frères d'Eli fabriquent une charrette à bras, et ils essaient de trouver un cheval, ai-je dit.

— C'est de la folie.

— Pas plus que de rester ici et d'attendre que les lumières se rallument, a répliqué Eli. Pas plus que de se cacher dans les collines, de compter les clous et les élastiques, et de regarder le garde-manger se vider. Qu'est-ce que vous allez devenir si vous restez ici toutes les deux ?

— Il ne nous arrivera rien. On s'en sortira.

— Rien. C'est vrai. Il ne vous arrivera rien… si vous avez de la chance. Si vous avez de la chance, l'électricité reviendra avant que vos provisions soient épuisées, ou avant que l'une de vous se blesse ou tombe malade, ou avant que la maison prenne feu. *Si* vous avez de la chance. Et en admettant que vous ayez cette chance, en admettant que vous parveniez à survivre ici jusqu'à ce que le courant soit rétabli… que se passera-t-il ? Vous serez toujours à cinquante kilomètres de la ville. À cinquante kilomètres d'une putain de ville fantôme. Avant même qu'il se passe tout ça, Redwood était une ville qu'on quittait. Je pensais que tu l'aurais compris, Eva.

Elle s'est hérissée.

— Bien sûr que je l'ai compris. Mais quand je partirai, ce sera pour quelque chose de réel. Pas juste un projet insensé.

— Partir est moins insensé que rester ici.

— Au moins, ici, on reste en vie, a rétorqué Eva sèchement, et je ne pourrai pas en dire autant de toi si tu essaies de parcourir cinq mille kilomètres avant l'hiver prochain.

— Vous courez toutes les deux plus de risques en vivant seules ici qu'en m'accompagnant. (La voix d'Eli s'est adoucie.) Je t'en prie, Eva. C'est une aventure. Viens avec nous. Et ce n'est pas juste pour Nell.

— La vie de Nell lui appartient. (Eva s'est levée pour ajouter une bûche.) Elle peut partir si elle veut.

———•———

Je le voulais. Plus que tout ce que j'avais jamais désiré, je voulais aller à Boston avec Eli. Mais Eli n'est plus là. Eli traverse le pays sans moi, il marche en direction des lumières d'un monde vivant, et je suis de retour ici, comme si je n'étais jamais partie, écrivant sur ce voyage pendant qu'Eva danse et qu'il pleut à nouveau.

Mes chaussettes étaient reprisées, mon jean raccommodé avec deux pièces, une à l'intérieur et une à l'extérieur. Le sac à dos de l'armée piqué par l'humidité que nous avions trouvé dans l'atelier de Père avait été nettoyé et réparé et rempli, son chargement organisé et réorganisé. J'avais ma lettre de Harvard, une photocopie de mes résultats aux SAT, ma calculatrice qui ne marchait plus, ce journal. J'avais considéré et reconsidéré chaque pull, chaque allumette, chaque bout de crayon et bobine de fil et grain de riz, calculant leur valeur pendant le voyage comparé à leur poids et leur volume, et complétant cette équation par le besoin qu'en aurait peut-être Eva ici.

Nous avons partagé l'argent, mais j'ai laissé la loupe et les deux derniers sachets de thé. Et l'essence.

— Je suis désolée d'avoir refusé que tu t'en serves avant, ai-je dit, avant d'ajouter avec nostalgie : Peut-être qu'on devrait rester un jour de plus pour faire cette fête et te regarder danser.

Elle a secoué la tête.

— Non, si vous devez y aller, vous feriez mieux de ne pas tarder.

Elle m'a donné les chaussures de randonnées que nous avions découvertes derrière l'armoire de Mère. Et elle a insisté pour que je prenne la carabine.

— Vous en aurez besoin, a-t-elle dit, plus que moi…

Je l'ai interrompue pour la remercier, capable à ce moment-là de n'éprouver rien d'autre que ma propre joie. J'avais dix-sept ans, j'étais forte, libre, et soudain belle. J'étais une femme s'aventurant dans le monde avec son amant. En dépit de tout, j'allais enfin entrer à Harvard, et aucune sœur revêche ne pouvait gâcher mon bonheur.

Je dois admettre qu'il y a eu des fois où j'ai pensé que ce serait un soulagement si Eva ne venait pas. Cela dit, j'étais encore à moitié persuadée qu'à la dernière minute elle changerait d'avis et nous accompagnerait, que ce voyage ferait de nous des alliées à nouveau. Tandis que je triais et organisais et planifiais, j'attendais le moment où elle capitulerait et se mettrait à faire son sac.

Mais dans la lumière glaciale de cet ultime matin, tandis qu'Eli était allé chercher une dernière brassée de bois et qu'Eva et moi étions assises à la table avec nos tasses de thé insipide, elle était toujours aussi catégorique.

— Non, Nell. Je ne pars pas. Ce voyage est de la folie.

— Mais ta danse ? Pendant tout ce temps, tu as réussi à continuer de danser alors que personne n'y serait jamais arrivé, et maintenant tu renonces ?

— Je ne renonce pas. Je continuerai de danser.

— Mais Eva, c'est peut-être ta seule chance.

Elle a tressailli, puis a répondu si vite que j'ai compris qu'elle avait pensé la même chose, elle aussi.

— Peut-être que ce n'est pas le plus important.

Tout en m'efforçant de contenir ma colère, j'ai demandé :

— Qu'est-ce que c'est, alors ?

— Je ne sais pas.

J'ai eu un moment de vertige, puis j'ai vu les sacs qui attendaient, telles des promesses, près de la porte, et j'ai essayé à nouveau.

— On est la seule famille qu'il nous reste. On ne peut pas se quitter.

— Si, on peut. (Elle a secoué la tête en me regardant, pour m'empêcher d'amortir le coup.) C'est pas grave, Nell. Tu as fait ton choix et moi aussi.

— Tu ne peux pas vivre seule ici.

— Pourquoi pas ?

Eli est revenu à ce moment-là, les bras chargés de bois, et Eva et moi nous sommes tues. Nous avons fait semblant de manger. Nous avons parlé des poules et du temps, avons vaguement plaisanté. Eli a fini par briser notre inertie, il s'est levé, réticent et déterminé à la fois.

— Bon. Tu es sûre de ne pas vouloir changer d'avis, Eva ?

— Ouais, a-t-elle répondu, d'un ton dégagé. Je suis sûre.

— Tu es têtue, hein ?

— Ouais, a-t-elle dit. Je suis têtue.

Ils se sont souri avec une complicité ravie, si forte et si indéniable, que j'ai été un peu jalouse d'eux, comme si l'un et l'autre avaient, sans même essayer, usurpé la place à laquelle j'aspirais. Eva s'est tournée vers moi, a pris mes mains dans les siennes et m'a adressé un regard tellement plein d'amour qu'à ce moment-là encore j'ai cru qu'elle allait revenir sur sa décision. Mais elle a dit :

— Au revoir, Nellie. Je serai toujours ta sœur.

Et pour tempérer le chagrin, elle a ajouté :

— Ne te fais pas avoir. Et écris quand tu auras trouvé du travail.

J'ai acquiescé bêtement et je l'ai serrée dans mes bras pour la première fois depuis que nous avions trouvé l'essence. Puis j'ai regardé Eli hisser son sac sur ses épaules, ramasser la carabine et ouvrir la porte. Finalement quand il ne m'est resté plus rien à faire, j'ai soulevé mon sac, l'ai balancé sur mon dos, et j'ai suivi Eli dehors, dans la lumière éclatante de l'aube.

C'était une matinée magnifique. Froide, mais le soleil lointain brillait. J'avais les yeux mouillés, et l'air chassé de mes poumons formait des nuages de vapeur étincelants. Quand nous avons atteint le bord de la clairière, là où le cercle flétri des tulipes de ma mère croisait la route, je me suis arrêtée, je me suis retournée et j'ai levé le bras pour dire au revoir.

Eva se tenait dans l'encadrement de la porte, le visage serein. De la fumée s'échappait de la cheminée sur le toit au-dessus d'elle, et l'air tout autour semblait s'épaissir et trembler. Nous nous sommes regardées de part et d'autre de la clairière pendant un moment entier puis elle m'a fait signe de la main. Derrière ce simple geste, il y avait toute la grâce et toutes les prouesses de la danseuse qu'elle était, et quand je me suis détournée, les larmes me brûlaient les yeux.

Mais je les ai retenues avant qu'elles ne tombent, et leur picotement ne semblait qu'exalter la force de cet instant. J'étais une future mariée, une aventurière, une pionnière. Les arbres s'embrasaient dans la lumière du soleil naissant, et de lumineux fantômes de vapeur s'élevaient de la route. La forêt sentait le laurier et le sapin, et nous entendions les pépiements ténus des oiseaux. Je voyais au loin les montagnes qui se dressaient, bleues et brumeuses, et je savais qu'il me suffisait de les franchir et de continuer de marcher pour rattraper tous mes rêves.

Lorsque nous sommes arrivés au pont, je me suis arrêtée pour regarder entre les planches fendues le filet d'eau qui coulait en dessous. L'espace d'un moment, le temps lui-même a paru fluide – vacillant et irréel comme l'air au-dessus de la cheminée. Je me suis rappelé que, petite, ce pont marquait la frontière de mon monde, et j'ai fait une pause.

— Il était assez solide quand je l'ai traversé le jour de mon arrivée, a dit Eli, et j'ai hoché la tête et me suis engagée, malgré les petites mains discrètes que je sentais me retenir en arrière.

Et puis je me suis retrouvée de l'autre côté, et chacun de mes pas m'éloignait de la source de tous mes fantômes et me rapprochait de tout ce à quoi j'étais promise. J'avais suivi cette route pendant dix-sept ans, pourtant jamais auparavant je ne l'avais faite à pied. On aurait dit qu'Eli et moi explorions déjà un nouveau territoire ensemble. Chaque virage révélait un endroit qu'il me semblait n'avoir jamais vu, et tout était éblouissant de soleil et vert de pluie et si beau que je n'arrivais pas à garder à l'esprit que je le parcourais pour le laisser derrière moi.

Eli a imposé une allure rapide. Les chaussures de ma mère étaient étrangères à mes pieds, et je ne tardais pas à transpirer. Pourtant, c'était un plaisir que d'essayer de marcher à son rythme, de fournir finalement un effort pour quelque chose. À chaque nouvelle étape que nous atteignions et dépassions, j'avais l'impression d'arriver enfin quelque part.

L'hiver n'avait pas été clément avec la route. Sans mon père pour s'assurer que les fossés ne se bouchent pas et pour repousser les mûriers sauvages des canalisations, de profondes rigoles avaient été creusées par la pluie dans la chaussée, recouverte çà et là par des pans de la colline affaissée. À un endroit, toute une portion de la route de la longueur de notre maison était démolie, laissant un chemin de la largeur d'une voiture qui étreignait le coteau.

— Je me demande si notre pick-up s'en serait sorti, ai-je dit en regardant la ravine où se trouvait autrefois la route.

— Difficile à dire, a répondu Eli tout en continuant d'avancer.

Nous avons dépassé la maison des Coleman alors que l'air était encore presque froid, et rejoint la route du comté avant midi. C'était un peu troublant de voir à nouveau de l'asphalte, et je me suis surprise à parler plus doucement, à jeter des coups d'œil par-dessus mon épaule et à faire taire Eli de temps à autre pour écouter la voiture que j'étais sûre d'avoir entendue – mais qui ne venait jamais.

À l'heure du déjeuner, nous nous sommes arrêtés quelques minutes pour boire au ruisseau et manger un peu des haricots que j'avais cuits la veille. À peine avions-nous fini qu'Eli s'est levé d'un bond, a ramassé la carabine, a balancé son sac sur ses épaules et a repris la route. Tout l'après-midi nous avons marché, tandis qu'Eli projetait à voix haute ce que nous ferions une fois à Redwood, et je hochais la tête et rêvais de Boston, et les lanières de mon sac à force de frotter laissaient des marques rouges sur ma peau au-dessus de mes clavicules.

Eli avait raison – les maisons devant lesquelles nous passions étaient inhabitées, et quand nous nous en approchions, c'est moi qui accélérais l'allure, qui détournais le regard et me dépêchais, cherchant à ignorer la menace de leurs fenêtres nues et de leurs histoires secrètes.

Nous avons campé dans la forêt cette nuit-là, sur un terrain plat entre la route et le ruisseau. Eli a fait un feu de brindilles, et j'ai réchauffé le reste de haricots que nous avons mangé avec un tout petit peu de fromage râpé. Après, j'ai rincé nos fourchettes et la casserole dans le ruisseau pendant qu'Eli nous fabriquait un nid près du feu avec nos sacs de couchage.

Côte à côte, allongés dans notre lit, nous avons regardé les bourgeons d'étoiles dans le ciel sans lune. Eli voulait discuter du voyage – quelles roues seraient les plus adaptées à la charrette à bras, comment nous nous procurerions plus de munitions pour ma carabine, où ce serait plus facile de traverser les Rocheuses. Mais je me suis aperçue que j'avais envie de parler de ce que je venais d'abandonner, de tout ce dont je m'éloignais. Je crois, aussi, que j'espérais que nous organiserions une espèce de cérémonie, là, sous les étoiles en fleurs, quelque chose pour marquer ce que je venais de faire. Mais les mots que je voulais que l'on se dise n'ont pas été prononcés, et nous nous sommes plutôt interrogés sur le temps que me dureraient les chaussures de ma mère, sur le genre de routes qu'il vaudrait mieux prendre, sur le moment où les premières neiges tomberaient dans l'Ohio.

Nous nous sommes tus petit à petit à mesure que le feu diminuait, et finalement nous avons contemplé en silence les étoiles épanouies. Mes pensées m'appartenaient et elles se tournaient vers Eva. Je me disais qu'elle avait dû manger à cette heure. Elle avait dû fermer les portes à clé et alimenter le poêle, et je l'imaginais assise dans la maison plongée dans le noir, devant son feu solitaire. Je me demandais à quoi elle pensait, comment c'était d'être seule.

J'ai senti vaciller ma décision de la laisser, et pour ne pas flancher davantage, je me suis rappelé comme nous étions devenues distantes et différentes, et comme c'était mieux pour elle et moi que je sois partie. Je me suis remémoré tous nos désaccords, me suis souvenue avec indignation de sa froideur envers Eli, de sa rudesse quand elle m'avait dit de me méfier de ne pas tomber enceinte.

Ce qui m'a amenée à penser à quelque chose d'autre. Je me suis tournée vers Eli et j'ai dit :

— Tu n'as jamais évoqué de méthodes contraceptives.

Il est resté silencieux pendant si longtemps que j'ai cru qu'il n'avait pas entendu. Puis il s'est redressé, a attrapé une brindille et a attisé le feu, remuant les braises qui ont frémi et se sont écroulées. Quand il a répondu, il avait l'air presque sur ses gardes.

— Je pensais que c'était toi qui t'en occuperais.

— Comment ?

— Je ne sais pas. Tu as fait attention, n'est-ce pas ?

Je me suis retrouvée, moi aussi, assise à tisonner le feu avec une branche de séquoia et à regarder intensément les feuilles grésiller et se racornir. Pour une raison que je ne m'expliquais pas, mon premier réflexe a été de faire comme si je venais tout juste de penser aux conséquences de nos rapports sexuels. Finalement, j'ai dit :

— Lorsqu'on a eu nos règles pour la première fois, notre mère nous a montré comment savoir quand on ovulait. Je crois qu'il n'y a pas de danger.

— Parfait, a-t-il répondu en me tapotant la cuisse. Je savais que tu serais prudente.

— Qu'est-ce que tu aurais fait si je ne l'avais pas été ? Ou si ça ne marche pas ? ai-je demandé en m'efforçant de parler d'une voix légère.

— Je ne sais pas. Mais je ne pense pas que tu pourrais t'embarquer dans ce voyage avec un bébé.

Il s'est penché vers moi et a embrassé mes deux yeux si bien que la chaleur de ses lèvres sur mes paupières a assouvi mon besoin de voir. Puis il a embrassé ma bouche jusqu'à ce que mon envie de parler s'évanouisse.

Quand nous avons fait l'amour, l'obscurité était si totale que je n'arrivais pas à distinguer son visage, bien qu'il ne soit qu'à un souffle du mien. Aussi ai-je regardé les étoiles, et je les ai vues se parer d'un nouvel éclat et descendre sur nous au point qu'elles semblaient juste au-dessus de nos têtes, au point que, si je le voulais, il me suffisait d'ôter mes mains des épaules d'Eli pour les disposer autrement d'un geste ample. Mais brusquement, ce qui se passait sur terre a nécessité toute mon attention. J'ai fermé les yeux, j'ai senti une nouvelle galaxie d'étoiles s'épanouir en moi.

Plus tard, nous nous sommes réveillés pour vérifier le feu et remettre nos sacs de couchage droit puis, blottie contre Eli, je me suis endormie.

J'ai rêvé que j'étais de retour près de la tombe de mon père. Elle était exactement comme le jour où nous l'avions enterré – il y avait le trou que j'avais creusé avec l'aide d'Eva, il y avait les deux pelles, la tronçonneuse couverte de sang, même sa chemise. J'apercevais son sang sur le sol à côté de la tombe ouverte, et je marchais inexorablement dans sa direction, appréhendant ce que j'allais bientôt découvrir. Mais ce que je découvrais était pire encore que ce que je craignais – la tombe était vide.

Éperdue, j'appelais mon père, je fouillais les bois, prête à tout pour retrouver son corps même mutilé. Mais il avait disparu. Il faut que je prévienne Eva, pensais-je. Mais j'avais beau chercher et crier à en avoir la gorge irritée, je ne voyais aucune trace d'elle.

Je me suis réveillée à l'aube, les joues ruisselantes de larmes – et pas de sœur auprès de moi pour me dire que j'avais rêvé. Eli dormait toujours à mes côtés, beau et lointain comme un dieu de l'Olympe.

Je me suis levée sans le déranger, me suis habillée, me suis accroupie derrière un arbre pour faire pipi, puis je suis descendue au ruisseau où j'ai aspergé mes larmes d'eau froide. Eli était assis quand je suis revenue, s'étirant et bâillant dans la lumière grandissante.

— Si on marche aussi bien qu'hier, on sera à Redwood en milieu d'après-midi, a-t-il déclaré. Qu'est-ce que tu en penses ?

J'ai aspiré une bouffée d'air et j'ai dit ce que je redoutais :

— Je ne pars plus.

— Quoi ? a-t-il fait en se levant brusquement de l'amas de nos sacs de couchage.

— Je ne pars plus, ai-je répété.

— Tu ne pars plus ? a-t-il demandé, le visage voilé par l'incrédulité.

— Non.

— Pourquoi ?
— Je ne sais pas. Je ne peux pas, c'est tout.
— Tu as peur de ce voyage ?
J'ai secoué la tête.
— Ce n'est pas ça.
— Tu ne veux pas être avec moi.
— Non, je…
— Quoi alors ?
— Je suppose que je ne peux pas laisser Eva.
— Elle a dit qu'elle s'en sortirait.
— Je sais.
— Nell, elle t'abandonnerait, elle.
— Non, elle ne m'abandonnerait pas.
— En tout cas, elle n'a pas voulu venir avec toi.
— Ce n'est pas pareil, ai-je dit en désespoir de cause.
— Ah.
— Je suis désolée. Je suis vraiment désolée.
— Écoute, tu l'as déjà quittée. Tu m'as suivi. Tu ne peux pas retourner là-bas, maintenant.
— Oh, Eli…
— Je vais te dire. On va aller sur la côte Est, on va trouver un endroit où vivre et on la fera venir. Ça ne prendra pas longtemps.
— Combien de temps ?
— Pas cet été mais l'été prochain, vous serez de nouveau ensemble.
J'ai pensé à tout le temps que cela représentait, au peu de choses qui étaient sûres et à tout ce qui pouvait changer.
— Je veux partir avec toi, ai-je répondu, mais je ne peux pas.
— Bien sûr que tu peux. Mais ce que tu es en train de dire, c'est que tu ne veux pas.
— Non, je…
— Si, Nell, tu es en train de dire que tu ne veux pas.
— Eh bien, oui… je ne veux pas, ai-je répliqué, presque reconnaissante de son ton de défi.

J'ai vu qu'il réfléchissait à de nouveaux arguments. Mais tout à coup, il m'a regardée comme s'il découvrait quelque chose qu'il ne soupçonnait pas. Lorsqu'il a repris la parole, sa voix avait perdu de son mordant, et elle était terne et posée.

— Comme dit Eva… ta vie t'appartient.

— Je suis désolée, ai-je répété, mais il me tournait déjà le dos et rassemblait ses vêtements.

Il s'est habillé en silence, et en silence nous avons roulé nos sacs de couchage, rangé l'un et l'autre notre barda. En silence il a poussé du pied un peu de terre sur notre feu éteint.

Il ne restait plus rien à faire. Il a hissé son sac sur son dos, m'a donné la carabine.

— Au revoir, Nell.

— Au revoir, ai-je répondu en tenant maladroitement la carabine entre nous.

Puis je l'ai tendue vers lui en ajoutant :

— Pourquoi ne la gardes-tu pas ?

Il a hésité un instant et a répondu sur un ton ferme :

— Non. La carabine reste avec toi. (Il m'a effleuré la joue.) Sois prudente. Je t'aimerai, peu importe comment.

Il a pivoté sur ses talons et s'est éloigné, me laissant debout près du charbon de bois de notre feu avec les mots que j'avais tant souhaité entendre sonner à mes oreilles, et j'ai dû serrer mes lèvres avec mes dents, les mordre jusqu'à sentir le sang pour m'empêcher de le rappeler.

Bien plus tard, je suis remontée sur la route. Grelottant de froid et plissant les yeux à travers mes larmes à cause de la luminosité du soleil du matin, j'ai entrepris le long trajet du retour. Kilomètre après kilomètre j'ai trébuché, mon sac lourd dans mon dos, les chaussures de ma mère du plomb à mes pieds. J'ai marché toute la journée, ne m'arrêtant que pour boire de l'eau, tandis que la morsure des chaussures me faisait des cloques aux talons et aux orteils et que mon esprit se couvrait de cloques aussi, à force de frotter et de frotter encore contre les mêmes surfaces rêches.

La nuit tombait quand j'ai enfin regagné la clairière. La maison était un monolithe contre la forêt assombrie, et dans l'encadrement de la porte se tenait ma sœur, des larmes brillant sur son visage comme un cadeau.

VOILÀ, il est parti, il marche en direction de Boston, et qui peut dire ce qu'il trouvera, qui il rencontrera. Qui sait par quels miracles je le reverrai.

À présent les journées résonnent d'un silence à jamais grandissant. À présent les nuits sont plus longues que jamais. Parfois je suis saisie d'un désespoir si immense à la pensée d'avoir abandonné Eli que j'arrive à peine à respirer. Et parfois, je rougis de honte de l'avoir aimé, de m'être tordue et tortillée contre lui. Et puis ça passe, et il me manque à nouveau.

La seule chose qui revienne, c'est la pluie, qui n'est pas de saison et n'est pas la bienvenue. Dehors les bourgeons se pressent froidement au bout de leurs brindilles. À l'intérieur, Eva danse et j'essaie d'étudier, de continuer d'avancer dans les *L*. Le feu couve amèrement sur le bois mouillé. Dans le garde-manger, les sacs s'aplatissent, les boîtes de conserve disparaissent, les bocaux se vident.

J'ai l'impression que c'est ainsi depuis toujours.

AUJOURD'HUI j'ai vu une tache de sang au fond de ma culotte en loques, et j'ai été submergée par un tel soulagement que l'espace d'un moment j'ai cru que j'allais défaillir. Mais en même temps que la rémission qui me venait à la vue de mon sang, je dois admettre que j'ai éprouvé aussi du regret, car désormais mon corps s'est débarrassé de toutes les traces d'Eli.

Mes pieds couverts d'ampoules ont guéri. Eva les a pris dans ses mains de danseuse et les a soignés si minutieusement qu'une peau rose et toute neuve a déjà commencé à repousser sur mes talons et mes orteils. Nous sommes bienveillantes l'une envers l'autre ces jours-ci, mais c'est une affabilité distante, née semble-t-il plus du remords et de la perte que de quelque lien qui nous unirait en ce moment. Nous ne parlons pas beaucoup, et bien que je meure d'envie de discuter avec Eva, je me sens trop intimidée et trop fatiguée pour rompre nos silences.

Quelque part, dans un livre que j'ai rendu il y a longtemps à la bibliothèque désormais fermée, j'ai lu que les paysans en Chine qui cultivent du thé n'ont pas les moyens d'en boire. Du coup, ils boivent de l'eau chaude qu'ils appellent *thé blanc*. Demain notre thé aussi sera blanc.

Mais ce soir nous buvons de l'eau chaude transformée en thé par la poudre au fond de la boîte de chez Fastco. Elle donne au liquide fumant dans nos tasses une teinte et un parfum et un goût si légers que quelqu'un qui ignorerait qu'il boit du thé pourrait penser qu'il s'agit juste d'eau chaude.

Mais nous savons que c'est du thé. Et nous savons que demain il n'y en aura plus.

Il semble à présent que la vie n'est plus qu'une suite de dernier ou de dernière – cette dernière tasse de thé appauvri jusqu'à n'être plus que de l'eau claire, le dernier quart de cuillère à café de sucre frotté entre nos langues et nos palais jusqu'à ce que chaque grain soit dissous et que le sirop s'écoule goutte à goutte dans nos gorges. Les dernières miettes de macaronis. La dernière lentille.

Nous avons mangé le dernier bocal de compote de pommes au déjeuner aujourd'hui. À un moment où Eva ne regardait pas, j'ai fourré ma tête dans mon bol vide et je l'ai léché entièrement. Je déteste gaspiller maintenant. Chaque gorgée, chaque bouchée, chaque miette est un supplice, la piqûre d'une aiguille tatouant ma conscience en la marquant d'une image indélébile où se mêlent perte et besoin. Ces jours-ci, entrer dans le garde-manger est un acte de bravoure. L'arithmétique, les simples multiplications et soustractions qui nous montrent ce que nous mangeons en une journée, combien de jours de nourriture il nous reste, est une équation que je ne peux affronter. Mon esprit s'ankylose et j'ai un trou quand j'essaie de calculer combien de tasses de farine il y a dans vingt-deux kilos ou combien de repas nous pouvons faire encore avec le dernier sac de haricots bicolores.

Je n'ai jamais vraiment su combien nous consommions. C'est comme si nous ne sommes tous qu'un ventre affamé, comme si l'être humain n'est qu'un paquet de besoins qui épuisent le monde. Pas étonnant qu'il y ait des guerres, que la terre et l'eau et l'air soient pollués. Pas étonnant que l'économie se soit effondrée, s'il nous en faut autant à Eva et à moi pour rester tout bonnement en vie.

Je me dis parfois que ce serait tellement mieux si l'on devait taire nos désirs, nous débarrasser de notre besoin d'eau et d'abri et de nourriture. Pourquoi s'embête-t-on avec tout ça ? À quoi cela sert-il ? Hormis tenir un peu plus longtemps.

Eva et moi avons oscillé toute la journée au bord de la dispute, nous rembarrant et nous envoyant des piques comme si nous avions déjà oublié l'une et l'autre ce à quoi j'ai renoncé pour elle. Une part de moi a envie de lui crier dessus, de la critiquer, de lui reprocher le placard vide et la route démolie et toute ma solitude. Mais une autre frémit à la pensée d'un désaccord, et cherche désespérément à s'entendre avec la seule personne qu'il lui reste.

HIER soir, Eva voulait ouvrir le dernier bocal de tomates pour parfumer le riz. Mais depuis que j'ai lu l'article sur les citrons verts dans l'encyclopédie, j'ai peur du scorbut.

— Je pense qu'on devrait le garder, ai-je déclaré. Ce bocal est la seule source importante de vitamines C qu'on a.

Elle m'a adressé un regard méprisant et a ouvert la porte du garde-manger tout en lançant par-dessus son épaule au moment où elle entrait :

— Le garder pour quoi… notre enterrement ?

— Pour le jour où on en aura vraiment besoin, ai-je répondu en la suivant. On ne sait pas combien de temps encore on sera ici.

— Exactement, a-t-elle dit, et elle a tendu la main vers le bocal solitaire sur l'étagère au-dessus de sa tête. C'est pourquoi on a besoin d'une petite gâterie de temps à autre.

— Eva ! ai-je crié en l'attrapant par le bras, et au cours de cette seconde de déséquilibre, le bocal a glissé entre nous, explosant par terre dans un fatras de bris de verre et de tomates.

Pendant de longues minutes nous avons regardé les tomates qui auraient pu nous guérir – ou du moins atténuer la monotonie d'un repas –, à présent lardées d'éclats de verre, leur jus formant comme une mare de sang.

— Bien joué, a sifflé Eva, et brusquement, la colère a supplanté mon choc et mon remords.

Je me suis surprise à fouiller les étagères à la recherche de quelque chose de dur et de la taille d'une main – quelque chose avec quoi la blesser.

Je m'étais déjà emparé d'une bouteille et soupesais avec plaisir son poids dans ma paume, quand la signification de ce que je m'apprêtais à faire m'a frappée comme un autre coup.

Je suis tombée à genoux à côté des tomates écrasées.

— Qu'est-ce que tu fabriques ? a demandé Eva.

— Je ne sais pas, ai-je répondu en secouant la tête. Je ne sais pas.

— Qu'est-ce que tu as dans les mains ?

— Qu'est-ce que j'ai ? ai-je répété, d'un air hébété.

La bouteille était marron et fraîche et si vieille qu'elle était légèrement poisseuse. Je l'ai retournée pour lire l'étiquette.

— Du Grand Marnier, ai-je répondu.

— Tu vas nettoyer avec du Grand Marnier ?

— Non, ai-je dit, et je me suis mise à rire.

— Qu'est-ce qu'il y a de si drôle ? Il y a une minute tu tenais absolument à garder ces tomates, et maintenant que tu les as fichues en l'air, tu ris.

— Buvons-la, ai-je suggéré.

Je me sentais soudain transportée de joie, envahie par une délicieuse vague de soulagement qui montait en moi à la pensée que je n'avais pas tué ma sœur.

— Quoi ?

— Le Grand Marnier n'est-il pas à base d'oranges ? Buvons-le. Il contient peut-être de la vitamine C.

— Sauf que d'après toi, il vaudrait mieux le garder, a dit Eva.

— Pour quoi ? ai-je demandé d'un ton moqueur, ignorant le sarcasme dans sa voix. Pour des morsures de serpent, des engelures, un accouchement ? De toute façon, on a toujours le sherry. Allez, ai-je insisté, citant mon père à nouveau : “La meilleure occasion, c'est quand il n'y a pas d'occasion.”

J'ai attrapé Eva par le bras pour la faire sortir du garde-manger mais elle m'a repoussée et a pris le balai.

Du salon, j'entendais le bruit de la brosse et le tintement des morceaux de verre. Tout à coup, j'avais de nouveau onze ans, et Eva était trop occupée à faire ses échauffements pour venir avec moi dans les bois. J'ai hésité et j'ai ôté le bouchon de la bouteille. Le parfum de l'orange et de l'alcool a empli l'air, et, dans un geste de défi, j'ai porté la bouteille à ma bouche. La première gorgée était sucrée, comme du sirop d'orange mais qui brûle. J'ai rebu une gorgée.

— Eva ? ai-je appelé.

— Quoi ?

— Tu en veux ?

— Non.

— Pourquoi ?

— J'essaie de retirer le verre des tomates que tu as renversées.

— Je ne les ai pas renversées… on les a renversées.

— C'est ça, oui.

— Allez, ai-je insisté. Goûtes-en un peu.

— Non.

J'ai pris une nouvelle gorgée, et le poids insupportable de ma solitude s'est abattu sur moi. J'ai bu encore.

— Ça a le goût des sucettes à l'orange, ai-je dit.

Je l'ai entendue soupirer avec lassitude. Elle est revenue dans le salon une minute plus tard avec un bol de tomates. S'asseyant près de la fenêtre où la lumière était la meilleure, elle les a écartées avec une fourchette, a frotté la pulpe entre ses doigts.

— Qu'est-ce que tu fais ? ai-je demandé.

— J'essaie d'enlever les morceaux de verre avant qu'on les mange… même si tu as voulu me tuer.

— Oh. (J'ai bu à nouveau.) Je suis contente de ne pas l'avoir fait. (Je reconnaissais déjà la sensation de chaleur dans mon ventre, le relâchement de mon cerveau.) Eva ?

— Quoi ? a-t-elle dit, l'irritation conférant au "qu" le tranchant d'un couteau.

— J'aimerais vraiment partager ça avec toi. S'il te plaît. Tu m'as manqué.

Elle a soupiré avec affectation, puis a gardé le silence longtemps, penchée au-dessus du bol de tomates en morceaux. Enfin, elle s'est levée, a rapporté le bol dans la cuisine. À son retour, elle avait les mains propres. Elle s'est assise à la table en face de moi et a attrapé la bouteille. Elle l'a portée à sa bouche comme si elle s'acquittait d'une nouvelle corvée et a bu.

— Alors ? ai-je dit.

— Quoi ?

— Tu ne trouves pas que ça a le goût des sucettes à l'orange ?

— Sans doute, oui.

Elle a bu une autre gorgée et a poussé la bouteille vers moi.

Le Grand Marnier est passé en silence d'un côté à l'autre de la table tandis que la lumière se retirait du ciel. Lorsqu'il a fait trop sombre pour voir la bouteille, Eva s'est levée pour nourrir le feu et elle a laissé la porte du poêle ouverte. À la lueur des flammes j'ai observé les courbes et les creux du visage de ma sœur. J'ai songé à tout ce qui nous contraignait, à tout ce que je devais demander ou dire pour combler la distance entre nous, et plus je regardais son visage immobile et triste, plus il me paraissait impossible de me résoudre à parler.

Eva m'a tendu la bouteille, et j'ai bu.

— Hmm, a-t-elle fait, finalement.

— Quoi ? ai-je dit en sautant sur n'importe quel prétexte pour lancer une conversation.

— Je me demandais juste… ce que Père dirait.

— À quel sujet ?

— Le fait de boire le Grand Marnier.

— Passe la bouteille.

— Tu l'as déjà.

— Quoi ?

— La bouteille.

— Non, c'est ce qu'il dirait.

— Quoi ?

— "Passe la bouteille."

Nous nous sommes mises à rire bêtement, et c'était si bon de rire. C'était si facile – si impossible, d'une certaine façon, de s'arrêter – que notre rire est allé en grossissant, est devenu incontrôlable et mû par son propre élan jusqu'à ce que nous soyons secouées de spasmes, jusqu'à ce que nous ayons mal au ventre et que nos yeux s'emplissent de larmes.

— Tu… l'as… déjà, a lâché Eva entre deux éclats de rire hystériques.

— Quoi ? ai-je dit en hoquetant.

— La bouteille, a-t-elle répondu, et nous avons ri au point d'avoir mal aux muscles de nos pommettes.

— Je vais me pisser dessus, a hurlé Eva, et c'était la chose la plus drôle jamais dite.

— Tu te rappelles, ai-je lancé quand j'ai réussi à respirer assez pour parler, notre fou rire le jour où le patron de Papa avait fait tout le trajet jusqu'ici pour venir dîner.

Eva se roulait par terre, gémissait et plaquait ses mains contre son ventre.

— Et toi, ai-je continué, tu as craché le lait par le nez…

— Sur la salade, a-t-elle explosé.

— Et Mère…

— Oh, non, non, tais-toi, a-t-elle supplié comme si je la maintenais au sol et que je lui chatouillais les pieds.

— L'a rapportée à la cuisine, et a retiré les bouts trempés de lait…

— Et elle l'a transférée dans un autre plat…

— Parce que c'était la seule salade qu'on avait…

— Arrête. S'il te plaît !

— … et on mangeait des steaks et lui venait de dire qu'il était végétarien.

— Et Mère est revenue avec la salade…

— Et la seule personne à en manger…

— C'était lui…

— Et il s'est resservi trois fois !

Finalement nous sommes passées du rire au silence. J'ai tendu la bouteille à Eva, ce qui a déclenché une ultime envolée de rire. Elle a bu, penchant paresseusement la bouteille au-dessus de sa tête.

— Et qu'est-ce que dirait Mère ? ai-je demandé d'une voix songeuse.

Eva a répondu aussitôt :

— Elle dirait, "Une danseuse ne boit pas."

— C'est pour ça que tu ne buvais pas à la Plaza ?

Elle a fait signe que oui.

— C'est vrai ? J'ai toujours pensé que tu étais en colère contre moi. J'ai toujours pensé que tu te trouvais mieux que nous autres.

— Eh bien, un peu, oui. Vous étiez tous tellement bêtes.
— C'était drôle, ai-je dit sur la défensive.
— Je sais.
Elle a soupiré, et cette fois son soupir semblait triste.
— Je peux te poser une question ?
— Quoi ?
— Tu me répondras ?
— Je ne sais pas. Peut-être.
— Pourquoi tu n'aimais pas Eli ?
— J'aimais bien Eli.
— Mais…
— Mais je n'aimais pas la façon dont tu l'aimais.
— Qu'est-ce que…
Elle a haussé les épaules.
— Je ne peux pas le dire mieux. C'est comme si tu ne t'appartenais plus quand tu étais avec lui.
Elle s'est emparée de la bouteille, a bu une longue gorgée et a dit :
— À mon tour.
— Ton tour de quoi ?
— De te demander quelque chose. Pourquoi es-tu revenue, si tu l'aimais autant.
Pourquoi es-tu revenue ? Je m'étais fustigée un millier de fois avec cette question, je pensais ne pas avoir de réponse.
Pourquoi es-tu revenue ? J'ai interrogé les profondes ténèbres ardentes de mon être, et la raison a jailli, aussi simple que l'eau.
— Parce que tu es ma sœur, idiote.
Elle a tendu le bras par-dessus de la table et m'a donné une tape sur l'épaule, puis nous sommes restées immobiles un long moment, à écouter le feu.
J'ai fini par saisir la bouteille et j'ai posé une dernière question :
— Eva, pourquoi tu continues de danser ?
Elle a haussé les épaules.

— Qu'est-ce que je suis censée faire d'autre avec tout ce temps ?

Elle s'est tue ensuite, est restée silencieuse si longtemps que j'en ai conclu qu'elle pensait à autre chose, mais soudain, elle a repris la parole.

— Je vais te confier un secret. (Elle a penché la tête en arrière pour boire une nouvelle gorgée.) La bouteille est vide, a-t-elle dit après avoir dégluti.

— C'est un secret ?

— Non… c'est dommage.

Nous avons ri bêtement encore un peu, puis elle a ajouté :

— Le secret, c'est que je ne pourrais pas continuer de danser s'il n'y avait pas l'essence.

— L'essence ? ai-je répondu d'un air coupable.

— C'est ce qui m'empêche d'arrêter. Je continue de danser parce que je sais qu'on a cette essence. Et si un jour il le fallait vraiment, mais vraiment, je sais qu'on pourrait s'en servir pour la musique.

Il y avait un soupçon d'interrogation dans sa voix, et j'y ai répondu immédiatement, avec une générosité née de l'amour et de l'alcool.

— Bien sûr.

Elle a marqué une pause pour assimiler mon cadeau. Puis elle a continué :

— Cette essence rend ce jour suffisamment proche pour que j'y croie. Tu sais que parfois je sors en douce juste pour la regarder ? Parfois j'ouvre même le bouchon et je m'en mets un peu comme du parfum pour pouvoir la sentir après, quand je danse. C'est uniquement grâce à l'essence que je continue.

Alors même que je l'entendais sangloter, ma première pensée quand je l'ai vue couchée par terre près du billot a été, Elle est morte, ma sœur est morte. Maintenant je suis vraiment seule.

J'ai couru vers elle, je me suis jetée sur elle, je l'ai tenue dans mes bras pendant qu'elle tremblait et gémissait.

— Eva, Eva, Eva, qu'est-ce qui s'est passé ? Qu'est-ce qui ne va pas ? ai-je crié, mais elle pleurait et refusait de répondre.

Quand elle a fini par lever la tête vers moi, j'ai vu que sa bouche était toute gonflée et en sang, et que ses yeux étaient les yeux de quelqu'un que je ne connaissais pas.

— Que s'est-il passé ? ai-je demandé à nouveau, et elle a alors réussi à le dire, à forcer les mots pour qu'ils franchissent ses lèvres fendues.

— Un homme… il m'a violée.

Je l'ai aidée à se mettre debout doucement, je l'ai soutenue jusqu'à l'intérieur de la maison, j'ai verrouillé les portes, j'ai fait du feu, et dans ma hâte, j'ai utilisé toute une feuille de journal. Je lui ai donné quelques précieuses gouttes de sherry, j'ai posé des bouilloires et des casseroles d'eau sur le poêle. Et enfin, pendant que l'eau chauffait, l'histoire est sortie d'elle comme des jets de vomi. Elle m'a tourné le dos pour me la raconter, et parfois sa voix vibrait et craquait, et parfois, elle crachait les mots sur un ton morne, dur, qui ne semblait pas être le sien.

ELLE se trouvait dans la cour. Elle coupait du bois, se délectant du balancement aisé de la hache, fière de faire danser les bûches çà et là. Le soleil brillait, il était chaud. Une brise soufflait.

Elle ne l'a pas entendu arriver, n'a perçu sa présence que lorsqu'il se tenait presque contre elle.

Elle a sursauté, mais il a tendu la main pour la tranquilliser comme si elle était un animal qu'il ne voulait pas effrayer.

— Tout va bien, a-t-il murmuré.

Il lui a raconté qu'il se dirigeait vers le nord pour rejoindre des amis à Grantsville, mais qu'il avait dû se tromper de route. Il lui a dit qu'il avait entendu le bruit de sa hache et senti l'odeur de la fumée et décidé d'aller voir qui vivait là, si loin, décidé de s'arrêter et de se présenter.

Il ne lui a pas dit son nom.

— Comment vous vous en sortez ? a-t-il demandé en parcourant la cour du regard. J'ai comme l'impression que vous avez beaucoup de bois.

Elle avait tellement perdu l'habitude de parler à qui que ce soit qu'elle se sentait un peu gênée, mais elle n'avait pas peur.

Elle a posé la hache contre la souche fendue et lui a demandé :

— Vous avez des nouvelles ? Vous savez quand le courant va revenir ?

Il a dit :

— Qui sait ?

Elle a dit :

— Il paraît que ça repart sur la côte Est.

— Qui vous a raconté ça ?

— Un ami.

— Vous avez des amis, par ici ?

— Pas en ce moment. Il est venu voir ma sœur. Mais il est parti.

— Ouais. J'ai entendu ça aussi à propos de Boston. J'ai même entendu dire que des imbéciles partaient à l'autre bout du pays, à la poursuite de rumeurs. Ils ne dureront pas longtemps.

— C'est ce que j'ai dit, aussi ! a confié Eva.

Ils se sont souri. Puis il a repris :

— En tout cas, les filles, vous avez une sacrée pile de bois, là.

— Oui, a répondu Eva.

Il a scruté les bûches en plissant les yeux.

— Vous n'avez pas coupé tout ce bois à la main, hein ?

— C'est mon père qui l'a coupé, a dit Eva.

— Votre père ? a-t-il répété brusquement. Votre père est dans le coin ?

— Oui, a-t-elle déclaré, surprise par la facilité avec laquelle elle avait menti. Il est dans le coin.

— Où ça ? J'aimerais bien lui parler, savoir ce qu'il sait.

— Vous allez devoir attendre un moment, a-t-elle répliqué, la voix égale, neutre. Il est dans la forêt.

— Il ne vous reste pas un peu d'essence par hasard ? a-t-il demandé en tendant le cou pour regarder la maison.

Elle avait envie qu'il parte. Elle a répondu :

— Désolée.

— Désolée pour quoi ? Désolée parce que vous n'avez pas d'essence ou désolée parce que vous ne voulez pas la partager ?

Elle a haussé les épaules, a tendu le bras pour reprendre la hache, prête à continuer à travailler.

Juste avant que sa main n'atteigne le manche de la hache, il lui a attrapé le poignet et l'a tordu en lui tirant le bras derrière le dos.

— Écoute, salope, si tu penses garder cette essence pour une urgence, tu ferais mieux d'y réfléchir à deux fois. Où elle est ?

Comme elle ne répondait pas, il l'a retournée brusquement face à lui. Sa figure s'est durcie, il a plissé les yeux, ce qui a fait tressauter et trembler les minuscules muscles sous ses paupières. Mais ça n'a pas empêché Eva de soutenir son regard d'un air de défi. Arrachant l'une de ses épaules de sa poigne, elle l'a visé à l'aine avec un genou.

Elle l'a manqué – mais l'a touché à la cuisse avec une telle violence qu'il a sursauté et trébuché. À force de lutter et de se battre, ils ont fini par terre tous les deux. Sa vigueur de danseuse aurait pu la sauver s'il ne l'avait pas frappée en plein visage, un coup qui a ouvert des chambres entières de douleur à l'intérieur de son crâne, l'aveuglant pendant un instant crucial, et la déstabilisant tellement que tout ce qu'elle a pu dire quand il a demandé, Où elle est ? c'était, Non, non, non.

Quand ça a été fini, il s'est levé, s'est tenu au-dessus d'elle pendant un moment cruel, boutonnant son pantalon, fermant la boucle lourde et bruyante de sa ceinture tandis qu'elle gisait à ses pieds, recroquevillée sur elle-même. Puis il a craché par terre à côté d'elle.

— Sûr que je suis désolé de ne pas pouvoir attendre Papa, a-t-il dit. Mais remercie-le pour l'hospitalité.

Il est parti, laissant la clairière derrière lui, laissant ma sœur couchée sur le sol avec sa hache près d'elle, paralysée par le choc et l'horreur et la douleur, la laissant là où je l'ai trouvée à mon retour de la source que j'étais allée nettoyer.

QUAND l'eau dans les casseroles a fini par bouillir, j'ai rempli la baignoire et je l'ai conduite dans la salle de bains. Elle est restée sage comme une enfant lorsque je l'ai déshabillée, que j'ai examiné ses blessures. Les bleus commençaient déjà à fleurir sur ses bras. Son visage était tordu et gonflé, ses cuisses striées de sang.

Elle a frémi quand elle est entrée dans l'eau brûlante, et j'ai pensé qu'elle allait peut-être pleurer à nouveau, mais elle a paru se détendre juste un peu dans la chaleur et l'humidité. Elle a parlé pour la première fois depuis qu'elle m'avait raconté le viol.

— On a du savon ?

— Le savon de Noël, ai-je dit. Je vais le chercher.

Un minuscule morceau fendillé d'un vert forêt peu naturel, parfumé d'une fragrance qui avait dû autrefois passer pour du pin, c'était le dernier savon que nous possédions, le dernier d'un coffret de savons trouvé parmi les affaires de notre mère. Nous avions fait durer les autres au maximum, les rationnant jusqu'à ce qu'il ne reste que celui-là – un éclat de savon de la taille d'une pièce de dix cents, le petit bout que nous avions décidé de garder pour notre triomphale expédition en ville.

Quand je l'ai mis dans ses mains, elle l'a porté à son nez, a respiré son odeur fanée, puis, levant les yeux vers moi, elle a dit :

— Tu ne veux pas le garder ?

— Non, ai-je répondu, avec un mouvement de recul devant l'innocente récrimination de sa question. Tu peux t'en servir maintenant.

Elle a réclamé un gant de toilette, et quand je le lui ai donné, elle s'est attaquée à elle-même, frottant sa peau si violemment que j'ai pensé qu'elle saignerait sûrement, revenant sans cesse sur chaque centimètre, d'abord avec le savon puis, longtemps après que le savon eut disparu dans l'eau qui refroidissait, avec le gant. Elle a grimacé quand elle s'est touchée la première fois entre les jambes, et j'ai vu des larmes lui monter aux yeux, mais elle a serré les dents, elle a refoulé ses larmes, s'est lavée imperturbablement, entièrement, a lavé ses cuisses et son ventre et ses seins, a lavé ses épaules, ses coudes, ses poignets et ses doigts, ses genoux et jambes et chevilles et entre chacun de ses orteils. Doucement elle a aspergé d'eau son visage difforme.

Quand elle a eu fini, elle s'est tournée vers moi et a entrepris de sortir de la baignoire. Je l'ai aidée, l'ai enveloppée dans les serviettes que j'avais étendues près du poêle pour les chauffer. Je l'ai reconduite à son matelas, j'ai fourré une tasse de thé blanc et de sherry dans ses mains, je l'ai obligée à prendre la dernière aspirine.

Quand je la lui ai présentée, elle a protesté.

— On devrait la garder.

— C'est bon. Prends-la.

— On en aura peut-être besoin plus tard. Peut-être que la moitié suffira.

— La moitié ne servira à rien. Tu gâcherais l'aspirine si tu la coupais en deux, ai-je répondu en me demandant ce qu'un seul comprimé d'aspirine pouvait faire contre un viol.

Elle l'a avalée et m'a regardée en silence pousser le canapé contre la porte, prendre la carabine dans le placard et glisser maladroitement une balle dans la chambre. J'ai vérifié la sécurité une dizaine de fois, j'ai alimenté le feu puis je me suis assise par terre à côté de son matelas avec la carabine sur les genoux.

Elle s'est endormie au petit matin, pendant que je veillais près d'elle, fixant le feu, tressaillant au bruit du vent, redoutant de respirer.

IL n'y a aucun endroit où nous nous sentons en sécurité. Sortir chercher du bois mobilise tout mon courage, et pourtant je recule et frémis, m'attendant à tout moment à être attaquée. Et dedans, nous nous sentons à la fois exposées et prisonnières. Dix fois par heure je me surprends à jeter un coup d'œil par la fenêtre, à scruter la forêt, m'attendant à apercevoir la silhouette qui je le sais nous guette.

La présence de la carabine, posée tel un avertissement contre l'encadrement de la porte, change l'allure du salon. Une arme est quelque chose de déplaisant. Au lieu de me rassurer, son canon froid, sa crosse lourde et sa fine queue de détente m'effraient autant que le reste et me rappellent que la violence est partout.

Il n'y a aucune échappatoire. Même le feu dans le poêle semble menaçant. De la sève suinte en bouillonnant du bois qui craque, les flammes mordent et crachent. Nous sommes cernées par la violence, par la colère et le danger, aussi sûrement que nous sommes entourées par la forêt. La forêt a tué notre père, et de cette forêt viendra l'homme – ou les hommes – qui nous tueront.

HIER je me suis forcée à sortir et à fouiller dans le bazar derrière l'atelier jusqu'à ce que je trouve quelques plaques de tôle ondulée. Je les ai clouées sur chaque fenêtre du rez-de-chaussée à l'exception de celle du salon. Pendant qu'Eva se tenait immobile sur son matelas, le visage gonflé tourné vers le mur, j'ai cloué la porte de la cuisine qui donne sur la buanderie, et avec la machine à laver j'ai barricadé la porte qui ouvre sur l'extérieur.

Du coup, nous n'avons plus maintenant qu'une seule fenêtre et qu'une entrée à notre maison, mais ça veut dire que nous pourrons l'entendre s'introduire avant qu'il surgisse devant nous.

Bien qu'il fasse beau et que les journées rallongent, nous ne mettons pas le nez dehors. Heure après heure, nous restons assises à la table près de la fenêtre qui n'est pas condamnée et qui est notre seule source de lumière. Pour le petit déjeuner, nous nous partageons une tasse de riz que nous mangeons non par faim mais par habitude. Le déjeuner consiste en un demi-bocal de fruits en conserve, le dîner en un bol de haricots.

J'essaie d'étudier, mais les mots glissent sur moi sans faire sens, attirant mon attention uniquement quand ils me rappellent ce qui me manque. *Lindos. Liszt. Londres.*

Je rêve que je ramasse des pierres, des morceaux de schiste rugueux de la couleur de la terre sur une plaine froide sous un ciel gris, et je me réveille en proie à un désespoir si lourd que je dois faire un effort pour me lever.

Après *London Stock Exchange* vient *Londonderry*. Après *Londonderry* vient le *Lone Ranger*. Et après le *Lone Ranger* vient la *Lone Woman de l'île de San Nicolas* :

En 1853, une femme indienne a été découverte vivant entièrement seule sur une île à cent douze kilomètres au large de la côte de Santa Barbara. D'après des documents de l'époque, en 1835, alors que sa tribu était évacuée de l'île sur ordre de la Mission de Santa Barbara, un vent violent s'est levé. Dans la confusion, un enfant a été oublié. Lorsque sa mère s'est aperçue de son absence, elle est retournée le chercher à la nage, mais pendant ce temps, le vent est devenu plus menaçant, et le capitaine a décidé de prendre la mer sans elle.

Dix-huit années se sont écoulées avant qu'une équipe de chasseurs de loutres de mer ne tombent sur la Lone Woman. Bien que personne ne parle sa langue, elle a utilisé des gestes avec beaucoup d'éloquence. Elle a expliqué qu'elle n'avait jamais retrouvé son enfant et craignait que les coyotes ne l'aient mangé.

Elle est retournée sur le continent avec les chasseurs et a été affreusement déçue d'apprendre qu'on ne pouvait trouver aucun membre de sa tribu. Elle est morte sept semaines plus tard.

Et l'ordre inexorable de l'encyclopédie parle à nouveau de ma vie, cette fois en me mettant face à la pire des vérités : il n'y aura pas de secours.

Depuis que tout ça a commencé, nous avons attendu d'être sauvées, attendu comme de stupides princesses que nos vies légitimes nous soient rendues. Mais nous n'avons fait que nous berner nous-mêmes, que jouer un autre conte de fées. Notre histoire ne peut pas plus avoir une fin heureuse que celle de la Lone Woman. L'électricité ne sera jamais rétablie ici. Le téléphone ne sonnera plus jamais pour nous. Eva et moi continuerons de vivre ainsi jusqu'à notre mort, amassant et nous terrant et finalement mourant de faim – si nous n'avons pas la chance d'être égorgées avant.

Quelle que soit la façon dont nous mourrons, nous mourrons ici. Seules. Il n'y aura pas d'inscription à Harvard, pas de début avec le San Francisco Ballet. Il n'y aura pas de voyages, pas de diplômes, pas de rappels. Il n'y aura plus d'amants, pas de maris, pas d'enfants. Personne ne lira jamais ce journal sauf si ces fichues poules apprennent à lire.

Bien sûr ce genre de choses arrive tout le temps. J'ai suffisamment étudié l'histoire pour le comprendre. Les civilisations périclitent, les sociétés s'effondrent et de petites poches de gens demeurent, rescapés et réfugiés, luttant pour trouver à manger, pour se défendre de la famine et des maladies et des maraudeurs tandis que les herbes folles poussent à travers les planchers des palais et que les temples tombent en ruine. Regardez Rome, Babylone, la Crète, l'Égypte, regardez les Incas ou les Indiens d'Amérique.

Et même si ce n'est pas une autre civilisation vieille de deux mille ans qui arrive à sa fin, regardez toutes les petites dévastations – les guerres et les révolutions, les ouragans et les volcans et les sécheresses et les inondations et les famines et les épidémies qui remplissaient les pages lisses des magazines que nous lisions autrefois. Pensez aux photos des survivants blottis les uns contre les autres au milieu des décombres. Pensez à l'Amérique du Sud, à l'Afrique du Sud, à l'Asie centrale, à l'Europe de l'Est, et demandez-vous comment nous avons pu être aussi suffisants. Pensez à la Lone Woman de l'île de San Nicolas et demandez-vous pourquoi nous avons pensé que nous serions sauvés.

Les tulipes sont en fleurs, un mur brillant, dérisoire entre nous et la forêt, ne séparant rien de rien. Si j'arrivais à ressentir quelque chose, je pense qu'elles me mettraient en colère. Elles sont un geste si futile que je me dis à présent que j'avais raison de ne pas aider ma mère à les planter, car que sont-elles sinon un canular, une imposture, un autre mensonge ?

Ici, je suis assise dans la grotte d'une pièce où autrefois, dans une autre vie, je mangeais du popcorn, je jouais au Scrabble et je regardais des vidéos avec ma famille. Aujourd'hui je regarde les tulipes de ma mère et je songe au suicide.

C'est un besoin physique, plus intense que la soif ou le sexe. À mi-chemin vers l'arrière gauche de ma tête il y a un point qui rêve de la secousse d'une balle, qui appelle ardemment ce feu, cette ultime déchirure vide. Je veux être libérée de cette caverne, m'ouvrir au bien-être de ne pas vivre. Je suis lasse du chagrin et de la lutte et des soucis. Je suis lasse de ma sœur triste. Je veux éteindre la dernière lumière.

Je pourrais le faire.

Je pourrais me lever de cette chaise, dire, Je vais chercher du bois. Eva me répondrait de son petit hochement de tête muet, mais elle ne bougerait pas les yeux, pas même pour me voir prendre la carabine près de la porte.

Je pourrais ouvrir la porte. Je pourrais sortir, refermer la porte à jamais derrière moi. Franchir le cercle des tulipes de ma mère. Pénétrer dans la forêt crépusculaire, la carabine droite contre ma hanche. Me frayer un nouveau chemin dans les bois. Au milieu d'une ronde d'arbres enténébrés, je pourrais m'asseoir par terre. Retirer ma chaussure. Glisser mes orteils dans la courbe froide du pontet. Tâter la détente jusqu'à ce qu'elle cède.

Ma vie m'appartient, après tout.

Je me suis levée. J'ai pris la carabine et j'ai ouvert la porte. Je me tenais sur le seuil, regardant le soleil se coucher derrière les arbres noirs, quand j'ai entendu sa voix, brisée par la peur.

— Où vas-tu ?

— Juste dehors. Chercher du bois.

Je ne lui ai pas fait face. L'air de la forêt était froid sur mes joues et mes mains.

— Pourquoi tu as la carabine ?

— Il fait presque nuit.

— Mais pourquoi tu la prends ?

— Parce que j'en ai envie, OK ? ai-je grommelé en me tournant vers elle avec une férocité si intense qu'elle nous a surprises l'une et l'autre.

Elle a croisé mon regard, l'a soutenu, son visage encore meurtri comme un ciel s'assombrissant.

— OK, a-t-elle fini par dire.

Je suis sortie, j'ai fermé la porte, suis allée en tremblant dans la cour. La carabine était froide et lourde. J'ai contourné la clairière, foulant le cercle de tulipes, leurs pétales telles des flammes sombres, des tasses de velours. Mais au-delà des tulipes, la forêt paraissait solide, impénétrable. Je ne voyais aucun passage pour y entrer. Je suis restée dans la clairière sous le ciel blafard, j'ai regardé le pourpre et le jaune s'évanouir, j'ai regardé jusqu'à ce que les premières étoiles muettes apparaissent.

Dans cette absence de lumière, j'ai ramassé toute une brassée de bois. Dans cette absence de lumière, je suis rentrée à la maison.

Une fois de plus ma sœur m'a empêchée d'aller où je voulais.

Les jours se traînent. On doit être mi-avril à mon avis, mais j'ai perdu la notion du temps. Je n'ai rien écrit depuis des semaines, et quand j'essaie de comparer les carrés blancs de mon calendrier aux journées que nous venons d'endurer, je n'arrive pas à les distinguer.

Nous respirons et une nouvelle nuit arrive, du coup je suppose que le temps continue. Mais mon calendrier est obsolète.

La nuit dernière j'ai rêvé que quelqu'un se tenait à la lisière de la forêt, nous menaçant et nous raillant pendant qu'Eva et moi étions cachées dans l'atelier de Mère, sous son métier à tisser. J'avais une paire de cisailles à la main et je disais tout bas à Eva que s'il venait trop près nous pourrions lui couper les cheveux. Soudain les murs se dissolvaient et je visais la clairière avec une carabine.

"Je vais tirer !" hurlais-je à l'homme. Un sentiment de puissance extatique montait en moi. "Je vais vous tuer, je vais vous tuer, je vais vous tuer !" criais-je. D'un geste triomphal, je pressais la détente. Il ne se passait rien. Ne sachant plus quoi faire, j'appuyais à nouveau, et je voyais que ce n'était pas une balle mais des asticots qui s'échappaient du canon. Je me suis réveillée en proie à la panique, mais même avant de me calmer suffisamment pour me convaincre que ce n'était qu'un rêve, j'ai compris que je devais apprendre à tirer.

Ce matin, je suis sortie avec la carabine sur la terrasse et j'ai essayé de me rappeler le peu que mon père m'avait montré sur le maniement des armes à feu. J'avais peur de gâcher des balles, aussi me suis-je entraînée maintes et maintes fois à charger, à libérer le cran de sûreté et à viser la forêt. Finalement, après plus d'une heure de simulation, j'ai planté un bâton de la taille d'un homme à côté du chemin au bord de la clairière et j'ai posé dessus un vieux bocal de cornichons à l'envers. Puis je suis retournée sur la terrasse, me suis calée contre la rambarde, j'ai aligné ma ligne de mire et ma ligne de visée et j'ai pressé la détente.

La détonation a été si forte que j'ai cru que je m'étais tirée dessus. Mon épaule m'a brûlée, mes oreilles ont bourdonné et des larmes se sont mises à couler sur mes joues. Quand je me suis ressaisie, je me trouvais à un mètre en arrière de la rambarde, le bocal de cornichons était intact, et Eva se tenait toute recroquevillée dans l'encadrement de la porte.

— Je suis désolée, ai-je dit. Mais il faut que je le fasse.

— Je sais, a-t-elle murmuré avant de disparaître dans la maison.

Je me suis obligée à recommencer. Mais cette fois j'ai anticipé le choc de la crosse contre mon épaule, et j'ai visé trop hâtivement, esquivant la secousse de la carabine avant même de presser la détente. Le canon a basculé vers le haut et la balle a fendu l'air.

J'ai décidé que j'y arriverais. J'ai décidé de me piéger pour ne pas tressaillir et j'ai pressé la détente si lentement que je n'ai pas su quand le coup est parti. L'impact du recul a poussé mon épaule en arrière et le canon est resté droit, mais la balle a disparu dans la forêt, et le bocal était toujours sur le bâton.

Il m'a semblé que j'avais entendu dire quelque part qu'il fallait toujours diriger la ligne de mire un peu plus haut que la cible, aussi au coup suivant, j'ai visé au-dessus du bocal. À nouveau, j'ai évité de bouger, mais à nouveau la balle s'est perdue à travers les arbres.

J'avais l'impression d'avoir été battue. Mon épaule n'avait plus de force et m'élançait. Ma tête bourdonnait, mes mains étaient moites, et il m'a paru insurmontable de presser la détente une fois de plus. Sauf que le bocal de cornichons se gaussait de moi depuis le bord de la clairière, aussi menaçant qu'un homme.

Réduite au désespoir, j'ai passé en revue mes connaissances sur les trajectoires et les paraboles et j'ai calculé qu'avant qu'une balle ne tombe, elle devait d'abord s'élever. J'ai visé un peu plus bas, lâché la détente le plus doucement possible. Une seconde plus tard, le bocal explosait, me laissant tremblante de joie et de frayeur.

SON visage va mieux, mais jour après jour ma sœur demeure silencieuse, non pas maussade, mais avec une douceur impuissante qui me rappelle le dernier sourire de notre père. Elle semble presque contrite, comme si elle était prête à abandonner avec joie son choc et sa peur, à se débarrasser d'eux comme d'une peau usée si seulement elle savait comment faire. Elle a recommencé à s'occuper du feu, mais je me charge du reste. Je lui donne à manger, et ce qu'elle ne mange pas, je le mange, ou le garde pour le prochain repas.

— Tu veux jouer au Backgammon ? ai-je suggéré une fois, mais elle a haussé les épaules avec tant d'apathie que j'ai compris qu'il était inutile de préparer le jeu.

Elle n'est pas retournée dans son studio depuis le viol.

— Pourquoi tu ne danses pas ? ai-je voulu savoir hier.

Surprise, elle a levé les yeux de ses genoux. On aurait dit que je venais de demander pourquoi elle ne jouait pas de la cornemuse, ou pourquoi elle ne volait pas.

— Je ne peux pas, a-t-elle répondu.

— Utilisons l'essence, ai-je proposé, comme ça tu pourras entendre de nouveau la musique.

Mais son corps est resté passif et aucun désir n'a illuminé son visage.

— Non, a-t-elle dit. Non. Il vaut mieux la garder.

Ce matin je me suis réveillée avec le soleil en plein sur le visage et le mal de tête contre lequel je me battais depuis des jours enfin disparu. Je me sentais aussi légère qu'un ange, portée par cette sorte d'énergie chancelante qui suit une maladie.

J'avais l'impression d'avoir les poumons à plat, les muscles mous, pourtant mon corps avait hâte de servir à quelque chose. J'ai pris la carabine et je suis sortie balayer la terrasse. Puis j'ai rincé une pile de vêtements que j'ai étendus sur le fil dans le vent parfumé de soleil, éprouvant – entre deux coups d'œil furtifs en direction de la forêt – d'intenses demi-secondes de plaisir dans les mouvements amples du balai et les chaudes saccades de la brise.

En revenant du fil à linge, je suis passée devant le potager. Il était dans un état épouvantable, et j'ai été saisie d'un lancinant sentiment d'échec et de culpabilité. Nous n'avions même pas fini de rentrer la récolte, l'automne dernier. Nous n'avons ni retiré les plantes, ni récupéré les graines ni paillé la terre. Nous n'avons pas taillé les arbres fruitiers. Nous aurions dû commencer les semis à l'intérieur, près du poêle, en février dernier. Nous aurions dû planter les légumes qui supportent le froid le mois dernier. Nous devrions mettre en route les tomates, les poivrons, les concombres et les melons maintenant. Mais la dernière fois que chacune de nous a tenu une pelle, c'était pour creuser la tombe de notre père.

J'ai ouvert le portail et je suis entrée dans le jardin potager. Lentement, j'en ai fait le tour en longeant la clôture grillagée qui le protégeait des cerfs, en essayant de me rappeler tout ce que j'avais refusé d'apprendre sur le jardinage. Sous les enchevêtrements des herbes folles, j'ai cru apercevoir les feuilles d'une pomme de terre qui poussait spontanément. Je suis tombée à genoux, j'ai posé la carabine près de moi, j'ai attrapé une touffe de mauvaises herbes d'une main hésitante et j'ai tiré. L'herbe a résisté, et j'ai pensé à des cheveux – des poignées de cheveux implantés dans le cuir chevelu. J'ai tremblé, j'ai grincé des dents, et j'ai tiré plus fort. Finalement les racines ont cédé, et j'ai failli basculer en arrière quand elles se sont brusquement détachées. Le petit cercle de terre nue qu'elles ont révélé était noir et humide. J'y ai enfoncé mes mains, j'ai senti la terre rentrer sous mes ongles, s'effriter entre mes doigts. Brusquement, j'étais en train de dégager les mauvaises herbes, plongeant les mains au cœur de leur luxuriance, les arrachant par poignées, jusqu'à ce que mes paumes soient tachées et empestent leur verte odeur musquée.

Le soleil était comme une main sur mes épaules, les oiseaux chantaient au bord de la clairière et un papillon s'est posé sur le sol nu à côté de moi. Il est resté immobile un instant, puis a fermé et ouvert ses ailes plates et s'est envolé. J'ai oublié de scruter la forêt pour voir s'il y avait des intrus.

Je me suis rappelé les graines. Me levant d'un bond, j'ai couru vers l'atelier où sur une étagère en hauteur j'ai trouvé une boîte en plastique hermétique bourrée de sachets en papier. Certains venaient du commerce, mais la plupart étaient des enveloppes récupérées d'anciennes factures, libellées de la main de notre père, et remplies des graines du potager, sous forme d'agrégats ou ressemblant à des perles. De retour de l'autre côté de la clôture, j'ai étalé les sachets sur le sol et les ai examinés, attentive et concentrée, réfléchissant à la configuration d'un jardin potager.

Quand je suis partie à midi, une bande de terre de la longueur du potager était désherbée, retournée et prête à être ensemencée.

L'ENCYCLOPÉDIE me rappelle que la seule raison d'être d'une fleur, c'est de produire des graines. Toute cette couleur, ce parfum et ce nectar existent uniquement pour transporter le pollen, uniquement pour attirer l'attention des insectes ou profiter du vent. La raison d'être d'une fleur, ce sont ces minuscules taches et boutons anodins et inertes, ces paumes ouvertes pleines de chromosomes qui nous nourriront peut-être un jour.

J'ai planté des graines de citrouille ce matin – trois par petites buttes disposées en rangées du côté ouest du potager. Griffonné par mon père sur l'enveloppe dans laquelle je les ai trouvées, il n'y avait qu'un seul mot – *Pumpkin*. Quand je l'ai lu la première fois, j'ai cru pendant un moment d'égarement qu'il m'avait adressé l'enveloppe. Mais lorsque je l'ai ouverte et que je n'ai vu que des graines comme celles que nous récupérions des citrouilles d'Halloween, des larmes dont je ne voulais pas ont forcé le passage jusque dans mes yeux.

Pourtant, il y a une lucidité qui nous vient parfois dans ces moments-là, quand on se surprend à regarder le monde à travers ses larmes, comme si elles servaient de lentilles pour rendre plus net ce que l'on regarde. Alors que je fixais le mot que mon père avait écrit au crayon, j'ai vu que c'était peut-être un message qu'il m'envoyait, après tout.

J'ai tellement mal que je n'arrive presque pas à tenir ce stylo. Mes mains couvertes d'ampoules et d'égratignures m'élancent, elles sont engourdies d'avoir creusé le sol, et j'ai beau les frotter dans l'eau, la terre ne part pas complètement. J'ai des courbatures dans les bras et les jambes et le dos comme si j'avais la grippe. Je n'avais jamais mesuré à quel point jardiner est un travail difficile.

À présent, j'ai semé plus de la moitié des graines, et demain je retirerai la clôture contre les cerfs de façon à prolonger le potager vers l'abri de jardin. Il nous faut au moins toute cette superficie pour nous maintenir en vie.

— J'AI besoin d'aide, ai-je annoncé ce matin en soufflant sur la vapeur à la surface de mon thé blanc avant de boire une gorgée. Dans le potager.

Eva a baissé les yeux sur son riz auquel elle n'avait pas touché.

— Je ne peux pas installer les nouveaux piquets de la clôture toute seule. Et c'est pratiquement impossible pour une seule personne de tendre le grillage. Il n'arrête pas de rouler sur lui-même.

— Demain peut-être, a dit Eva.

— On y est autant en sécurité qu'ici, l'ai-je raisonnée. Plus même… parce que j'ai la carabine et qu'il y a plus d'endroits où se cacher.

— Je… je n'ai juste pas envie d'y aller aujourd'hui.

— Mais Eva, le potager n'attendra pas que tu en aies envie. On doit finir les plantations dès que possible. Et puis, si on ne le clôture pas avant que sortent les graines que j'ai déjà mises en terre, les cerfs mangeront les pousses.

— Ça n'a pas d'importance.

— Quoi ?

— Ça n'a pas d'importance ce qu'on fait. Ça n'a pas d'importance si les cerfs mangent les pousses.

J'ai eu l'impression d'avoir été frappée. Ses paroles perçaient les ampoules sur mes mains, cognaient mon dos et mes cuisses endoloris, elles me poussaient à me déchaîner contre cette douleur. J'ai bu une gorgée de l'eau brûlante comme si je pouvais trouver dans sa chaleur une inspiration pour mon combat. Mais avant que je ne me mette à discuter, ses mots avaient atteint mon cœur.

— Tu as raison, ai-je dit posément.

Elle a relevé les yeux, surprise.

— Quoi ?

— Tu as raison. Ça n'a pas d'importance. Nous serons probablement tuées avant même que ces graines ne deviennent des pousses.

Elle a incliné la tête. Dans le silence qui a suivi, j'ai fini mon riz et mon eau, et j'ai essayé de voir comment je pourrais installer toute seule les piquets en séquoia que j'avais coupés pour la clôture, comment je pourrais dérouler le grillage et l'attacher solidement sans l'aide de ma sœur.

Mais quand je me suis levée de table, Eva s'est levée aussi, et elle m'a suivie dans la cour où elle n'était pas allée depuis le viol.

J'avais déjà élagué et abattu cinq petits arbres, et creusé un trou pour chacun avec la tarière branlante de Père. Eva m'a accompagnée dans l'abri de jardin, m'a regardée soulever tant bien que mal le sac de ciment à moitié plein et le prendre dans mes bras, et elle m'a ensuite emboîté le pas tandis que je me dirigeais en chancelant vers le potager. Tandis que j'essayais de vider le sac dans un seau, elle se tenait là, docile, les mains pendant lourdement le long de son corps.

— Le fond du sac a dû prendre l'humidité, ai-je dit, mais heureusement, il reste suffisamment de ciment pour six trous, surtout si je casse une partie de celui qui a durci. Tu peux me tenir le seau ?

Elle a jeté un coup d'œil à la forêt avant de se pencher et d'empêcher le seau de basculer. Dès que je l'ai rempli avec suffisamment de ciment pour le premier baquet, elle s'est redressée comme si son travail était fini.

— Bien, ai-je poursuivi, maintenant il va falloir faire le mélange. Pourquoi n'irais-tu pas chercher quelque chose pour remuer pendant que je ramène de l'eau ?

Elle est revenue avec un bâton, et j'ai continué de parler.

— Je vais verser pendant que tu remues. Voilà, comme ça… jusqu'au fond du seau. Laisse-moi ajouter un peu d'eau. OK, je vais mettre ce premier piquet dans le trou et le tenir bien droit. Tu vas le caler avec ces pierres. Bien… c'est parfait. On va les recouvrir de ciment maintenant. Tu peux m'apporter d'autres pierres ?

Étape par étape, nous avons planté les piquets, moi expliquant et encourageant et Eva répondant d'un air impassible à mes requêtes. À midi, trois nouveaux piquets se dressaient du côté ouest du potager.

Pour le déjeuner, j'ai dû ouvrir un second bocal de pêches, et vers la fin de journée, quand il ne restait plus qu'un seul poteau à installer du côté est, elle anticipait les tâches et offrait même de petits conseils.

Eva a mangé tout son riz ce matin au petit déjeuner. Dans le potager, elle a proposé de mélanger le ciment pendant que je ramassais des pierres pour fixer le piquet dans le dernier trou. Mais quand je me suis baissée pour le soulever et le mettre en place, quelque chose a cédé dans le bas de mon dos. Je suis tombée en avant sur les genoux, mes muscles hurlant et se tordant.

— Que se passe-t-il ? a demandé Eva en se penchant à côté de moi.

— Mon dos, j'ai mal.

— Allonge-toi, a-t-elle dit, avec une autorité que je ne lui avais pas entendue depuis qu'elle avait dansé la dernière fois. Sur le dos. À plat. Plie les genoux. Toute ta colonne vertébrale doit être en contact avec le sol. Ne bouge surtout pas sinon tu risques de te faire encore plus mal. On ne t'a jamais dit de ne pas soulever avec le dos ?

Je suis restée immobile jusqu'à ce que les spasmes musculaires passent. Mais quand j'ai essayé de m'asseoir, mes muscles se sont de nouveau contractés et j'ai grimacé de douleur.

— Rallonge-toi, a ordonné Eva. Ça prend du temps. Mais si tu te reposes maintenant, tu pourras probablement danser, je veux dire travailler, demain.

— Quand je pense qu'on était presque arrivées au bout, ai-je gémi, et la laitue commence à sortir.

— Je vais finir, a-t-elle déclaré. Les cerfs n'auront qu'à faire pousser leur fichue salade.

Pendant que j'attendais, la colonne vertébrale à plat contre le sol, Eva a planté le dernier piquet et s'est battue avec le grillage pour l'installer tout autour du potager élargi.

— On pourra le tendre et le fixer demain, a-t-elle dit quand elle a terminé. C'est du bricolage, a-t-elle ajouté sur un ton satisfait qui rappelait celui de notre père, mais à mon avis, il dissuadera les animaux pendant une nuit. Allez, Nell. Il va falloir qu'on te mette au lit.

Le lendemain matin mon dos allait beaucoup mieux. Mais Eva a insisté pour me faire un massage avant de se rendre au potager.

— Si on ne s'en occupe pas maintenant, il t'embêtera pendant longtemps. Fais-moi confiance, a-t-elle dit en me poussant sur mon matelas d'un geste impérieux qui m'a ravie.

J'ai retiré mon T-shirt de nuit et je me suis allongée, émerveillée par la rapidité avec laquelle ses mains trouvaient les points sensibles dont je n'avais même pas conscience. J'ai soupiré et me suis détendue en m'abandonnant à ses soins, en cédant les restes de ma douleur à ses doigts. Ses mains étaient si expertes, si intelligentes et attentionnées, et je me livrais avec délice non seulement à leur contact, mais à ce qu'elles impliquaient aussi, à savoir que la sœur que j'aimais tant existait toujours, revenait peut-être enfin.

— Et voilà, a-t-elle dit quand elle a eu terminé. Qu'est-ce que tu en penses ?

J'ai gémi de plaisir, et elle s'est éloignée, me laissant couchée sur le matelas, les yeux fermés, les bras écartés, une flaque de chair heureuse se préparant à la journée qui l'attendait, anticipant les besoins d'un potager qui avait accaparé mon attention depuis que j'avais arraché la première touffe de mauvaises herbes.

— Prête ou pas, ai-je dit quand mes plans sont allés crescendo et qu'il m'a semblé que je ne pouvais plus rester couchée, j'arrive !

Je me suis levée et je cherchais un T-shirt quand mes yeux se sont posés sur Eva.

Elle était assise à la table, à sa place, et des larmes silencieuses roulaient sur ses joues, les premières larmes que je lui voyais depuis que je l'avais trouvée couverte de contusions et sanglotant dans la cour.

— Oh, Eva, ai-je dit. Qu'est-ce qu'il y a ?

Elle a secoué la tête comme pour se débarrasser de ses pleurs, mais comme les larmes continuaient de couler sur son visage, elle a répondu :

— J'ai tellement peur, je ne peux pas m'en empêcher. C'est comme des vagues noires, et je suis un petit bouchon en liège. Je flotte à la surface et j'ai l'impression que ça va, puis une autre vague arrive et je me noie à nouveau.

Je suis allée vers elle, me suis penchée sur elle, l'ai entourée de mes bras nus. Elle se tenait immobile, la figure lustrée de larmes. Puis brusquement elle s'est tournée, sanglotant violemment, et a enfoui son visage dans ma poitrine. Elle a pleuré jusqu'à ce que mes seins soient nappés de larmes, tandis que je la serrais contre moi, la berçais dans mes bras.

— À mon tour, ai-je murmuré quand ses pleurs se sont enfin calmés.

Elle a essayé de protester en riant entre deux sanglots, mais je l'ai prise par la main, l'ai obligée à se lever et l'ai conduite à son matelas.

— Couche-toi, ai-je dit. Voyons voir si j'ai appris quelque chose.

J'ai grimacé quand mes paumes couvertes de cloques se sont posées sur sa peau. Au contact de mes mains, elle s'est mise à sangloter encore plus fort.

— Vas-y, ai-je dit. Tu peux pleurer maintenant tout ce que tu veux.

Au début, je me suis contentée de caresser le dos de ma sœur. Regarde, disaient mes mains, voici le cou d'Eva, et là la courbure de ses côtes, là ses épaules tristes et les adorables vertèbres de sa colonne vertébrale, là la tendre masse musculaire qui est le creux de ses reins. Puis, en commençant juste en dessous de son os occipital, j'ai massé les puissants trapèzes de sa nuque et de ses épaules, les roulant comme des cordes sous mes doigts, la symétrie de mes mains correspondant à la symétrie de son dos. Une fois, deux fois, dix fois, j'ai pincé et soulagé et apaisé ces muscles contractés tandis qu'elle sanglotait dans le drap sur lequel elle était couchée. J'ai oublié mes ampoules qui suintaient, j'ai même oublié le potager qui attendait dehors, et je me suis entièrement concentrée sur la façon dont mes mains parlaient à ses épaules.

Petit à petit j'ai taquiné et frotté et stimulé leurs chagrins refoulés. Au bout d'un moment, j'ai senti que ces muscles commençaient à s'assouplir, à se relâcher si imperceptiblement que j'aurais pensé l'avoir imaginé si ses pleurs ne s'étaient pas mis, eux aussi, à se calmer. Elle a soupiré, et mes mains se sont lancées à l'assaut de son dos, de ses côtes, de sa colonne vertébrale.

Quand il m'a semblé qu'elle s'était apaisée et recentrée sur elle-même, j'ai appuyé plus profondément, poussant et massant et pressant les horribles souvenirs et les nouvelles habitudes que le reste de son corps abritait. Elle a frémi et grimacé, s'est raidie et s'est débattue, et chaque fois a fini par céder, se livrant d'autant plus entièrement que ses muscles découvraient qu'ils n'avaient nullement besoin de s'accrocher à toute cette souffrance.

Lentement ma sœur a lâché prise, elle est devenue passive, vidée de toute énergie, jusqu'à ce qu'enfin chaque muscle de son dos soit relâché, et quand j'ai soulevé son bras, sa main est retombée mollement. Pour la première fois depuis le viol, sa chair n'avait pas peur, et j'ai senti la joie monter en moi, à travers mes mains, le long de mes bras, gonflant mon cœur car il était visiblement en mon pouvoir d'aider ma sœur à guérir.

J'ai commencé à la caresser doucement, mes mains sur son dos aussi légères que le souffle de la respiration, lui disant au revoir, mon travail est terminé. Je l'ai touchée comme j'aurais touché un oisillon, chérissant et maniant avec tendresse ce qui, à mon grand étonnement, s'était laissé approcher. Mais alors même que j'effleurais sa peau pour sevrer ma sœur du contact de mes mains, j'ai senti une nouvelle tension envahir son corps. Car si sa chair était à présent détendue, elle était également vulnérable et ouverte à toute intrusion, et je devinais la terreur qui la gagnait à l'idée que je l'abandonne.

Aussi ai-je continué de la caresser, attendant que son corps dise à mes mains qu'il pouvait s'en sortir tout seul. Je l'aimais tant – ma douce, douce sœur –, j'aimais en elle tout ce que j'avais jamais aimé, j'aimais tout ce que je savais d'elle et tout ce que je savais ne pouvoir jamais atteindre, j'aimais cette danseuse, cette femme belle sous mes mains, cette sœur avec qui j'avais autrefois peuplé une forêt, cette sœur avec qui j'avais souffert de tant de choses, cette sœur que je ne pourrais quitter ni pour l'amour ni dans la mort.

Je t'aime, disaient mes mains. N'oublie pas que c'est à toi. Que ce corps est le tien. Personne ne pourra te le prendre, si seulement tu l'acceptes toi-même, le revendiques à nouveau – tes bras, ta colonne vertébrale, tes côtes, le creux de tes reins. Tout est à toi. Toute cette générosité, toute cette beauté, toute cette force et cette grâce sont à toi. Ce jardin potager est à toi. Prends-le. Reprends-le.

Mon amour pour elle me faisait mal. Mes mains tremblaient sur son dos. Je voulais lui sauver la vie, rappeler son âme des ténèbres où elle se tenait tapie. Je l'aimais tant, j'aimais chaque rondeur et chaque ligne plane de son corps, j'aimais ses bizarreries et sa vivacité, j'aimais l'impatience avec laquelle ses poumons aspiraient l'air, la façon dont son dos se tendait tandis que mes mains frôlaient la courbe de ses hanches, flânaient le long des colonnes jumelles de ses cuisses vers le creux de ses genoux, puis rebroussaient chemin pour se rencontrer à l'ombre de la convergence de ses jambes.

Quand elle s'est tournée pour me faire face, j'ai vu qu'elle était enfin revenue. Elle vibrait d'un désir qui m'a tant secouée que j'ai frémi. Mais avant que je m'écarte, elle a commencé, avec les doigts et les paumes et le souffle et la langue, à m'enseigner plus que ce que je venais de lui montrer sur la sainteté et le ravissement d'être une créature de chair.

Nous avons fait l'amour, ma sœur et moi. Ensemble, nous avons ressuscité la joie de nos deux corps. Ensemble, nous nous sommes rappelé que la force n'est pas toujours violence, et quand Eva, qui s'était recroquevillée dans sa honte et son silence et sa douleur, s'est arquée et s'est ouverte, et a crié, j'ai su que quelque chose de précieux avait été racheté.

Nous nous sommes câlinées comme des bébés et avons fini par nous endormir, et plus tard, nous nous sommes réveillées et levées en même temps de son matelas, et après nous être habillées nous avons bu de l'eau et sommes sorties ensemble ensemencer le nouveau potager.

On doit être presque en juin maintenant, mais rien n'est moins sûr. En ce moment, nous passons tout notre temps dans le potager. Aux premières lueurs de l'aube grise, nous buvons nos tasses de thé blanc et mangeons notre frugal petit déjeuner. Dès que le ciel commence à se fleurir de couleurs, nous sortons, grelottant dans l'air frais, et ouvrons le portail, les doigts raides. Nous éclaircissons et désherbons tandis que le soleil se lève, nos souffles apparaissant en buée blanche, nos corps se détendant, se réchauffant dans le travail. Plus tard, quand nos mains supportent le froid, nous arrosons. D'abord nous siphonnons à l'aide d'un tuyau la vieille baignoire à pattes de lion que notre père avait installée pour recueillir l'eau après que la pompe électrique n'a plus marché. Puis, une fois la baignoire vide, nous entreprenons nos interminables voyages jusqu'au ruisseau, apportant l'eau au potager à raison d'un seau à la fois.

Nous avons semé toutes les graines que nous possédons, toutes les graines que notre père nous a laissées, même celles non identifiées tombées au fond de la boîte. Nous fertilisons chaque repousse spontanée, supplions chaque plante de vivre, de se développer, de s'épanouir en nourriture.

Creuser, désherber, arroser, voilà notre travail jusqu'à ce que le soleil soit au-dessus de nous. Nous nous arrêtons pour déjeuner et nous reposer, et nous reprenons jusqu'à ce que la lumière s'épaississe et que l'air frais apporte ses nuées de moustiques. La nuit, quand je suis couchée, mes muscles tremblent et mes mains calleuses me font mal. Je ferme les yeux et je vois de la terre. Mais je ne rêve pas.

Nous continuons de jeter des coups d'œil vers les bois plus souvent que par le passé, et nous ne nous aventurons pas au-delà de la clairière, du cercle flétri des tulipes. Nous continuons de sursauter quand un faucon réclame ou qu'un geai glousse ou qu'un cerf traverse à grand bruit la forêt. Je prends la carabine avec moi où que j'aille, et nous continuons de rentrer bien avant la tombée de la nuit. Et bien avant qu'elles s'apprêtent à sauter sur leur perchoir, nous attirons Bathsheba et Pinkie dans le poulailler avec les plantes recueillies lors de l'éclaircissage des légumes du potager. Une fois à l'intérieur, nous vérifions trois fois les fenêtres condamnées avec des planches et déplaçons tout un arsenal complexe de meubles devant la porte avant de nous mettre à préparer le dîner. Mais tout cela a fini par ressembler plus à un rituel qu'à une nécessité de survie – je suis presque certaine que l'homme qui a ébranlé nos vies ne rôde pas dans la forêt et que nous sommes en sécurité, du moins jusqu'à l'arrivée du prochain.

Je m'inquiète pour les graines que mon père a sauvées car elles proviennent des hybrides de l'année dernière, et je m'inquiète pour l'année prochaine, quand arrivera la période de pollinisation naturelle des graines que nous semons. Je m'inquiète pour l'époque des semis et pour la manière de fertiliser, et je m'inquiète de savoir si nous aurons ou pas assez d'eau. Je m'inquiète pour les taux de germination bas, et les maladies et les insectes et les accidents. Mais je n'ai plus souhaité mourir une seule fois depuis le jour où je suis entrée dans le jardin potager.

Eva ne danse toujours pas. Mais elle travaille aussi durement que moi, et parfois elle rit le matin quand nous saluons les rangées de jeunes plants qui sont sorties de terre pendant notre sommeil.

Nous nous sommes mises à nous tenir les mains pendant quelques minutes avant de commencer à manger, nos têtes inclinées sur nos assiettes, et bien que je sois incapable d'expliquer ce que nous exprimons par ce geste, nous avons constaté que nous refusions de manger sans nous être d'abord tenues par la main. C'est le seul moment où nous nous touchons.

EVA a vomi hier matin. Ma première réaction a été de pure horreur tandis que je pensais à une intoxication alimentaire, à la dysenterie, au choléra, à la *Giardia**, à la grippe qui a tué la mère d'Eli. J'ai insisté pour qu'elle prenne sa température. Mais elle était normale, et Eva n'avait pas la diarrhée et n'avait rien mangé que je n'avais mangé moi aussi.

— Je vais bien, n'arrêtait-elle pas de répéter. J'ai juste un peu la nausée.

Finalement elle m'a envoyée au jardin toute seule.

— Ça va. J'ai besoin de faire une sieste, c'est tout.

Quand je suis revenue à midi, elle m'avait préparé à déjeuner.

Mais ce matin elle a vomi de nouveau, et de nouveau j'ai dû aller au jardin sans elle. J'ai arrosé les pousses de carottes, arraché les mauvaises herbes des pommes de terre, et je fendais du bois, la hache levée au-dessus de ma tête quand une explication à sa maladie a surgi dans mon esprit, et mes bras ont lâché la hache qui est tombée brusquement avec un mélange de stupéfaction et d'incrédulité. Elle a rebondi contre la bûche posée à la verticale, et la bûche a roulé du billot sur mon pied.

À midi Eva m'a affirmé qu'elle se sentait mieux, et elle a travaillé dans le jardin jusqu'au crépuscule. Mais ce soir je me surprends à l'observer en douce, jetant des coups d'œil furtif à son ventre, à ses seins, jetant des coups d'œil furtifs à l'encyclopédie : *En plus des analyses prescrites par le médecin*

* Parasite responsable d'une maladie intestinale, la giardiase.

pour savoir s'il y a une hausse du taux de gonadotrophine chorionique humaine, la nausée, le gonflement des seins et l'aménorrhée sont les premiers signes d'une grossesse.

Pas ça, répète la petite voix dans ma tête en une vaine prière, un mantra de désespoir. Pas ça. Après tout ce que nous avons enduré, s'il vous plaît, s'il vous plaît, s'il vous plaît – pas ça.

L'AVORTEMENT, dit l'encyclopédie, *est l'expulsion spontanée ou provoquée du fœtus non viable hors de l'utérus. Des avortements intentionnels ont été pratiqués dans presque toutes les cultures, avec ou sans l'approbation sociale.*

Mais je n'ai pas besoin d'une définition ou d'un vague traité de sociologie. Ce dont j'ai besoin, c'est de faits. De détails. D'instructions.

Ce dont j'ai besoin, c'est d'un manuel d'avortement.

Il doit bien y avoir un moyen. J'y pense constamment. Penchée sous le soleil, à quatre pattes sur la terre entre les fragiles rangées vertes qui sont les pousses de notre avenir, je pense à l'avortement.

Eva continue de vomir et de dire qu'elle va bien. Depuis qu'elle a commencé la danse, ses règles ont été si irrégulières qu'il est possible qu'elle ne s'en soit pas encore aperçue.

CE matin nous arrachions les mauvaises herbes, allant côte à côte le long des rangées de haricots dont les cotylédons pointaient de terre en se déployant comme des ailes. Je venais de finir mon petit déjeuner, et Eva avait une fois de plus refusé d'avaler quoi que ce soit.

— Je n'ai pas faim, avait-elle dit quand je lui avais proposé un œuf dur plus gros qu'un noyau d'avocat, le premier que les poules avaient pondu depuis des mois.

Mais elle était là à présent, se traînant à côté de moi sur le sol humide, nos chemins séparés par une rangée de jeunes plantes. Vue sous un angle comique, la situation avait presque quelque chose de sacré, avancer ainsi petit à petit sur nos genoux, souffler sur les plantes, s'occuper d'elles. La terre était fraîche, le soleil chaud, les oiseaux s'activaient, et j'ai réalisé avec une stupeur soudaine que pour la première fois depuis mon aventure avec Eli je venais de connaître un moment de bonheur facile et éhonté.

— Si tout ça pousse, ai-je déclaré en indiquant d'un ample geste du bras le potager agrandi, on tiendra toutes les deux jusqu'à l'hiver prochain.

Eva s'était arrêtée aussi. Elle a basculé en arrière pour s'accroupir et a dit :

— On sera trois alors.

L'espace de quelques secondes confuses, j'ai pensé qu'elle parlait d'Eli et qu'elle disait qu'il revenait, et puis j'ai vu qu'il s'agissait de l'autre chose, et j'ai voulu continuer d'arracher les mauvaises herbes. Mais elle m'observait, attendant que je m'exprime.

— De quoi tu parles ? ai-je bafouillé.

— Il y a un bébé en route.

— C'est ce que je redoutais.

— Oui, a-t-elle dit en enfonçant ses mains dans la terre. Il y a un bébé. Je n'en étais pas sûre avant. Mais maintenant je le suis.

— Qu'est-ce que tu veux faire ?

Elle m'a regardé d'un air interrogateur tout en serrant une poignée de terre dans sa paume.

— Qu'est-ce qu'on peut faire ? a-t-elle demandé.

— Eh bien, je ne sais pas encore, mais il doit y avoir un moyen. On trouvera.

— On trouvera quoi ?

— Tu sais bien.

— Quoi ?

— Comment interrompre ça.

— Interrompre ça ?

Elle a ouvert le poing si bien que le tas de terre s'est étalé sur sa paume, strié et veiné du motif de ses doigts.

— Pourquoi ?

— Voyons Eva… tu ne peux pas garder le bébé.

— Pourquoi pas ? a-t-elle fait, comme si elle n'avait jamais passé toutes ces années dans son studio, à combattre quelque chose d'aussi élémentaire que la gravité.

— Tu plaisantes ? Comment on fera pour s'en occuper ?

— Je ne sais pas. On se débrouillera. De toute façon (elle a haussé légèrement les épaules), ça a commencé. On ne peut pas l'interrompre.

— Bien sûr que si. Il existe des tas de méthodes. L'encyclopédie est assez discrète sur le sujet, mais à mon avis on peut se débrouiller. Il y a les bains brûlants, les exercices violents et peut-être les herbes. On pourrait aussi essayer le reste de sirop pour la toux.

— Tu te rends compte de ce que tu es en train de dire ? Il va y avoir un bébé. Tu ne peux pas juste stopper un bébé.

— Ce n'est pas encore un bébé. Et tu peux interrompre ta grossesse si tu dois le faire.

— Et pourquoi devrais-je le faire ?

— Eva, ai-je dit, suffoquée. Tu as été violée.

Elle a tressailli et a attrapé son ventre comme si elle pouvait le protéger de ces mots.

— Ça n'a rien à voir.

— Quoi ?

— Ça n'a rien à voir.

— Mais Eva, c'est son bébé.

— À qui ? a-t-elle demandé avec brusquerie, et l'espace d'une seconde je jure qu'elle ne voyait pas du tout de qui je parlais.

Puis elle a ajouté sur un ton méprisant :

— À cet homme ? Tu penses vraiment qu'il serait capable de faire un bébé ?

Elle s'est balancée en avant sur les mains et les genoux, et s'est remise à ramper lentement à côté des haricots.

— Et même si c'est à ce moment-là que ça a commencé, a-t-elle dit en arrachant sur son passage une mauvaise herbe dont les racines évoquaient des veines blanches au soleil. Même si ça a vraiment commencé là, a-t-elle répété, les yeux levés pour soutenir mon regard, comment ce bébé pourrait-il être le sien ?

— Eh bien, d'après la génétique…

— La génétique ! (Elle a lâché le mot comme si c'était le nom du violeur.) La génétique. Est-ce que tu as déjà trouvé ça logique, Nell, qu'une femme soit enceinte, porte un bébé en elle pendant neuf mois, puis le nourrisse, s'occupe de lui et change ses couches, et qu'un homme prétende que la moitié de ce bébé est à lui ?

— Notre père changeait nos couches.

— Dans ce cas, il a mérité la part de nous qui lui revient. Par ailleurs (elle a arraché une autre mauvaise herbe, et a ajouté d'une voix forte, douce, et plus sûre que je ne lui avais jamais entendue :) Comment ce bébé pourrait-il même être le mien ?

— Qu'est-ce que tu veux dire ?

— Sa vie lui appartient, a-t-elle répondu triomphalement.

Ma sœur va donc avoir un bébé. Depuis qu'elle me l'a annoncé, à plusieurs reprises au cours des journées qui ont suivi, j'ai été saisie par une angoisse si forte et si froide qu'il me semblait être emportée par une vague, retournée dans une houle d'eau glacée et de sable rêche, incapable de respirer, me débattant pour trouver comment remonter.

Puis la vague se retire, me laisse sèche et debout, arrosant les courges, désherbant les tomates, posant des tuteurs aux haricots, préparant l'avenir, quel qu'il soit, qu'il nous reste.

La nuit dernière, j'ai rêvé qu'Eva et moi étions assises par terre à côté de la souche du séquoia où j'ai fait l'amour pour la première fois avec Eli. Un ours sortait de la forêt en traînant les pattes et se dirigeait vers nous. Malades de peur, nous le regardions s'approcher, apercevions ses muscles se soulever et bouger sous son épaisse fourrure. Il se dressait, menaçant, et je remarquais les tiques gorgées de sang autour de ses yeux, la longueur atroce de ses griffes jaunes sorties.

Quand il se tenait droit devant moi, il ouvrait la gueule, et je voyais ses énormes dents et le rose nu de sa langue. Une terreur comme jamais je n'en avais connu s'abattait sur moi telle une couverture sous laquelle j'étouffais, et je fermais les yeux, me rendant à ces crocs. Je ne sentais pas les dents lacérer et déchirer ma peau, mais la rugosité humide d'une langue et l'haleine chaude d'un ours sur mon visage.

Un instant plus tard, il m'abandonnait et marchait pesamment vers Eva qu'il léchait et sur qui il soufflait, prenant son visage à elle aussi entre ses larges mâchoires. Puis il disparaissait dans les bois, et je m'asseyais près de la souche en pensant, Alors c'est comme ça qu'on fait les bébés.

L'ENCYCLOPÉDIE ne dit pas grand-chose sur la grossesse et l'accouchement, bien qu'on y trouve de longs articles sur la conception, le développement du fœtus, et le genre de médicaments que les obstétriciens utilisent pendant le travail. Il y a une section intitulée *CHANGEMENTS ANORMAUX AU COURS DE LA GROSSESSE* et une autre sur *LES ACCIDENTS PENDANT L'ACCOUCHEMENT*, mais je n'arrive pas à me résoudre à les lire pour l'instant.

Elle affirme que *La robustesse d'une femme et sa santé physique en général comptent parmi les nombreux facteurs qui influent sur la durée de l'accouchement et son issue*. Et aussi, *Marcher est considéré comme le meilleur exercice pour une parturiente.*

Même armées de la machette et de la carabine, nous avions l'impression d'aller droit à notre perte quand nous avons quitté la clairière et pénétré dans la forêt pour notre première sortie. Malgré la chaleur de la mi-journée, nous portions des bottes et des pantalons longs et éprouvions un fort sentiment d'appréhension à mesure que nous nous éloignions de la maison par le chemin de terre.

La forêt paraissait luxuriante et sûre, mais nous sursautions au bruit de nos pas. Même la brise nous faisait frémir. Nous venions de passer le premier tournant de la route envahie par l'herbe quand quelque chose a bougé dans les broussailles et s'est élancé en haut de la colline à grands bonds bruyants. Légèrement penaudes, nous sommes convenues que nous étions allées suffisamment loin pour une première fois et avons fait demi-tour.

Mais le lendemain nous nous sommes aventurées un peu plus loin sur la route. Le jour d'après nous avons inspecté le verger et le jour suivant nous avons marché jusqu'au pont. En rentrant à la maison, je me suis aperçue avec stupeur que j'avais laissé la carabine dans le potager.

Après un hiver rude et un printemps incertain, les deux poules pondent à nouveau et nous avons des œufs à profusion, que nous mangeons pour la plupart brouillés et aromatisés de persil, de romarin et du basilic du jardin, ou durs et saupoudrés avec le sel à l'ail dont nous avons tout un stock.

Le potager donne plutôt bien maintenant, quoique pas une seule graine de pastèque ou de brocoli n'ait germé, que le maïs semble avoir arrêté de pousser et que de la dernière rangée de laitues que j'ai plantée il ne soit sorti que quelques feuilles toutes déchiquetées. Mais nous avons déjà mangé des blettes et des épinards et des petits pois, et ce soir nous nous sommes préparé une salade de feuilles de betterave.

Je n'avais jamais réalisé à quel point un potager peut être un jardin d'agrément aussi joli. Les courges arborent de larges fleurs dorées, les fleurs des tomates font comme des étoiles jaunes çà et là parmi les feuilles vertes, et les haricots sont décorés de bourgeons couleur lavande.

Dans le verger, les arbres sont chargés de fruits petits et durs, et les boutons verts des noix emplissent le noyer.

Le ventre plat d'Eva a commencé à s'arrondir très légèrement, bien qu'il y ait encore des moments où je n'arrive pas à croire qu'elle soit vraiment enceinte, où je suis persuadée que ses règles capricieuses vont arriver. Elle a retrouvé un peu de son ancienne grâce, et quand elle bouge, elle est de nouveau elle-même, mais elle ne danse toujours pas.

Rien ne semble la perturber ces derniers temps. Elle oublie de verrouiller la porte la nuit. Elle se fiche totalement du garde-manger qui se vide. Elle remarque à peine les trous irréguliers dans les feuilles des blettes, les poivrons rabougris, les concombres fripés ou le maïs chétif. Elle ne s'inquiète pas comme moi au sujet des hybrides F1 ou des graines stériles. Elle n'a jamais songé à compter les bocaux ou à s'enquérir de ce qui arriverait si la source s'assèche.

Mais je me fais du souci pour deux. Je me fais du souci à propos des animaux nuisibles et des maladies et des accidents. Je me fais du souci à propos du feu et des maraudeurs. Je me fais du souci à propos des poules et du verger, à propos des bardeaux cassés sur le toit et de la buanderie qui s'affaisse. La nuit, je reste éveillée à regarder fixement l'obscurité et à me demander comment nous ferons pour sortir un bébé d'Eva, comment diable nous nous débrouillerons une fois qu'il sera là.

Je continue de lire l'encyclopédie parfois, non pas pour les Achievements Tests ni pour les séminaires de Harvard, mais de la même façon que je lisais autrefois des romans – pour les histoires qu'elle contient. Je ne lis plus que le soir maintenant, pendant les quelques minutes dont je dispose après que le travail de la journée a été fait et avant que la lumière ne diminue dans la pièce. J'ai abandonné l'alphabet, et je saute et je survole, vautrée sur mon matelas avec le volume calé à côté de moi, lisant tout ce qui attire mon attention jusqu'à ce que mon corps las m'entraîne dans le sommeil et que les dernières phrases se mêlent à mes rêves.

*SÉQUOIA (*Sequoia sempervirens*). Le séquoia côtier est l'arbre le plus haut au monde et l'un de ceux qui vivent le plus longtemps. Dans les régions qui leur sont favorables, les séquoias côtiers peuvent vivre plus de deux mille ans. Bien qu'une graine sur un million se transforme en séquoia mature, seuls le vent, la tempête et l'homme représentent une menace pour un arbre de taille adulte.*

Même quand les séquoias sont abattus ou mutilés, ils ont une faculté d'adaptation remarquable permettant leur survie. Des renflements semblables à des excroissances sur les bourgeons dormants appelées broussins sont stimulés pour émettre des rejets qui poussent à partir d'un arbre tombé ou endommagé. Il est fréquent de voir de jeunes arbres issus de broussins, encerclant un arbre parent blessé.

Nous n'avions pas l'intention d'y aller quand nous sommes parties marcher cet après-midi. Au début, nous nous contentions d'avancer sur la route, et puis, juste avant d'arriver au pont, nous avons décidé de prendre un sentier emprunté par les animaux que nous avions découvert quelques jours auparavant. Il nous a conduites à travers un fourré et de l'autre côté d'un terrain plat où la cime des arbres s'élevait bien au-dessus de nous et où il y avait peu de broussailles. Au bout d'un moment les arbres sont devenus plus petits et de nouveau plus denses, et nous nous sommes aperçues que le chemin montait. Marchant l'une derrière l'autre sur l'étroit sentier, nous avons grimpé d'un pas ferme, chacune absorbée par le son pur de sa respiration, par la brûlure franche des muscles de ses cuisses.

Quand j'ai compris que nous nous trouvions dans ce coin de la forêt que nous avions parcouru à toute allure à la recherche de notre père qui se mourait, ma première pensée a été de faire demi-tour. Mais cette impulsion est passée et tout à coup, j'ai éprouvé le besoin urgent de voir sa tombe. Je voulais la regarder en face, savoir avec certitude ce qui était arrivé. Je voulais voir si mes cauchemars étaient vrais.

Mon désir était si fort que je ne tenais pas trop à le mentionner, au cas où Eva déciderait de rebrousser chemin. Je la suivais, et alors même que je commençais à me sentir coupable de l'amener par la ruse là où elle n'aurait peut-être pas envie d'aller, j'ai vu qu'elle ralentissait. Une seconde plus tard, elle redressait les épaules et continuait de marcher, et quand nous avons longé un carré de fleurs sauvages, elle s'est penchée pour en cueillir quelques-unes.

Le temps qu'Eva nous conduise à la clairière, j'avais, moi aussi, des fleurs plein les mains, et je haletais, j'avais chaud, et je voulais me reposer. Malgré tout, j'ai pénétré dans cet endroit avec hésitation, prête à reculer et à partir en courant.

La tombe était là, un monticule clos et paisible. Malgré un hiver de pluie et de feuilles de chêne et d'aiguilles de sapin, elle semblait plus nue que la terre tout autour. Mais elle n'était pas ouverte. C'était juste une terre chaleureuse et non pas le sol éventré et jonché de chair de mes cauchemars.

Je dois reconnaître que j'ai éprouvé un sentiment d'accomplissement en regardant la tombe de mon père. D'une certaine façon, nous avions su quoi faire. Nous avions creusé profondément et l'avions bien remplie, de sorte qu'elle cicatrisait maintenant comme il faut, telle une plaie correctement soignée.

Nous avons posé nos fleurs sur le monticule, puis nous nous sommes assises à côté dans un silence absolu comme si nous étions auprès d'un vieil ami avec qui les mots n'étaient plus nécessaires. J'ai appuyé mes paumes sur la terre qui recouvrait les cellules en décomposition de mon père et j'ai pensé à la pourriture et aux vers, je me suis rappelé tous les cauchemars qui m'avaient réveillée dans l'obscurité de notre maison, ces images qui me laissaient raide et trempée de peur et de culpabilité.

J'ai imaginé le visage de mon père boursouflé, s'affaissant sous son poids de terre. J'ai imaginé les asticots qui grouillaient, les liquides épais, la putréfaction. Et pourtant, mes visions ne contenaient aucune horreur. Et après ? ai-je pensé. Nous chions quand nous sommes en vie, et nous pourrissons quand nous sommes morts. C'est la nature. C'est notre nature.

Délicieusement baignée par le soleil de ce début d'été, je me suis assoupie, j'ai rêvé à nouveau, j'ai senti dans les rayons sur ma tête le poids et la chaleur de la main de mon père. Je me suis rappelé comment, quand j'étais petite, il entrait dans ma chambre à l'heure du coucher, comment il s'asseyait sur mon lit pour me raconter une blague et bavarder un moment avant de se pencher pour m'embrasser, pour dire, "Fais de beaux rêves, Pumpkin", et me laisser ensuite bien au chaud et en sécurité dans la nuit bienveillante.

Il m'est alors venu à l'esprit que je pouvais trouver le réconfort dans le deuil de mon père et de ma mère, puisque le mystère de la mort les avait déjà étreints. Quoi qu'il arrive quand une personne meurt, ça leur était arrivé. Ils étaient partis devant, ils avaient montré le chemin, et à cause de ça, la mort semblait un peu plus confortable, un peu plus tranquille, un peu moins terrifiante. Parce que mes parents étaient déjà là – dans la mort –, j'ai compris que je pouvais me permettre de profiter de la lumière du soleil aussi longtemps que possible. Assise près de la tombe de mon père, j'étais heureuse – et fière – d'être en vie.

Puis Eva, qui fourrageait dans les herbes folles de l'autre côté de la tombe, a dit :

— Regarde.

— Quoi ?

— Ce ne serait pas des fraises ? a-t-elle demandé en me tendant quelques baies de la couleur et de la taille de gouttes de sang.

— Je crois, oui.

Elle les a portées à sa bouche.

— Elles ont l'air mûres, a-t-elle dit.

— Eva ! ai-je crié avant qu'elle les goûte.
— Quoi ?
— Tu ne peux pas les manger.
— Pourquoi pas ?
— Elles sont peut-être toxiques.
— Les fraises ?
— Ce ne sont peut-être pas des fraises.
— Qu'est-ce que ça pourrait être d'autre ?
— Je ne sais pas. Mais tu ne peux pas courir le risque, ai-je dit en pointant du doigt son ventre.

Elle a baissé les yeux, a haussé les épaules et m'a tendu les fraises.

— OK. Vas-y, toi.

Les plantes sauvages peuvent vous tuer, ai-je entendu ma mère dire tandis qu'Eva versait les baies dans ma main. Mais elles semblaient si inoffensives, si sucrées et innocentes, que sans plus réfléchir, je les ai gobées. Les pépins faisaient comme de minuscules grains de sable entre mes dents et la saveur forte de la fraise éclatait sur ma langue.

— Elles ont quel goût ? a demandé Eva.
— Le goût de fraises, mais en plus prononcé. De fraises puissance dix.

Je me suis penchée pour en chercher d'autres.

— Si elles doivent me tuer, ai-je dit, je veux être sûre qu'elles fassent du bon boulot.
— Hé, a crié Eva. Ne les mange pas toutes.

Nous avons laissé la tombe de notre père et sommes rentrées doucement, grignotant le chemin, fouillant une parcelle après une autre, paissant nonchalamment comme des vaches, avidement comme des enfants, suivant la vague piste sinueuse des fraises qui semblait se déployer de cette paisible clairière à travers toute la forêt.

Ce soir, alors que nous sirotions nos tasses de thé blanc avant de nous coucher, je me suis dit que la forêt avait sûrement plus à nous offrir qu'un après-midi de fraises. Elle doit sûrement regorger de choses à manger. Les Indiens qui vivaient là ont survécu sans les vergers et les potagers, ils ne se sont nourris que de ce que ces bois mettaient à leur disposition.

Mais j'ignore par où commencer. J'ai étudié la botanique. Je m'y entends en morphologie et physiologie végétales. Je sais comment les plantes poussent et comment elles se reproduisent. Je sais identifier une cellule végétale au microscope, dresser la liste des réactions chimiques qui provoquent la photosynthèse. Mais j'ignore le nom des fleurs que nous avons déposées sur la tombe de notre père. J'ignore le nom des mauvaises herbes que nous arrachons du potager ou même quel type de feuilles nous utilisons en guise de papier toilette.

Je sais reconnaître le sumac vénéneux. Je sais distinguer un sapin d'un séquoia. Mais tous les autres noms – latins ou indiens ou usuels – m'échappent. Je suis même loin de deviner quelle plante est comestible ou à quoi d'autre elle peut servir si elle ne l'est pas. Ce buisson, dis-je, cette fleur ou cette mauvaise herbe. Et comment des buissons ou des fleurs ou des mauvaises herbes peuvent-ils nous nourrir, nous vêtir, nous guérir ?

Comment ai-je pu vivre ici toute ma vie et en savoir si peu ?

— Il doit bien y avoir une façon d'apprendre à connaître les plantes sauvages, ai-je dit à Eva ce matin, après y avoir pensé toute la nuit.

Elle a levé les yeux de son assiette d'œufs et a demandé :

— Comment faisaient les gens ?

— Je ne comprends pas.

— Comment les gens ont-ils su quelles plantes étaient bonnes à manger ?

— J'imagine que quelqu'un a dû les goûter.

— Eh bien ?

— On ne peut pas faire ça. Elles pourraient nous tuer.

— Que dit ton encyclopédie ?

— Rien.

— Bon. Je ferais mieux d'aller mettre un tuteur aux haricots.

Elle était devant la porte quand elle s'est retournée et a dit :

— Je croyais que Maman avait acheté un livre sur les plantes sauvages… pour essayer de voir si elle arriverait à s'en servir pour ses teintures.

Entrer dans l'atelier de notre mère, c'était comme entrer dans l'obscurité privée d'air d'une tombe. Avec la fenêtre condamnée, il n'y avait même pas assez de lumière pour que je lise les titres des livres entassés sur les étagères qui couvraient deux des murs, aussi, brassée par brassée je les ai transportés dans le salon, puis, brassée par brassée je les ai remis sur les étagères – des ouvrages sur les courants théoriques de l'enseignement et sur les techniques de tissage, des manuels de réparation d'automobiles, des policiers, des livres d'histoire, des biographies, des romans.

Pour finir je suis allée chercher dans l'atelier le marteau fendu et le pied-de-biche.

— C'est pour quoi faire ? a demandé Eva quand je suis passée devant le potager.

— J'ai besoin de lumière, ai-je répondu.

Les clous ont crié et protesté, le marteau a glissé et a entamé le montant de la fenêtre, et je me suis entaillé la main contre la tôle ondulée, mais au bout du compte la lumière a réintégré sa demeure dans l'atelier de ma mère.

J'ai trouvé *Les Plantes indigènes de la Californie du Nord* sur une étagère du haut entre *Madame Bovary* et un ouvrage sur la Guerre d'Espagne. Bien que ma mère ait écrit son nom au verso de la couverture, le dos du livre était intact et ses pages en parfait état, comme si elle n'avait jamais eu l'occasion de le lire avant que le cancer lui vole même son amour de la couleur. Je l'ai ouvert avec empressement, attirée non pas par une quête de la couleur mais par l'appel de la nourriture.

Ça a été une déception. Je crois qu'inconsciemment je m'étais attendue à un ami, un guide, une grand-mère – une femme sage qui nous aimait et qui savait notre souffrance, qui sortirait des pages de ce livre et me conduirait dans les bois, s'agenouillant au bord du ruisseau pour me montrer les herbes, enfonçant son bâton dans la berge pour déterrer des racines, m'apprenant patiemment où chercher, quand récolter et comment préparer les bienfaits de la forêt.

Bien sûr une telle femme n'existait pas, et je ne suis tombée que sur une suite d'articles avec des noms latins, des descriptions botaniques et de vagues croquis en noir et blanc ou des photos floues. *Les Plantes indigènes de la Californie du Nord* est aussi dense et déroutant que la forêt qu'il est censé décrire. Toute la journée, pendant qu'Eva jardinait, j'ai avancé farouchement dans ma lecture, m'efforçant d'associer les herbes folles des bois avec les photos granuleuses et les dessins inconsistants, m'efforçant de raviver la signification des mots que j'avais autrefois mémorisés – pétiole, ombelle, racème.

Je ne me suis jamais sentie aussi perdue. Je vendrais mon âme ce soir pour une heure d'Internet. J'ai l'impression d'essayer d'apprendre une langue nouvelle sans l'aide de cassettes ou de livres, une langue que plus personne ne parle, et pour la première fois de ma vie, je me demande si je suis capable de réussir l'examen.

Il y a une plante qui pousse près de l'atelier qui doit être à mon avis de la petite oseille. L'encyclopédie ne la mentionne même pas, mais *Les Plantes indigènes* en donne une description qui semble lui correspondre, bien qu'il n'y ait pas d'illustration. D'après le dictionnaire la petite oseille a des feuilles auriculées au goût agréablement acide. "Auriculé" signifie en forme d'oreille, et je suppose qu'on pourrait considérer que ces feuilles lobées ont la forme d'une oreille, même si elles ressemblent davantage à des pointes de flèches qu'à des oreilles selon moi.

Je ne trouve aucune autre définition qui lui convienne aussi bien, et sûrement, réflexion faite, si le dictionnaire dit que la petite oseille a un goût agréablement acide, elle ne peut pas être toxique – quoique la définition du dictionnaire pour la belladone ne parle pas de poison.

Quel acte de foi et du hasard c'est que d'arracher et de goûter une petite feuille verte. Avec Eva debout à côté de moi et les mises en garde de notre mère bourdonnant dans mon cerveau, j'avais l'impression de recréer l'histoire de l'humanité quand je me suis penchée, que j'ai arraché une feuille, ai épousseté une fine couche de terre de sa surface, et que je l'ai goûtée, en hésitant tellement qu'à mon avis je m'attendais à ce qu'elle me brûle les lèvres. Mais elle avait une saveur fraîche, délicate, franche. Aigre et verte, comme la chlorophylle, les pickles, l'air du soir. Légèrement âpre, presque comme de la laitue qui est montée en graine – mais en plus doux, en plus vivant.

— C'est comment ? a demandé Eva en m'observant.

— C'est bon, ai-je dit. Un peu acide.

Nous sommes rentrées pour manger nos feuilles de betterave, nos petits pois et nos œufs à la coque. Je me suis réveillée une fois dans la nuit avec une crampe au ventre et je suis restée éveillée longtemps, me demandant si j'allais mourir et voulant désespérément vivre.

Il n'y a pas grand-chose dans la forêt qui ait atteint son plein développement au milieu de l'été. Les choux précoces sont si durs et amers que nous ne pouvons pas les manger, et les fruits d'automne et les noix et les graines ne sont pas encore mûrs. Mais jusqu'à présent, j'ai essayé le cresson, le pourpier, le plantain, la bourse à pasteur, les racines de chlorogalum, l'oseille sauvage, le chénopode de Berlandier, l'amarante, les feuilles de moutarde sauvage et la claytonie perfoliée d'un carré tardif.

Petit à petit je démêle la forêt, attache des noms aux plantes qui la peuplent. Les feuilles que nous utilisons comme papier toilette sont des feuilles de molène. La plante avec les fleurs comme des pâquerettes qui pousse près de l'atelier est de la matricaire – une cousine de la camomille. L'herbe dans le potager avec les feuilles triangulaires est de la bourse-à-pasteur. Depuis toujours, les buissons qui bordent la route sont des noisetiers. Et les fleurs que nous avons déposées sur la tombe de notre père sont des sisyrinchium – dont la racine est censée faire tomber la fièvre et soulager un estomac dérangé.

D'après *Les Plantes indigènes*, les érables de la forêt produiront de la sève sucrée, les feuilles des pas-d'âne peuvent nous donner du sel, et les Indiens qui vivaient là autrefois utilisaient la mousse espagnole comme couches pour les bébés, le pavot de Californie comme antidouleur, la farine de gland moisi comme antibiotique. Il existe des plantes pour stopper la fièvre, des plantes pour soulager le rhume, des plantes pour apaiser les rougeurs et les douleurs menstruelles. Il existe des plantes pour augmenter les contractions d'Eva et diminuer la douleur pendant le travail, des plantes pour rendre son bébé fort, des plantes pour favoriser les montées de lait.

Il y a des tisanes. Pendant des mois nous avons bu de l'eau chaude alors que nous aurions pu boire des tisanes de menthe sauvage, d'églantier, de mûres, de baies, de mahonia faux houx, de moutarde noire, de menthe pouliot, de manzanita, de graines de fenouil commun, de petite oseille, d'ortie, d'aiguilles de pin, d'écorce d'arbousier d'Amérique, de yerba buena, de sauge noire, de matricaire odorante, de violette, de framboises sauvages.

Et il y a les glands. Aux dires des *Plantes indigènes*, *Dans le monde entier et de tout temps, les glands ont servi de base aux régimes de nombreux peuples, dont les Japonais, les Chinois, les premiers Méditerranéens et les Nord-Américains.*

Les glands ont été prisés comme source de nourriture pour leur abondance et leur valeur nutritionnelle. Dans l'Ouest américain, par exemple, plusieurs variétés de chêne appréciées par les tribus indiennes pouvaient donner entre 227 et 450 kilos de glands par arbre et par an. Bien que la saison de production des glands ne dure que quelques semaines, il a été estimé qu'un ouvrier assidu et travaillant huit heures par jour, est capable de ramasser plus de quatre tonnes de fruits. Une telle récolte pourrait nourrir une famille de cinq personnes pendant plus d'un an, fournissant plus de 5000 kilocalories et 50 grammes de protéines par jour par personne.

J'ai vécu dans une forêt de chênes toute ma vie, et il ne m'est jamais venu à l'idée que je pouvais manger un gland.

Avant j'étais Nell, et la forêt n'était qu'arbres et fleurs et buissons. Maintenant, la forêt, ce sont des toyons, des manzanitas, des arbres à suif, des érables à grandes feuilles, des paviers de Californie, des baies, des groseilles à maquereau, des groseilliers en fleurs, des rhododendrons, des asarets, des roses à fruits nus, des chardons rouges, et je suis juste un être humain, une autre créature au milieu d'elle.

Petit à petit, la forêt que je parcours devient mienne, non parce que je la possède, mais parce que je finis par la connaître. Je la vois différemment maintenant. Je commence à saisir sa diversité – dans la forme des feuilles, l'organisation des pétales, le million de nuances de vert. Je commence à comprendre sa logique et à percevoir son mystère. Où que j'aille, j'essaie de noter ce qu'il y a autour de moi – un massif de menthe, une touffe de fenouil, un buisson de manzanita ou un champ d'amarante à ramasser maintenant ou plus tard quand je reviendrai, quand le besoin se fera sentir ou que ce sera la saison.

Pourquoi achetions-nous des fleurs – de grandes choses vulgaires et volumineuses dans des containers en plastique sur le parking du Buy-n-Save – que nous arrosions, fertilisions et vaporisions, et qui finissaient quand même l'été déchiquetées par les limaces et les escargots et les sauterelles ? Pourquoi ne laissions-nous pas les fleurs pousser là où elles voulaient, sainement et vigoureusement et à leur rythme ?

Je regrette que ma mère ne soit plus là car je lui aurais expliqué que nous n'avions pas besoin des pétunias du Buy-n-Save, ni même de son cercle de tulipes. Clarkia. Ancolie. Clintonia rouge. Sisyrinchium. Pinceau indien. Chardon rouge. Castellija. *Calypso bulbosa. Calochortus amabilis. Chalochortus albus.* Pavot de Californie. *Cornus sessilis.* Bouton d'or. Anémone des bois. Polygonatum. Lupin. Vesce. *Iris missouriensis.* Lilas de Californie. Épilobe en épi. Gyroselle.

Nous étions entourés de fleurs tout le temps.

Nous mangeons comme des reines grâce aux graines que notre père a sauvées, grâce au potager que nous avons biné et paillé et planté et désherbé et arrosé. Courgettes, tomates cerise, carottes, betteraves – chaque cueillette est un festin, un don, une manne.

Mais déjà l'hybridation va de travers. Nous avons des plants qui produisent des courgettes rondes et d'autres d'étranges courges vertes. Aucune des graines de choux, d'aubergine ou de radis n'a germé et certains pieds de tomates qui devaient d'après moi donner abondamment car leurs feuilles s'étaient développées avec vigueur n'ont pas une seule fleur.

Et il y a d'autres sujets d'inquiétude. Le maïs paraît toujours rabougri, et c'est peut-être mon imagination, mais j'ai l'impression que le ruisseau et la source commencent à se tarir. Pendant ce temps, le garde-manger se vide. Il ne reste plus qu'une ou deux tasses de farine infestée par les vers, et seulement un quart du sac de haricots bicolores. Nous avons fini le riz. Nous avons fini les conserves de chez Fastco. Il y a encore trois bocaux de betteraves stérilisés par notre père, et deux de prune. La nuit, les questions s'agitent dans ma tête. Et si les haricots ratent ? Et si le maïs ne pousse pas ? Et si les autres fleurs de tomates ne viennent pas ? Et si le ruisseau s'assèche ou que des animaux nuisibles pénètrent dans le potager ? Que ferons-nous quand nous aurons terminé la dernière conserve ?

Et le sujet d'inquiétude le plus important et le plus tenace de tous – que ferons-nous d'un bébé ?

L'AUTRE jour j'étais dans les bois derrière la maison, et je ramassais de la yerba buena pour notre assortiment d'herbes dont le nombre ne cesse de grandir. Je me sentais calme et rêveuse, avançant à quatre pattes sur le sol de la forêt moucheté de soleil, coupant des brins à petits coups de ciseaux et les déposant dans la vieille corbeille de Pâques que je me suis mise à utiliser pour la cueillette.

J'ai pincé une feuille brillante, l'ai roulée entre mes doigts, portée à mon nez, et les yeux fermés, j'ai humé l'odeur métallique de la menthe. Je me suis rappelé que *Les Plantes indigènes* disaient que les Indiens de Californie utilisaient la yerba buena comme sédatif. Pendant de longues minutes, j'étais heureuse de respirer son parfum, mais alors que mes poumons s'étaient enfin remplis et que je savais qu'il me faudrait bientôt interrompre mon plaisir pour expirer, une autre pensée m'a frappée avec une telle urgence que j'en ai oublié la feuille écrasée dans mes mains.

Ce soir, fatiguée par le travail et à moitié endormie, une tasse de yerba buena fumante par terre à côté de moi, j'ai ouvert l'encyclopédie et j'ai relu ce que j'avais lu l'hiver dernier, à l'époque où ce n'était qu'une information à mémoriser pour les Achievement Tests : *Les Indiens qui se sont installés en Californie du Nord, aujourd'hui les comtés de Sonoma, de Lake et de Mendocino, sont désignés sous le nom de Pomo, bien qu'ils n'aient jamais constitué une seule tribu. Pendant dix mille ans au moins avant l'arrivée des Espagnols, les Pomos menaient une vie rude mais relativement paisible.*

Parce qu'ils semblaient pratiquer une sorte de contrôle primitif des naissances, et à cause du climat tempéré, de l'abondance du gibier, des poissons et des plantes indigènes de la région, leur population s'est bien maintenue compte tenu de leurs ressources. Aucune famine n'a jamais été signalée. Même les années où les récoltes de maïs étaient maigres, il y avait toujours d'autres sources de nourriture auxquelles avoir recours…

Aujourd'hui la population indigène de Californie n'est plus que le vestige de ce qu'elle était. Entre 1769 et 1845, la population indienne de l'État est passée d'environ 310 000 à 150 000. En 1900, il y avait moins de 20 000 Indiens en Californie.

Soudain, je me suis rappelé un autre livre, un recueil d'histoires, de chants et d'interviews de Californiens indigènes réalisé par un anthropologue et que j'avais parcouru il y a des années, quand Eva et moi essayions de comprendre comment construire un tipi. Je l'avais abandonné à l'époque dès que j'avais découvert qu'aucune des tribus mentionnées ne vivait dans des tipis, mais je l'ai retrouvé ce soir dans l'atelier de Mère, je l'ai emporté dans le salon et je me suis assise devant le poêle pour lire les mots de ce peuple qui habitait notre forêt avant nous.

J'ai lu des chants sur les rites de passage, des chants d'amour, des chants de festin et de funérailles. J'ai lu l'histoire de Coyote et des glands, et l'histoire de la fille qui épousa Serpent à sonnettes. J'ai lu les souvenirs des tresseurs de paniers, des faiseurs de pluie, des chasseurs et des rêveurs, et j'ai fini par lire le texte sur le massacre de Needle Rock :

> Le texte suivant provient d'une interview de Sally Bell, l'une des dernières représentantes de la tribu des Sinkyones. Elle avait plus de quatre-vingt-dix ans quand elle a livré ce récit en 1928 ou 1929.
> "Mon grand-père et toute ma famille – ma mère, mon père et moi – étions autour de la maison et

ne faisions de mal à personne. Peu après, vers dix heures du matin, des hommes blancs sont arrivés. Ils ont tué mon grand-père et ma mère et mon père. Je les ai vus faire. J'étais déjà une grande fille. Puis ils ont tué ma petite sœur et ont sorti son cœur et l'ont jeté dans les buissons où j'avais couru me cacher. Ma petite sœur était un bébé, qui marchait à quatre pattes. Je ne savais pas quoi faire. J'avais tellement peur que j'imagine que je me suis cachée là pendant longtemps avec le cœur de ma petite sœur dans les mains. Je me sentais si mal et j'avais si peur que je ne savais pas quoi faire. Puis j'ai couru dans les bois et je me suis cachée pendant longtemps. J'ai vécu là pendant longtemps avec quelques-unes des personnes qui avaient réussi à se sauver. On mangeait des baies et des racines et on n'osait pas faire de feu parce que les hommes blancs risquaient de revenir. Aussi on mangeait tout ce qu'on trouvait. Au bout d'un moment on n'avait plus d'habits et on devait dormir sous des rondins de bois et dans des arbres creux parce qu'on n'avait rien pour se couvrir, et il faisait froid alors – au printemps."

J'ai fini par comprendre ce que l'encyclopédie veut dire par : *En 1900, il y avait moins de 20 000 Indiens en Californie.*

Les Pomos divisaient l'année en treize lunes et leur donnaient en général le nom de la nourriture qu'ils trouvaient quand elles étaient pleines – la lune quand on peut cueillir des trèfles, la lune quand les poissons commencent à migrer, la lune quand les glands apparaissent.

Je ne sais plus avec certitude quel mois on est, mais la nuit dernière la lune était pleine, et hier nous avons mis en conserve notre premier lot de tomates. À l'aube, Eva a fait un feu dans le poêle pendant que dehors, dans le froid, je ramassais des tomates. Lorsque je suis rentrée, la pièce où il faisait bon m'a paru merveilleuse, et quand j'ai versé de l'eau bouillante sur le premier bol de tomates et que j'en ai sorti une pour retirer la peau, j'ai accueilli avec plaisir la chaleur sur mes mains glacées.

Mais la pièce n'a pas tardé à être une vraie fournaise, et à force de m'ébouillanter et à cause des acides des tomates, mes doigts m'élançaient. Je me suis rappelé mon père déclarant : "Il faut plus d'eau bouillante pour mettre en conserve une tomate que pour accoucher un bébé." Dans ma paume, la chair de chaque fruit pelé suggérait un cœur, et j'ai pensé à Sally Bell et j'ai frémi.

Nous avons travaillé jusqu'à midi, jusqu'à ce que la dernière tomate mûre ait été transformée et que la maison elle-même ressemble à un bocal d'un litre tout juste remonté d'une baignoire d'eau bouillante. Pour finir, nous avons laissé les bocaux refroidir et le feu s'éteindre doucement, et nous avons fui dans le verger pour cueillir des prunes. Quand nous sommes revenues à la nuit tombée, il y avait dix-neuf bocaux de tomates qui attendaient sur la table, dont un seul n'était pas fermé.

Demain nous ferons des conserves de prunes, et après-demain nous commencerons les pêches. Il ne nous reste que quatre-vingt-trois bocaux, ce qui signifie que ce travail sous une chaleur suffocante sera bientôt terminé et ce que nous ne pourrons pas tasser sous un couvercle pourrira au soleil de l'été.

Comme j'aimerais pouvoir tout manger maintenant et passer l'hiver entier à hiberner.

Nous avions consacré l'après-midi à cueillir des baies de manzanita à chair ferme sur la crête au-dessus de la maison car j'ai appris à les faire macérer pour obtenir du jus. Nous rentrions à la maison, marchant en silence à travers la forêt étouffante, savourant le son mat des sacs de baies dans nos dos et les souffles d'air occasionnels qui venaient nous chatouiller comme une brise fantôme.

Je pensais uniquement à ce qui m'obsède en ce moment – comment notre garde-manger se remplit. Je calculais le nombre de bocaux que rapporterait la récolte de haricots, je comptais les repas, je réfléchissais à ce que nous pourrions mettre en conserve ensuite, quand tout à coup Eva a laissé tomber son sac par terre et a filé dans les bois.

— Je reviens tout de suite, a-t-elle lancé en suivant le bruit du ruisseau qui longe notre chemin à cet endroit. J'ai envie de me rafraîchir.

— Attends-moi, ai-je dit, et j'ai posé mon sac à côté du sien.

À cause de la chaleur, le ruisseau n'était guère plus qu'un filet, mais l'eau était comme de la soie froide sur mes pieds nus. Je me suis tenue dans la boue et le gravier qui en tapissaient le lit et j'ai senti la pression du courant contre mes chevilles, sa fraîcheur remontant le long de mes jambes couvertes de poussière. J'ai oublié de compter les bocaux.

Mais j'ai aperçu quelque chose qui a fait se dresser et a figé le monde entier.

— Qu'est-ce qu'il y a ? a demandé Eva quand elle m'a entendue sursauter.

Sans prononcer un mot je lui ai montré une trace dans la boue paisible.

Elle était évasée et aux bords mal définis, plus courte que mon pied mais aussi large que ma main tendue – une empreinte aux talons charnus couronnée par la marque de cinq orteils. Ma première pensée a été, *Il est revenu,* et je suis restée pétrifiée, debout dans ce ruisseau comme un lapin assommé, attendant qu'un ultime coup et un hurlement déchirent l'après-midi.

Puis j'ai vu les traces de griffes dans la boue devant chaque orteil et j'ai éprouvé une vague de soulagement en me disant qu'aucun humain n'avait laissé cette empreinte. Une seconde plus tard je me retournais brusquement et écoutais, scrutant la forêt à l'affût du prochain danger qu'elle abritait.

La forêt n'avait pas changé. Elle était aussi calme et impénétrable qu'une minute auparavant. Seules nous avions changé.

— Un ours ? a murmuré Eva.

J'ai hoché la tête.

— J'en ai bien peur.

— Je croyais qu'ils étaient tous partis, a-t-elle dit, et elle a plaqué ses mains sur son ventre comme si, en le protégeant, elle pouvait assurer notre sécurité. Je croyais que les ours étaient partis à l'arrivée des colons.

— J'imagine qu'ils sont revenus, ai-je répondu en me relevant pour me sauver.

Qu'y a-t-il de pire ? me suis-je demandé tandis que nous courions vers la maison avec nos sacs de baies qui cognaient dans nos dos – un ours ou un homme ?

---

*L'OURS NOIR (*Ursus americanus*) est l'ours le plus commun d'Amérique du Nord et l'un des mammifères les plus gros. S'il privilégiait autrefois un habitat vaste et boisé, on le trouve à présent dans des aires géographiques plus restreintes et sa population a fortement diminué.*

Comme l'homme, l'ours est plantigrade, et il marche en appuyant toute la surface du pied, laissant fréquemment la trace de la paume et des coussinets de la plante, et dans certains cas, des griffes. Contrairement à son cousin plus féroce d'Amérique du Nord, le grizzly ou ours brun, l'ours noir attaque rarement les humains, préférant en général la fuite à la confrontation.

L'ours noir est omnivore ; en plus des proies animales, il mange des insectes et toutes sortes de matières végétales. À l'occasion, il peut marauder dans des décharges et des campings. Dans les régions septentrionales l'ours noir passe l'hiver à dormir dans une grotte, mais à l'inverse d'animaux tels l'écureuil terrestre de Californie ou le tamia, ce n'est pas un véritable hibernant.

La nuit dernière nous avons senti une odeur de fumée.

La journée avait été chaude, chaude avec l'espèce de chaleur oppressante de la fin de l'été qui vous empêche de respirer. Nous avions fait en sorte de passer la matinée et l'après-midi dans le potager, arrachant les laitues montées et recueillant leurs graines, désherbant les pommes de terre et les citrouilles et arrosant les plantes qui suffoquaient.

Nous avions dîné sur la terrasse – tomates en rondelles avec du basilic, haricots verts à la vapeur et courgettes – et nous traînions dehors avec nos jus de manzanita, regardant la lumière baisser dans le ciel à l'ouest et essayant de capter une ondulation de la brise, avant que la nuit ne nous oblige à nous enfermer dans la maison étouffante.

Nous avions décidé de mettre en conserve un nouveau lot de tomates le lendemain matin et, pendant qu'Eva s'éventait d'une main nonchalante, je me tracassais au sujet de notre stock de bocaux qui diminuait, me demandant à quel genre de risques nous nous exposerions si nous les réutilisions.

La brise dont nous avions rêvé a enfin soufflé – une bouffée si légère qu'elle n'a même pas soulevé nos cheveux. Je me suis surprise à me rappeler l'automne, les matins froids, la lumière dorée, les tas de feuilles ardentes. Je réfléchissais aux caprices de la mémoire quand elle a soufflé à nouveau. Au début, j'ai pensé que l'air changeant du soir devait attirer l'odeur de la fumée le long du conduit de la cheminée, mais quand la brise a soufflé encore, il n'avait pas la vieille senteur âcre de créosote des cheminées froides.

Tout à coup j'étais debout, respirant l'air et arpentant la terrasse dans l'obscurité approchante.

— Qu'est-ce qui se passe ? a demandé Eva.

— Ça sent la fumée, je trouve.

Dans l'instant même, elle aussi était debout et reniflait. Il y a eu de longues minutes où j'ai été sûre que nous l'imaginions, où j'étais agacée ou lasse et prête à aller me coucher. Puis l'une de nous a dit : "Là !" et l'air même a semblé se figer sous l'effet de notre peur.

— Tu crois qu'il est revenu ? a demandé Eva. Que c'est son feu de camp ?

La soirée était si immobile, la brise si inconsistante, qu'il était impossible de localiser avec précision une direction, impossible de deviner quelle distance cette fumée avait parcouru avant de nous atteindre.

— Je ne sais pas, ai-je répondu, et je suis allée chercher la carabine, bien qu'il me vienne soudainement à l'esprit qu'un feu de forêt était la pire menace qui soit.

On pouvait raisonner un homme – ou lui tirer dessus. On pouvait essayer d'échapper à un ours. Mais un feu de forêt de la fin de l'été détruirait tout ce qui nous est nécessaire si nous voulions avoir une chance de survivre. Il anéantirait notre maison et notre citerne, brûlerait notre potager et toutes nos réserves de nourriture. Un feu de forêt de la fin de l'été nous laisserait à la merci des bois.

— Qu'est-ce qu'on fait ? ai-je murmuré à Eva après que nous eûmes dit ensemble "Là !" sur un ton presque triomphant parce que nous venions de sentir à nouveau cette légère et sinistre odeur.

— On ne peut rien faire, a-t-elle répondu, qu'attendre de voir ce qui se passe.

— Et si c'est un feu de forêt ?

— On partira.

— Pour aller où ?

— Au ruisseau, a-t-elle dit, et je nous ai vues toutes les deux essayant de nous aplatir dans ces vingt centimètres d'eau froide, noire, tandis qu'au-dessus de nous et autour de nous les arbres de toutes parts s'embrasaient et rugissaient et s'écroulaient.

Ça a été un moment affreux. Nous avions peur de rester dehors après la tombée de la nuit, et nous avions peur de rentrer dans la maison où nous ne pourrions plus surveiller la brise. Aussi nous sommes-nous assises sur la terrasse de part et d'autre de la porte ouverte, sursautant comme des cerfs effrayés aux bruits de la nuit, aspirant les bouffées de brise quand elle soufflait tout près, attendant que le croissant de lune dégage la cime des arbres, attendant que l'incendie se propage autour de nous.

— Peut-être qu'on devrait essayer de sauver certaines choses, ai-je dit.

— Comment ? a demandé Eva de sa place, de l'autre côté du montant de la porte.

— On pourrait amener des affaires près du ruisseau.

— Et qu'est-ce qu'on prendrait ? a-t-elle dit, et je me suis tue.

Nous ne pouvions pas emporter ce que les gens emportent d'habitude quand il y a un incendie. Nous ne pouvions pas prendre les albums photos et les lettres de famille, mon ordinateur ou le magnétoscope, les tableaux ou l'argenterie. Il nous faudrait prendre les choses dont nous avions besoin. Mais nous avons besoin de tout. Si nous devons survivre, il nous faut tout – chaque bocal et clou, chaque vêtement, chaque bout de papier et reste de nourriture, tout le bric-à-brac de notre père. Et surtout, nous avons besoin des choses que nous ne pouvons pas transporter au ruisseau. Nous avons besoin du poêle, de l'atelier, de la citerne et du potager, du verger et du pick-up. Nous avons besoin de la maison. Si tout cela brûle, autant que nous brûlions avec, car nous mourrons sûrement.

Aussi sommes-nous restées où nous étions, sur la terrasse dans la douce nuit d'été, écoutant les grillons, regardant la lune et les étoiles, imaginant des murs de feu, imaginant les arbres hurler, les flammes s'élever, imaginant cette horrible lumière.

À l'aube nous étions toujours là, recroquevillées sous les couvertures que j'avais sorties quand la chaleur avait fini par s'échapper de l'air. Notre clairière était toujours verte, le potager florissant, la maison debout. Mais l'âcreté de la fumée était indubitable même dans l'air frais du matin, et à mesure que la lumière croissait, nous avons vu que le ciel au nord était teinté de marron.

— Au moins ce n'est pas un feu de camp, a observé Eva.

Ça a été une journée étrange, dont la normalité, à l'exception de notre fatigue et des fines volutes blanches de cendre éparpillées sur la terrasse telles des os de fées, ne présageait rien de bon. Malgré l'écran qui pesait sur la lumière, le soleil continuait de briller. Quand nous sommes allées ramasser les tomates mûres, le potager nous est apparu dans toute sa magnificence, et les tomates s'abandonnaient facilement dans nos mains, lourdes, sentant légèrement le ranci et avec encore la fraîcheur de la nuit dans leur chair.

Mais quand Eva s'est agenouillée pour allumer un feu dans le poêle afin de chauffer l'eau qui nous servirait à les mettre en conserve, un frisson d'inquiétude m'a parcourue.

— Peut-être qu'on ne devrait pas faire de conserves aujourd'hui, ai-je dit.

— Pourquoi pas ? a-t-elle demandé.

— Eh bien, avec la fumée du poêle, on ne pourra pas savoir si le feu se rapproche.

— Tu as sans doute raison.

J'ai regardé la pile de tomates, riches de la promesse de subsistances l'hiver prochain, et j'ai dit en désespoir de cause :

— Je ne sais pas. Allons-y après tout et mettons-les en conserve. On ne peut pas les laisser pourrir.

— On pourrait les faire sécher, a suggéré Eva.

— Les faire sécher ?

— Comme les raisins secs ou les pruneaux. La journée va encore être très chaude, aujourd'hui. Pourquoi ne pas profiter du soleil ? Et puis, tu étais tellement inquiète à cause des bocaux.

Elle était si calme que j'ai eu envie de l'étrangler. Bien sûr nous pouvions faire sécher les tomates. Et les pommes.

Et les abricots. Et les poires. Et les pêches. Et les prunes. Et pourquoi pas les oignons et les poivrons ? La chaleur continuerait pratiquement jusqu'à l'arrivée des pluies d'hiver – des journées et des journées de chaleur sèche. Nous pourrions probablement même faire sécher les citrouilles et les blettes et les betteraves, si nous le voulions.

Dans le fond de l'atelier nous avons trouvé deux portes moustiquaire en aluminium et, alors que nous les tirions dehors au soleil, je me suis rappelé le jour où notre père les avait rapportées à la maison.

— Les gens vont à la déchetterie pour se débarrasser de choses, pas pour en amasser davantage, avait dit notre mère quand il s'était garé. Qu'est-ce qu'on a besoin des vieilles portes de quelqu'un d'autre ?

— Mais Gloria, chérie, avait protesté notre père, enchanté par ses portes et par sa femme. Ce sont de belles portes, en excellent état. Leurs cadres ne sont pas tordus et la moustiquaire n'est pas déchirée. Soit celui qui les a jetées n'avait aucun sens de la morale, soit il était fou. Et puis, j'ai pensé qu'on pourrait s'en servir pour le poulailler.

Cela avait suffi pour faire taire notre mère le temps qu'il les traîne dans son atelier, où elles étaient restées là, oubliées derrière d'autres et plus récents sujets d'affectueuses disputes entre mes parents, jusqu'à ce que nous les ressuscitions pour conserver notre nourriture de l'hiver.

Ensemble nous les avons rincées pour en ôter la poussière et les toiles d'araignée et les avons laissées sur la terrasse pendant que nous coupions les tomates à l'intérieur.

— Plus les rondelles sont fines, plus elles sécheront vite, a déclaré Eva avec une soudaine autorité, et nous avons donc coupé des rondelles très fines que nous avons ensuite réparties sur la moustiquaire, rangées après rangées, comme des pièces, avant d'aller travailler dans le potager. Mais à notre retour, à midi, elles étaient envahies par une nuée de guêpes, et leurs jus avaient commencé à ronger les mailles de l'aluminium.

— Il faut qu'on trouve quelque chose sur quoi les poser pour qu'elles ne soient pas en contact avec le métal, et il faut les recouvrir pour les protéger des insectes, ai-je dit.

— Mais avec quoi ?

— Je ne sais pas. Quelque chose comme une mousseline à fromage ou un filet.

— Des draps ?

— Trop épais. L'air ne circulera pas sous les tomates et elles ne seront pas suffisamment exposées au soleil.

— J'ai une idée, a répondu Eva et elle a couru dans la maison pendant que j'enlevais les tomates décolorées de l'aluminium corrodé.

Quand elle est revenue, elle traînait une longue housse à vêtements.

— Ça fera l'affaire ? a-t-elle demandé en ouvrant la fermeture éclair de la housse pour révéler la robe de mariée de notre mère, avec ses mètres de tulle blanc et de jupes en voile. On pourrait étaler le tulle sous les rondelles de tomates – et les recouvrir avec aussi.

J'ai sorti la robe de sa housse poussiéreuse, me rappelant, tandis que je la tenais devant moi, éblouie par sa blancheur, qu'à un moment dans notre enfance chacune de nous avait déclaré qu'elle porterait cette robe à son propre mariage.

— Je ne sais pas, ai-je dit en la rendant à Eva. Tu ne crois pas que le tulle va coller à la moustiquaire ? Les tomates sont très juteuses.

— Oh, a fait Eva, et sans s'en rendre compte, elle a plaqué la robe sur elle, la lissant à la hauteur de ses hanches et de son ventre gonflé. Et si on fabriquait des cadres en bois et qu'on le tendait dessus ?

J'ai soulevé le bas de la robe, caressé le tissu vaporeux de mes doigts tachés de terre, et je me suis souvenue que les tapisseries de la Chasse à la licorne avaient été utilisées par des paysans pour empêcher leur récolte de pommes de terre de geler pendant la Révolution française, qu'après la Réforme, en Angleterre, des pierres de cathédrales avaient servi à fabriquer des porcheries et des perrons de porte, et que des ouvrages des bibliothèques de monastères avaient été déchirés – page après page - dans les toilettes extérieures. Puis j'ai levé les yeux vers le soleil rougi par la fumée et je suis rentrée chercher une paire de ciseaux.

Nous avons travaillé tout l'après-midi, fouillant parmi le tas de bois de charpente de notre père pour trouver des planches, mesurant et sciant et clouant des cadres, punaisant le tulle tout autour, et nous arrêtant de temps en temps pour renifler l'air âcre et scruter la forêt. Le feu demeurait invisible, mais omniprésent. Nous avons coupé les tomates en rondelles, étalé le voile et, avec une énergie renouvelée, déplacé les claies pour suivre la course du soleil.

Quand la clairière a été à l'ombre, nos doigts fripés empestaient les acides des tomates, et les premières rondelles que nous avions mises à sécher avaient rétréci de moitié. On aurait dit des croûtes ratatinées sur le voile taché de la robe de mariée de notre mère, mais elles étaient coriaces et les petits bouts que nous avons grignotés étaient sucrés et forts, un concentré de tomates et de soleil qui resplendirait sûrement pendant les jours les plus humides de l'hiver.

Nous avons rentré les claies pour la nuit, verrouillé le poulailler, mangé un repas froid, et repris notre poste de garde sur la terrasse. Nous avions cru que l'odeur de la fumée se dissipait, mais quand la lune croissante s'est levée, morose et rouge dans un ciel sans étoiles, il semblait toujours inévitable qu'avant le matin notre clairière aurait participé à son rougeoiement sanglant. Malgré tout, après une nuit blanche d'inquiétude et une journée de travail, Eva s'est rapidement endormie. Pour ma part, accablée d'une rude fatigue, je me trouvais si loin du sommeil que le sommeil paraissait impossible. Pendant de longues minutes j'ai gardé les yeux ouverts, scrutant la nuit à l'affût des signes d'un feu de forêt.

Quand je me suis réveillée, la lune était blanche, la clairière enveloppée du velours infini d'une nuit d'été, et le seul feu que je distinguais était le flamboiement distant des étoiles.

J'ai jeté un coup d'œil à Eva et j'ai vu que même endormie elle tenait son ventre délicatement dans ses bras. J'ai humé l'air pour y discerner la présence de fumée, mais tout ce que j'ai perçu, c'était la senteur propre des sapins et des lauriers et de la rosée. Le danger semblait être passé, et j'imagine que nous ne saurons jamais à quel point cet incendie était près de raser nos vies.

La cueillette du potager tire à sa fin. Nous avons utilisé tous les bocaux que nous possédons et les étagères du garde-manger sont remplies de tomates, de haricots verts, de betteraves, de prunes, de compotes de pomme, de pêches, d'abricots, de citrouille et de poires. Des chapelets de fruits secs et de poivrons et de haricots pendent du plafond, avec des bouquets d'herbes de la forêt. Des oignons séchés remplissent un sac de course en loques, et notre maigre récolte de maïs séché un autre. Les courges d'hiver sont empilées dans un coin de la pièce, et un carton de pommes de terre est entassé à côté.

Cela paraît beaucoup, mais quand je pense à tout ce que nous mangeons, je me demande s'il est possible de garnir suffisamment ce garde-manger pour nous maintenir en vie.

À un peu plus d'un kilomètre environ à l'est de la maison, la forêt commence à s'éclaircir. Les séquoias disparaissent en premier, puis petit à petit les sapins et les érables. Et enfin quand l'arbousier et le laurier s'effacent à leur tour, la terre s'ouvre, s'aplanit sur une large crête où il ne reste que des chênes – des chênes de Californie si solidement ancrés dans le sol qu'on dirait plus des monuments que des arbres. Loin du fouillis et de l'enchevêtrement de la forêt, ils sont massifs, leurs troncs épais, leurs branches s'étalant avec élégance au-dessus de l'herbe dorée. Ce sont de vieux arbres tranquilles, lourds de feuilles robustes et courbes et de noix en grappes couleur miel, et ce sont vers eux que nous sommes allées pour apprendre à récolter des glands.

Si vous voulez ramasser des glands, il faut ramper. Vous devez avancer à quatre pattes comme un animal ou un suppliant et vous traîner dans la poussière et les résidus végétaux, vous traîner sur vos paumes et vos genoux en écartant les feuilles pointues et les cupules vides pour trouver des glands mûrs.

Cela nécessite bien plus d'adresse que je ne l'avais imaginé. Hier j'ai ramassé un plein sac avant de m'apercevoir que même le plus petit trou de la taille d'une piqûre d'épingle dans le gland signifie qu'il y a un asticot blanc qui se tortille à l'intérieur. Ce matin, j'ai dû inspecter chaque gland pour voir s'il était troué avant de le mettre dans mon sac. Mais cet après-midi je pouvais presque dire si un gland n'était pas véreux en le tâtant simplement quand je le ramassais.

Nos mains sont occupées, mais c'est un travail lent. Faire le tour d'un arbre peut prendre des heures d'un labeur minutieux, lequel commence autour du tronc et progresse en spirales jusqu'à la limite de la ramure. On a chaud et on est couvert de poussière, on a mal au dos et aux genoux. Mais il y a un rythme à prendre, lent et rêveur. Au bout d'un moment, c'est presque une prière.

Les grillons chantaient comme si la journée elle-même respirait, un chant inhalé et exhalé dans la chaleur, se dilatant et se resserrant et revenant sur lui-même en décrivant des cercles. Parfois nous avions droit à la faveur d'une brise. Haut dans le ciel au-dessus de nous, trois vautours tournoyaient et montaient en flèche si élégamment qu'on aurait presque pu me persuader qu'il y avait quelque chose de sacré dans le fait de manger des charognes.

Pendant longtemps nous avons travaillé en silence, remplissant nos sacs en toile et nos taies d'oreiller. Lorsque le soleil a été au zénith, tous nos récipients étaient bourrés de glands. Adossées contre le tronc du chêne sous lequel nous avions trimé, nous avons mangé des œufs durs et des pommes, en contemplant les collines silencieuses, desséchées par le soleil.

— On est peut-être les deux dernières personnes sur terre, a dit Eva d'une voix qui ne traduisait ni peur ni tristesse.

J'ai hoché la tête un peu rêveusement, et j'ai répondu sur le même ton :

— Oui, peut-être.

JE rêve de l'ours. Une fois de plus, il sort de la forêt, la démarche traînante. Une fois de plus, il se dirige vers moi d'un pas pesant. Mais cette fois, bien que je sois moite de peur, ma peur est d'une autre sorte, et je me rends compte que soit je ne m'attends pas à ce que le face à face se solde par ma mort, soit l'idée de mourir ne m'embête pas autant qu'autrefois.

L'ours se penche à nouveau sur moi. Mais, au lieu de me lécher, il ouvre sa gueule devant mon visage, si grande que toute ma tête se retrouve à l'intérieur de sa bouche et je regarde le sombre tunnel que forme sa gorge. Je sens ses crocs contre mon cou, et je sais qu'il m'a arraché la tête. Mais quand il écarte sa bouche de mes épaules vides, je vois le monde aussi bien qu'avant – en fait, les choses ont une clarté que je n'avais jamais imaginée avant, et je pense, Quel effort c'était de traîner ma tête avec moi pendant si longtemps.

LES glands de la plupart des chênes contiennent de l'acide tannique qui, bien que servant de conservateur naturel, donne une désagréable amertume au fruit. Aussi, pour rendre la majorité des espèces de glands consommables par l'homme il faut procéder à l'une des nombreuses méthodes permettant de filtrer le tanin.

Un gland frais a un goût de cérumen. Il fait se froncer la langue, dessèche la bouche et laisse une amertume qui demeure longtemps après qu'on l'a recraché.

J'ai mis plusieurs jours à trouver une façon de sécher, décortiquer, peler, piler, filtrer et cuire les glands. Au début j'écrasais les glands décortiqués avec un marteau puis je me servais du rouleau à pâtisserie en marbre de Mère pour essayer de les moudre sur une pierre plate qu'Eva m'avait aidée à sortir du ruisseau. Mais moudre des glands ne fait que les transformer en une pâte impossible à filtrer car l'eau ne passe pas à travers. Au bout du compte, j'ai échangé le rouleau à pâtisserie contre l'un des coins en acier que Père utilisait pour fendre des bûches. J'ai encore mal aux bras, et j'ai des ampoules et des pinçons aux mains à force d'avoir passé des heures à piler des glands avec la tête plate du coin, mais mes efforts ont été récompensés par un kilo de farine d'une texture un peu plus rugueuse que la farine de maïs grossièrement moulue.

J'ai pris un vieux filtre à café pour la filtrer, et j'ai versé de l'eau bouillante plusieurs fois de suite jusqu'à ce que le liquide couleur thé qui gouttait du filtre devienne clair, et que la farine ait un goût insipide, presque sans saveur, comme des haricots non assaisonnés. J'ai mélangé la farine filtrée avec de l'eau fraîche et je l'ai fait cuire à feu doux pour obtenir de la bouillie.

Je suis sûre qu'un Pomo se serait moqué de ma méthode, mais je dois admettre que j'étais fière quand nous nous sommes assises, Eva et moi, pour dîner hier soir. Après nous être tenu les mains par-dessus le bol fumant, nous avons mangé. C'était fade et lourd – comme du riz ou du pain –, avec un léger goût de noisette, de terre, un aliment aussi solide qu'un chêne.

JE frémissais avant quand j'ouvrais un gland et que je découvrais un ver qui se tordait à l'intérieur. Puis j'ai lu que les

Pomos considéraient les vers comme une douceur, et maintenant j'ai honte lorsque j'en élimine un. J'aimerais bien, moi aussi, pouvoir manger ces larves qui dans mes rêves signifient la mort. J'aimerais pouvoir mordre dedans, les mâcher, les avaler tout rond. Je veux apprendre à manger des vers.

BIEN après la souche du séquoia, nous avons trouvé un lieu planté de chênes blancs de Californie avec les plus gros glands que j'avais jamais vus. Mais quand nous avons essayé de les ramener à la maison, le trajet était si épuisant qu'après avoir gravi et descendu la colline toute la journée nous étions fourbues, et nous n'en avons pas ramassé autant que je l'espérais.

Nous nous étions presque mises d'accord pour nous en tenir aux glands moins nombreux et plus véreux que nous récoltons à proximité de la maison quand Eva a suggéré de faire sécher les glands dans la forêt et de les stocker dans la souche du séquoia en attendant d'en avoir besoin cet hiver. Aussi avons-nous passé la matinée à traîner nos claies jusqu'à la souche, ainsi que huit barils en plastique de cent litres que nous utilisions autrefois pour ce que nous pensions être des détritus.

Je ne crois pas que nous soyons retournées ensemble à la souche depuis l'âge de douze ou treize ans, et tandis que nous manœuvrions tant bien que mal le ventre imposant d'Eva et notre premier chargement de matériel en haut de la colline, je me suis sentie curieusement désorientée, encombrée de trop de souvenirs et troublée par la nouveauté de la situation présente – par ma sœur enceinte qui soufflait derrière moi, par notre besoin urgent de glands.

Quand je suis enfin arrivée à la souche, j'ai hésité à pénétrer dans le sanctuaire que nous en avions fait, Eli et moi. Mais alors que je tergiversais, Eva m'a rejointe en haletant. Elle a lâché son chargement à terre avec un grognement et, frottant la large courbure de son ventre, elle a jeté un regard circulaire.

— Je pense qu'on va y arriver, a-t-elle dit, même s'il nous faudra couper quelques-uns de ces jeunes arbres afin de laisser entrer suffisamment de lumière pour le séchage. Qu'est-ce que vous faisiez ici, Eli et toi, vous plantiez encore plus d'arbres ?

Nous avons ri d'un air un peu contrit, puis Eva est retournée à la maison chercher de nouveaux barils, me laissant couper trois des maigres sapins qui bouchaient l'espace devant la souche. Tandis qu'à tour de rôle ils s'écrasaient au milieu des branches enlacées, le cercle du ciel s'est élargi et un peu plus de lumière a pénétré dans la clairière. Lorsqu'Eva est revenue, j'avais sorti les claies et j'attendais dans un rond de soleil.

Nous avons travaillé tout l'après-midi, ramassant des glands, les étalant sur le tulle blanc, déplaçant les claies pour suivre la migration du soleil. Lors d'un de nos allers et retours nous sommes tombées sur une montagne de ronces encore lourdes de mûres. Nous en avons cueilli un plein panier et éparpillé celles que nous ne mangions pas pour qu'elles sèchent à côté des glands.

L'air a commencé à s'épaissir et à fraîchir. D'un seul coup, la nuit est tombée, et nous avions hâte de sortir de la forêt et de rentrer à la maison. Nous avons versé les glands dans l'un des barils pour les protéger de la rosée, mais les mûres étaient trop juteuses pour les transporter sans qu'elles se transforment en purée.

— Laissons-les là pour la nuit, a dit Eva en se penchant sur la claie et en tâtant une mûre puis une autre entre ses doigts violets. La rosée ne les abîmera pas vraiment, en revanche elles seront perdues si on essaie de les emporter maintenant.

— Les écureuils et les oiseaux ne risquent-ils pas de les manger ? ai-je demandé.

— La nuit ? Nous reviendrons demain matin à la première heure.

Et nous sommes parties avant que le crépuscule ne devienne plus dense.

Juste avant l'aube, nous avons de nouveau gravi la colline, soufflant et riant dans les brumes radieuses, transportant des tasses, des assiettes, une casserole remplie de cendres et de braises. Nous avions prévu un petit déjeuner de thé à la menthe et de bouillie de glands et de mûres sur le feu de camp que nous allions faire, et je crois que nous étions toutes les deux presque aussi gaies que les enfants que nous avions été autrefois, heureuses de rejouer ensemble dans la forêt.

Je suis arrivée à notre nouvelle clairière juste avant Eva et j'ai eu un hoquet de surprise, trop choquée pour me retourner et courir.

Les claies étaient renversées, leurs voiles de tulle en lambeaux, leurs cadres tordus et fendus. Quelques mûres étaient éparpillées sur le sol tapissé de feuilles et de branches mortes. Nous nous sommes rapprochées. La forêt était silencieuse à l'exception du pépiement intime des mésanges à tête noire. Sans la violence muette des claies détruites, je n'aurais peut-être pas pensé à un ours.

Nous avions un choix à faire, une décision à prendre sur la façon dont nous allions vivre, sur les risques qui valaient la peine d'être encourus. Nous devions déterminer ce qu'il fallait craindre avant tout. Nous devions trancher entre notre peur de passer un hiver affamées avec un bébé et notre peur d'un ours noir au début de l'automne. Nous devions mettre en balance ce que nous imaginions de la bruine noire de l'hiver – avec le garde-manger vide et nous, réduites à bouillir le cuir de nos chaussures et à manger le cambium des arbres – et les griffes et les muscles d'un ours.

Au bout du compte nous avons choisi de redouter l'hiver et nous nous sommes raisonnées : L'encyclopédie dit que les ours noirs sont farouches. Elle dit qu'ils ne sont agressifs qu'au printemps, uniquement quand ils ont faim et que leurs petits sont jeunes. Nous devons juste veiller à ne jamais laisser de nourriture dehors pendant la nuit.

Malgré nos arguments logiques et nos justifications élaborées, je ne pense pas que ce soit la logique qui nous a finalement persuadées, mais plutôt le fait que c'était agréable d'être dans les bois, de ramasser des glands, de faire sécher des baies, de boire nos tisanes aux herbes sauvages et de cuire nos repas sur les feux qu'Eva allumait dans le foyer que nous avons construit devant la porte de la souche.

Tous les matins à présent, une fois accomplies nos corvées dans le potager déclinant, nous prenons la direction de la forêt. Dans le ruisseau près de la souche nous avons ouvert un bassin pour collecter l'eau – que je tiens absolument à faire bouillir avant que nous la buvions –, et loin du ruisseau nous avons creusé des latrines. Toute la journée nous ramassons et faisons sécher des glands, et le soir nous rajoutons notre récolte aux barils. Nous attachons les couvercles avec des élastiques, bloquons l'entrée avec des planches de contreplaqué, et alors que nous regagnons la maison à la tombée de la nuit, à travers la forêt qui est devenue si sauvage qu'elle abrite maintenant un ours, j'éprouve une joie secrète. Pour une raison totalement obscure, je me sens moins seule.

La récolte de glands est terminée depuis quelques jours. Notre travail se traduit par cinq barils pleins de glands et un quart de baril de mûres séchées. Nous avons décidé de les laisser tous dans la souche pour l'instant et de remplir les deux autres barils restants avec de la nourriture séchée du garde-manger. Ainsi, quoi qu'il arrive, nous aurons toujours une cache dans les bois.

Posséder ne serait-ce qu'un seul baril de glands, c'est posséder une richesse inestimable. Lorsque nous avons vidé le dernier sac dans le cinquième baril, je me suis penchée par-dessus. J'ai plongé les mains entre les fruits lisses et frais puis les bras jusqu'aux coudes, et j'ai posé ma joue contre les glands dans une sorte d'étreinte. J'ai humé leur légère odeur de poussière, songé à la pluie et à l'obscurité et à la faim contre lesquelles ils nous prémuniraient et je me suis sentie profondément fière.

LES beaux jours persistent, quoiqu'ils raccourcissent à présent et soient plus frais, un été indien avant l'arrivée des pluies de l'hiver. Les poules ont cessé de pondre il y a un moment et le potager n'existe quasiment plus, bien que nous glanions encore quelques tomates aqueuses, quelques derniers poivrons et une petite blette. Tous les barils de la souche sont remplis de nourriture, une cache qui j'espère pourra nous mener jusqu'à la fin de l'hiver s'il le faut. J'ai passé les deux derniers jours à lui clouer un toit en contreplaqué et en tôle ondulée, si bien qu'elle ressemble davantage maintenant à la cabane d'un clochard qu'à la chaumière des fées que nous feignions d'y voir autrefois.

Eva commence à paraître minuscule comparée à son ventre, un globe ferme là où autrefois elle était plate et tout en muscles. Parfois je le vois se soulever sous les chemises de travail qu'elle porte. "C'est un danseur, dit-elle en riant. Il travaille ses *frappés*." Mais son ventre qui bouge me dégoûte comme les mares de boue que nous avions vues à Yellowstone l'année de mes huit ans, la boue chaude et lente bouillonnant stupidement, plus menaçante que la vie.

Elle s'est plainte de nausées récemment. Elle est pâle et fatiguée et ne mange pas beaucoup. Elle dit qu'elle a mal au cœur tout le temps. Quand je lui prépare du thé à la menthe, elle sourit et prétend qu'elle se sent un peu mieux.

Il s'est peut-être écoulé plus de temps que je ne le pensais. Peut-être ne va-t-elle pas tarder à entrer en travail.

JE me suis finalement décidée à lire les passages dans l'encyclopédie sur les *Changements anormaux au cours de la grossesse* et les *Accidents pendant l'accouchement*. J'ai lu sur *le diabète gestationnel, l'insuffisance cardiaque, l'éclampsie, l'épilepsie, les kystes placentaires, les inflammations placentaires, la môle hydatiforme, la toxémie, l'hypertension, l'hydramnios,* et *le placenta prævia, abruptio et accreta.*

J'ai lu sur *les naissances prématurées, les accouchements par le siège, les présentations postérieures et transverses, les accidents de cordon ombilical, la disproportion fœto-pelvienne, l'œdème cervical, l'arrêt de la descente fœtale, la dystocie de l'épaule, la rupture utérine ou l'inversion, la souffrance fœtale, la rétention placentaire, l'hémorragie du post-partum* et sur *les apnées du prématuré.*

Quand j'ai commencé, j'étais assise à la table en face d'Eva, mais après un paragraphe ou deux, j'ai éprouvé le besoin de me lever et de m'éloigner d'elle, de sortir sur la terrasse où, à la fraîcheur du crépuscule, j'ai lu en proie à une fascination horrifiée.

Je n'aurais jamais imaginé qu'avoir un bébé était une entreprise aussi risquée. Je n'arrête pas d'y penser. C'est comme la démangeaison du sumac vénéneux – quand on essaie de la soulager en se grattant, cela ne fait qu'intensifier la douleur.

LA nuit dernière j'ai empilé un énorme tas de bois devant la porte et fabriqué un petit nid pour un nouveau-né avec des couvertures et un tiroir de commode. Puis, dans une tentative désespérée pour me préparer à être une obstétricienne, je me suis de nouveau attaquée à l'encyclopédie. Je passais rapidement sur les croquis des organes reproducteurs de la femme, sur les sections ayant pour titres *Changements anatomiques et physiologiques dans les organes non reproducteurs et les tissus durant la grossesse*, quand le mot *anémie* a accroché mon regard : *Si la fatigue et des nausées sont présentes au cours du deuxième et troisième trimestre, on peut suspecter une anémie ; cependant, seule un hématocrite peut déterminer le type et la gravité d'une carence en fer. Chez la parturiente souffrant d'anémie le risque d'avoir un accouchement difficile et une hémorragie du post-partum est bien plus grand. Par ailleurs, une anémie macrocytaire, due à un déficit en vitamine B12 dans le régime, peut provoquer des lésions cérébrales et nerveuses chez le nouveau-né. Toutefois, dans la mesure où la vitamine B12 existe en quantités adéquates dans presque tous les produits laitiers et la viande, ce type d'anémie ne menace en général que les femmes suivant un régime strictement végétarien.*

J'ai ressenti la même sorte de satisfaction qu'autrefois quand je plaçais l'ultime pièce d'un puzzle – nous n'avons pas mangé de viande depuis que nous avons fini la dernière boîte de thon l'hiver dernier, ni d'œufs depuis presque un mois. Et Eva a la nausée, est pâle et sans énergie.

Accouchement difficile. Hémorragie du post-partum. Lésions cérébrales et nerveuses chez le nouveau-né. S'il le fallait, je tuerais Bathsheba ou Pinkie. Mais elles sont un peu comme des amies après tout ce temps, et de toute façon, quelle quantité de vitamine B12 y a-t-il dans une vieille poule ?

Le porc sauvage et le sanglier appartiennent à la famille des Sus scrofa, *qui s'est développée en Inde il y a environ trente millions d'années. Bien que Christophe Colomb ait embarqué des pourceaux avec lui lors de son second voyage en 1493, ce sont les conquistadors qui ont véritablement introduit le sanglier dans le Nouveau Monde. Les cochons espagnols domestiques qui s'échappaient dans la nature se sont rapidement adaptés à leur nouvel environnement, perdant, en l'espace de quelques générations, leurs caractéristiques d'animaux de basse-cour, et revenant aux oreilles dressées, au groin allongé, à la queue droite, à la corpulence et aux défenses proéminentes de leurs ancêtres sauvages.*

Les sangliers sont relativement farouches, bien qu'ils semblent apprécier le contact avec des individus de leur espèce. Ils sont intelligents, ont un odorat et une ouïe développés, et ils courent remarquablement vite. Les sangliers sont omnivores et consomment des végétaux de tous types, même s'ils sont connus pour manger des vers, des souris, des insectes, des œufs et des charognes, ainsi que certains types de sol et de roches qui leur procurent des minéraux et d'autres substances nutritives.

Un sanglier, ça devrait faire beaucoup de viande – bien plus qu'un cerf à queue noire. Fumée – ou séchée aux derniers rayons du soleil d'automne –, sa viande pourrait nous durer longtemps. Par ailleurs, il n'y a pas grand-chose à aimer chez un sanglier – ce sont des animaux laids et agressifs, qui déterrent les bulbes et creusent des souilles dans les ruisseaux. Ce ne serait pas comme tuer un cerf avec ses yeux doux et ses pattes de danseur.

Je crois que je pourrais tuer un sanglier.

Je crois que je vais essayer.

TUER un sanglier est plus difficile qu'il n'y paraît.

Apparemment, je m'étais imaginé qu'une fois ma décision prise, il me suffirait de ramasser la carabine dont je ne me suis servi que pour tirer sur des bocaux de pickles, d'aller faire un petit tour et de tuer le gentil petit cochon qui m'attendait de l'autre côté de la route. Mais toute la journée j'ai erré dans la forêt, tendue et nerveuse, ne voyant rien que des moineaux et des écureuils. Avec la carabine qui pesait sur mon épaule, j'ai grimpé et descendu les collines abruptes en m'aidant des pieds et des mains, me suis frayé un chemin entre le fouillis des arbres, cherchant les porcs qui ont pénétré dans ces bois avec les premiers Européens. J'ai suivi les sillons étroits des pistes des animaux et n'ai trouvé que des arbres et encore des arbres.

J'ai fini par m'asseoir là où j'étais – à mi-hauteur d'une autre colline –, là, sur la terre avec ma carabine à mes côtés, entourée par un tissage serré d'arbres en manque de lumière, et j'ai essayé de penser comme un chasseur, essayé de penser comme un sanglier. Je suis restée ainsi longtemps, observant des ronds de lumière apparaître et disparaître sur le sol jonché de feuilles, écoutant le bruit d'un pic lointain.

Je voulais partir, rentrer à la maison. J'ai pensé, Je n'y arriverai pas. Mais une espèce d'inertie m'a empêchée de me lever. Au bout d'un moment je me suis quand même mise debout, j'ai gravi la colline et suis passée devant notre souche pour gagner le petit ruisseau. Je l'ai suivi vers l'amont jusqu'à la souille que je me souvenais d'avoir vue. C'était un trou aussi gros qu'une baignoire à l'ancienne, sa boue noire retournée portant l'empreinte des sabots fendus du sanglier.

Je me suis cachée au-dessus dans un fourré de noisetiers jusqu'à ce que la lumière commence à baisser, mais rien n'est venu hormis une nuée tardive de moustiques.

Le lendemain j'y suis remontée avant le lever du soleil. Aux premières lueurs de l'aube, je me suis une fois de plus cachée dans les noisetiers, décidée à attendre l'arrivée d'un sanglier. Je suis restée là, accroupie, jusqu'à midi, jusqu'à avoir des fourmis dans les jambes, puis la sensation disparaissait, puis ça recommençait, comme une fièvre qui monte et tombe et revient, je suis restée là jusqu'à ce que les juncos se sentent suffisamment en confiance pour vaquer à leurs occupations à mes pieds. Une fois j'ai entendu un lointain fracas. L'adrénaline a giclé dans mon cerveau et mon ventre, mais il ne s'est rien passé d'autre. Le bruit a changé de direction et s'est évanoui. J'ai continué d'attendre jusqu'à avoir mal aux fesses et le dos raide, jusqu'à ce que mes jambes hurlent, mais rien n'est venu.

— Ce sont peut-être des animaux nocturnes, a dit Eva au dîner.

— Je ne sais pas. L'encyclopédie ne le précise pas.

— Pourquoi tu ne laisses pas tomber ? a-t-elle demandé d'un air indolent. On a plein de vivres encore.

Du bout de sa fourchette elle a joué avec sa purée de citrouille et ses rondelles de tomates et sa compote de pommes pendant que je mangeais. Puis elle a fini par pousser son assiette vers moi en disant :

— Tu en veux ? J'ai un peu mal au cœur.

J'ai pensé, *Accouchement difficile, hémorragie du post-partum. Lésions cérébrales et nerveuses chez le nouveau-né.*

— Peut-être qu'ils me sentent, ai-je dit.

Le lendemain matin j'ai grimpé à la souille avec le T-shirt dans lequel j'avais dormi. C'était un des T-shirts de mon père, usé, sans forme et doux à force d'avoir été porté pendant des années, et il s'en dégageait l'odeur délicieusement désagréable de mes nuits. Je l'ai soigneusement étalé sur la boue de la souille et je suis partie.

Vingt-quatre heures plus tard, il était toujours étendu à plat sur la boue, bien que de l'eau marron ait imbibé le tissu, filtrant à travers comme des taches de moisissure. Je l'ai regardé fixement pendant un moment puis je suis repartie, rongée par un sévère sentiment d'échec.

Lorsque je suis arrivée à la souille le jour d'après, je m'étais tellement préparée à être encore plus déçue que j'ai cru dans un premier temps que le T-shirt avait tout simplement disparu. Mais j'ai alors remarqué une boule de tissu piétinée dans la gadoue. L'espace d'une seconde, ça a été un choc, une petite profanation, de voir le T-shirt de mon père – le T-shirt que je portais la nuit – déchiré et sale et roulé dans la boue, mais un instant plus tard, j'ai été pénétrée d'une joie si forte que j'ai dû me retenir pour ne pas crier. J'ai déboutonné mon jean tout élimé, retiré ma culotte déchirée et je les ai posés sur la boue. Puis je me suis accroupie, j'ai fait pipi et je suis rentrée à la maison.

Le lendemain matin, ma culotte traînait dans la souille.

— Je vais faire la sieste, ai-je dit à Eva à mon retour.

— Tu vas bien ? a-t-elle demandé.

— Oui. J'ai juste besoin de me reposer. Je vais grimper dans un arbre près de la souille ce soir et les attendre.

— De nuit ?

J'ai haussé les épaules et j'ai répondu avant de changer d'avis :

— Bien sûr. Pourquoi pas ? C'est la pleine lune, ai-je ajouté, autant pour me rassurer que pour rassurer ma sœur. Ça va aller.

Je suis partie juste avant le crépuscule. Dans mon sac à dos, je transportais la pierre à aiguiser de notre père, le couteau désosseur de notre mère que j'avais pris parmi ses ustensiles de cuisine, la hachette et une bouteille d'eau. Les poches de mon blouson étaient remplies de rondelles de pommes séchées et de balles. Le contact de la carabine sur mon épaule m'était agréable tandis que je grimpais dans la fraîcheur des sous-bois, passais devant l'énorme souche avec sa mine de nourriture et longeais le ruisseau jusqu'à ce que, alors que la nuit tombait, j'arrive à la souille.

J'ai cherché autour de moi quelque chose sur quoi me hisser, mais aucun arbre n'offrait de branches accessibles. Les plus proches de la souille étaient les chênes à tan qui poussent sur ces coteaux encombrés, grands, fins et presque dépourvus de branches jusqu'à la hauteur de la canopée. Au-delà c'étaient des séquoias dont les branches les plus basses se trouvaient à neuf mètres au-dessus de ma tête.

Lentement j'ai tourné autour des troncs en réfléchissant. Bon, j'ai essayé. Ce n'est pas ma faute s'il n'y a pas d'arbres auxquels grimper. Ce n'est pas ma faute si Eva est enceinte. Elle ne souffre probablement pas d'anémie, de toute façon. Je suis juste parano. Son accouchement se passera bien. Le bébé est sans doute en bonne santé. Et s'il ne l'est pas, c'est comme ça. Il est trop tard pour y changer quoi que ce soit.

La lumière baissait vite, et c'est peut-être la peur de rentrer dans le noir qui m'a convaincue de rester où j'étais. Comme je ne voulais pas passer la nuit au sol, je me suis finalement attaquée à l'arbre le plus prometteur que j'ai pu trouver – un chêne qui poussait en amont du ruisseau et fléchissait en arrière au-dessus de la souille. J'ai mis ma carabine en bandoulière sur le dos et j'ai posé mes mains de part et d'autre du tronc. L'écorce était froide, humide et rêche. Étonnamment résistante.

J'ai commencé à grimper. Les premières branches n'étaient guère plus que des brindilles qui cassaient dans mes mains quand j'essayais de m'y accrocher. Mais j'ai réussi à en atteindre une suffisamment solide pour me servir de prise. Je l'ai attrapée et me suis hissée, le canon de la carabine cognant contre ma joue. Finalement je suis parvenue à une branche assez épaisse pour soutenir mon poids, et je l'ai enfourchée comme un cheval. J'étais plus haut que je ne l'aurais voulu et assise en biais du mauvais côté de l'arbre si bien que je devais me pencher et tourner les épaules pour faire face à la souille. Mais il était trop tard pour tenter autre chose.

Cramponnée au tronc, je me suis tortillée pour dégager la carabine de mon épaule et la poser sur mes genoux. Je l'ai chargée, j'ai vérifié trois fois le cran de sûreté, je me suis arc-boutée du coude et de l'épaule à la branche sur laquelle j'étais juchée, et je me suis ensuite entraînée à viser la souille. Quand il a fait trop nuit pour distinguer ma cible imaginaire, j'ai coincé la carabine entre mon corps et l'arbre et j'ai sorti de ma poche une rondelle de pomme séchée.

La dernière lueur s'est évanouie. J'étais seule dans le noir, la bouche pleine de pulpe de pomme, perchée sur un chêne au-dessus d'un trou boueux au milieu d'une forêt dont je ne connaissais plus la lisière, avec la nuit tout entière pesant sur mes épaules. Un sombre réseau de branches me surplombait, et au-delà je voyais quelques paillettes de lumière d'étoiles. J'ai senti un léger picotement sur le devant de ma jambe et je me suis donné une tape, m'efforçant de ne pas penser à ce que cela pouvait être. Le sol de la forêt s'était estompé. Je me suis agrippée au corps lisse et froid du chêne et j'ai attendu que la lune se lève au-dessus de la cime des arbres.

Cela a semblé durer une éternité. Je suis restée ainsi dans l'obscurité pendant un long moment, écoutant les stridulations lasses de quelques derniers grillons, me raidissant quand j'entendais en dessous de moi des bruits de pas, chassant des araignées réelles ou imaginaires. J'ai senti que mes jambes s'engourdissaient, et j'ai eu peur que les sangliers arrivent et repartent avant que la lune ne me permette de les voir. Puis j'ai paniqué à l'idée que la lune ne se lève pas du tout. Peut-être que je m'étais trompée sur sa phase – ou peut-être qu'il y avait une éclipse. Peut-être que la lune avait disparu.

Les ombres ont fini par s'épaissir. Au début j'ai cru que mes yeux inventaient quelque chose à regarder, ou qu'ils s'habituaient juste à la nuit, mais au bout d'un moment j'ai su avec certitude que la lune paraissait enfin.

Une pleine lune éclaire bien moins au milieu d'une forêt que dans une clairière. Froide et imperturbable, la lumière qu'elle projetait était brisée par le plafond des arbres si bien qu'elle tombait en ronds argentés, laissant les ombres épaisses et noires.

J'ai glissé ma main dans ma poche pour prendre une autre rondelle de pomme. Puis j'ai essayé de déplacer le poids de mon corps pour qu'il ne porte plus sur mes cuisses, d'un haussement d'épaules j'ai essayé ensuite d'ajuster le sac, de me pencher contre la branche qui me retenait, me tordant et me retournant jusqu'à ce que je trouve momentanément une position à peu près confortable. J'ai regardé la lune se lever dans une trouée du ciel, et, pour passer le temps, j'ai repensé à tout ce que j'avais appris à son sujet. Je me suis rappelé que la lune gravite autour de la Terre à une distance moyenne de 383 024 kilomètres, que sa superficie est égale à celle de l'Amérique du Nord et du Sud environ, que le basalte de la mer de la Tranquillité s'est formé il y a 3,7 milliards d'années.

Mais j'ai appris quelque chose que l'encyclopédie ne sait pas – quand la lune est croissante, on peut l'atteindre et tenir délicatement sa courbe externe dans la paume de la main droite. Quand elle est décroissante, elle remplit la paume de la main gauche.

Un petit vent a frémi à travers les feuilles. *Rock-a-bye, baby*, une voix chantait dans ma tête. *In the treetop.*

When the wind blows, the cradle will rock.

When the bough breaks, the cradle will fall,
*and down will come baby, cradle, and all.**

J'AI desserré mes doigts qui tenaient la carabine et j'ai pris une autre tranche de pomme dans ma poche. J'avais mal aux jambes et je me suis efforcée de me rappeler ce que je faisais là, agrippée à un arbre au milieu de la nuit. J'ai songé à ma sœur et au bébé qu'elle allait avoir. Je me suis rendu compte que j'y pensais toujours comme à une fille, et ce soir, j'étais sûre que mon intuition était juste. Je savais qu'Eva portait une fille et je commençais même à éprouver malgré moi de l'affection pour cette petite fille qui allait tellement compliquer notre existence. Je me disais qu'elle serait un mélange de ma sœur, de ma mère et de moi-même. Nous lui donnerions le nom de sa grand-mère, ai-je pensé, et une nouvelle Gloria habiterait nos vies.

J'imaginais les histoires que je lui raconterais sur les mœurs d'autrefois, quand on pouvait allumer la lumière à minuit, quand il y avait des boîtes qui faisaient de la musique et lavaient le linge et cuisaient la nourriture, quand les gens pouvaient voyager en restant assis. J'imaginais les jeux que nous inventerions pour ramasser des glands, déterrer des pommes de terre, planter des graines. Je m'imaginais en train de lui montrer les fleurs sauvages et les herbes aromatiques, et dans quelle main tient la lune croissante.

Eva lui apprendrait à danser, ai-je pensé, et moi à lire et à écrire, et tandis que je m'accrochais au chêne et planifiais l'avenir de ma nièce, il me semblait voir des générations de femmes disparaître derrière nous et d'autres avancer à grands pas. Je me sentais en relation avec mes aïeules et avec le futur, et j'éprouvais – contre toute attente - la profonde satisfaction de la perpétuation.

---

* Comptine anglaise qu'on pourrait traduire : “Fais dodo, mon bébé, dans l'arbre, tout en haut, quand le vent soufflera, ton berceau balancera, quand la branche cassera, ton berceau tombera, et en bas tu iras mon bébé, et le berceau et tout ça.”

Un à un, les grillons ont cessé de chanter. La lune trônait au-dessus des arbres, un cercle serein qui tenait dans le creux de deux mains jointes en coupe. Tant qu'elle était au-dessus de moi, je distinguais nettement la souille, et, le souffle retenu, j'essayais de prier silencieusement pour que les sangliers viennent. Une fois j'ai entendu un fracas dans les bois derrière moi, mais je n'ai pas osé me retourner et le bruit ne s'est pas rapproché. Une autre fois j'ai sursauté en voyant une silhouette sombre au bord du ruisseau. Un mélange égal d'excitation et de frayeur a parcouru mes veines. Je tentais d'épauler tout doucement ma carabine lorsque je me suis rendu compte que quelque chose clochait. La créature était trop petite, sa queue trop longue. Alors que j'hésitais, elle s'est avancée dans un rond de lumière, et j'ai vu la bande blanche.

— On ne veut pas de mouffette, ai-je murmuré.

Heure après heure, je me suis assoupie et j'ai eu la bougeotte. J'avais des élancements dans les jambes, des crampes dans les cuisses, le dos et les mains de plus en plus raides, et il ne se passait rien. La lune avançait petit à petit dans le ciel, et elle a disparu dans un labyrinthe de branches. Je me suis retrouvée dans le noir, serrant l'arbre, serrant la carabine, attendant en silence le matin. J'ai senti la rosée, délicate et froide, se condenser sur mes joues et mes cheveux et mes mains et le long du canon de la carabine, et lentement la lumière a commencé à reparaître, lentement les formes et les couleurs ont réintégré la forêt.

Agitée de frissons, courbaturée, j'ai regardé l'aube se lever avec une sorte de soulagement coupable – j'avais fait de mon mieux, mais les sangliers étaient plus malins. Dès qu'il fera un tout petit peu plus jour, ai-je pensé, je rentre me coucher, je dors toute la matinée et je travaillerai dans le potager cet après-midi. J'ai fait ce que j'ai pu. Ce n'est pas ma faute si les sangliers ne se sont pas montrés.

C'est alors qu'ils sont venus. Ils étaient plus calmes que ce à quoi je m'étais préparée. Avant, chaque fois que je les entendais, ils étaient effrayés et se sauvaient à toute vitesse.

Mais là ils venaient à leur heure, ils venaient pour se désaltérer après avoir fourragé toute la nuit, pour se vautrer dans leur souille avant de se reposer pendant la journée, et le bruit de leur arrivée n'était guère plus que celui de quelques brindilles cassées et de doux grognements.

Ils étaient trois, dont l'un légèrement plus gros que les deux autres. J'avais craint que mon odeur ne les fasse fuir, mais le vent avait dû jouer en ma faveur, à moins que mon odeur ne leur soit familière, car après avoir reniflé à la hâte ma culotte, ils ont lâché un couinement et se sont éloignés. Ils ont bu au ruisseau, là où la mouffette avait bu. La forêt devenait plus claire. Je distinguais les feuilles de l'arbre en face de la souille.

J'ai retenu mon souffle en les regardant, ces monstrueuses et anciennes créatures grossières et – à ce moment-là – étonnamment belles. Je voyais leurs dos raides, leurs oreilles pointues et leurs queues noires toutes droites. Je les entendais grommeler dans la boue au-dessous de moi, et je me sentais honorée de les voir ainsi, détendus et nus, et n'ayant pas conscience de ma présence.

Je me suis rappelé que j'étais censée en tuer un.

Juste pour voir l'effet que ça faisait, j'ai épaulé la carabine. Sans respirer, je me suis retournée et me suis placée avec un coude contre la branche du chêne, mes genoux raides accrochés comme des bernacles au tronc. Tandis que j'essayais d'avoir les sangliers dans ma ligne de mire, ils se sont tendrement enlacés comme s'ils dansaient, se reniflant, se fouillant du groin. Ils s'aiment, ai-je réalisé. Et j'ai alors compris, de façon plus immédiate, plus viscérale que je ne l'aurais pensé – c'est une mère et deux sœurs.

Cette idée m'a fait chanceler, et l'espace d'un instant, j'ai eu peur de tomber de mon arbre, d'atterrir dans la souille au milieu d'eux, où ils me piétineraient et me déchiquetteraient comme ils avaient piétiné et déchiqueté mes habits. Mais je me suis accrochée, je me suis obligée à penser à Eva et à sa fille.

Accouchement difficile. Hémorragie du post-partum. Est-ce que tu veux que ta sœur se vide de son sang parce que tu n'arrives pas à appuyer sur la détente ?

Lésions cérébrales et nerveuses chez le nouveau-né. Est-ce que tu veux que cette petite fille naisse handicapée ?

Est-ce que tu veux passer une autre nuit assise dans cet arbre ?

J'ai serré le chêne avec mes genoux et mes cuisses. J'ai pris trois longues inspirations et j'ai essayé de me rappeler tout ce que je pensais savoir sur le maniement d'une arme. J'ai attendu que la carabine ne bouge plus et j'ai visé le dos de la laie, en plein milieu. Cela paraissait impossible, mais je m'étais dit que si je pouvais juste lui sectionner la colonne vertébrale, elle ne s'enfuirait peut-être pas avec ma balle dans le corps. J'ai inspiré encore et j'ai retenu mon souffle. Puis j'ai expiré et pressé la détente si lentement que je n'ai pas su quand encaisser le recul.

Tout a explosé dans un bruit assourdissant. La carabine a rugi, bien que, l'espace d'une seconde absurde, j'aie pensé que je n'avais pas tiré car dans mon excitation je n'avais pas senti l'arme partir en arrière. Des oiseaux que je n'avais pas remarqués se sont envolés de leurs nichoirs dans les arbres voisins. Une pluie de feuilles et de brindilles est tombée autour de moi. En dessous, la terre bouillonnait. Les marcassins avaient disparu, et j'ai regardé, horrifiée, la vieille laie qui s'agitait dans tous les sens et poussait des cris.

Une fois j'avais vu des gamins attacher un foulard autour du ventre d'un chat, et je me souviens d'avoir regardé avec une fascination malsaine le chat se débattre pour marcher tandis que, ne contrôlant plus ses pattes de derrière, il tombait et titubait comme un ivrogne. La laie faisait la même chose. Incapable de se redresser, elle se tordait et donnait des coups de pied, ses pattes de devant cherchant à tirer son corps pendant que ses pattes de derrière remuaient inutilement.

J'ai réussi ! ai-je pensé tout en essayant de mettre une autre balle dans la chambre, mais mes mains tremblaient tellement que la première balle est tombée comme un gland dans la boue. J'ai fouillé dans ma poche pour en prendre une autre, l'ai enfoncée dans le canon, et j'ai tiré une seconde fois. J'ai raté la laie. J'ai recommencé, et je l'ai touchée à l'épaule. Accrochée à mon arbre, remplie de joie et atterrée par ce que j'avais provoqué, je l'ai regardée se battre contre les balles, grommeler et grogner et projeter de la boue en l'air, toute son énergie libérée, jetée sauvagement dans le monde.

— Meurs, meurs. Je t'en prie, meurs, ai-je supplié à voix haute.

Au milieu de son agonie, elle a entendu le son étranger de ma voix. Elle a relevé la tête et ses yeux myopes ont semblé rencontrer les miens.

— Je t'en prie, meurs, l'ai-je implorée. Ma sœur va avoir un bébé.

Elle a grogné, a essayé à nouveau de se hisser hors de la souille, mais ses pattes de devant se sont affaissées sous elle. Elle a trébuché dans la boue et s'est couchée là, pantelante, tout à coup excessivement patiente. J'ai tiré encore, et cette fois je l'ai touchée là où je visais – à l'arrière de la tête. Elle s'est raidie sous l'impact de cette dernière balle puis s'est effondrée, s'abandonnant entièrement à la terre, renonçant à la vie.

Tout en pleurant et en tremblant, j'ai dégringolé de l'arbre, m'éraflant les mains, me tordant les jambes. Une fois à terre, mes muscles ont crié et tressailli sous l'effet de l'adrénaline et du manque de circulation, et j'ai failli m'évanouir. Je me suis retenue à l'arbre où j'avais passé la nuit, incapable de détacher mon regard du tas de chair boueuse que j'avais créé. J'ai éprouvé un élan, un déferlement de puissance, je me sentais immense, impressionnée et fière, convaincue – un instant du moins – que ma prise n'était pas uniquement due à la stupide chance du débutant.

Quand j'ai enfin réussi à me tenir debout, je me suis approchée, me suis penchée sur la créature dont j'avais pris la vie. J'ai vu les chairs déchirées, le sang sur la terre et, aussi sûre et violente que l'explosion de la carabine, l'image de mon père gisant dans la boue que son sang avait engendrée m'est revenue. J'ai eu un haut-le-cœur et j'ai vomi. Des bouts de pomme séchée réhydratée par la bile sont remontés de mon estomac et m'ont laissé une traînée brûlante dans la gorge.

J'ai vomi jusqu'à ce qu'il ne me reste rien à rendre, puis je me suis écroulée dans la boue et j'ai pleuré. J'ai pleuré mon père et ma mère et j'ai pleuré sur Eva et sa fille pas encore née et sur moi-même. J'ai pleuré Sally Bell et la Lone Woman – ces femmes qui avaient perdu depuis longtemps la sœur et l'enfant que j'essayais de sauver. J'ai pleuré sur cette laie et ses petits. J'ai pleuré d'épuisement et d'excitation, et j'ai pleuré parce que je savais que quand j'arrêterais, j'allais devoir d'une façon ou d'une autre transformer ce tas de muscles et de nerfs en viande.

La préparation, c'est le terme employé par l'encyclopédie, bien qu'il s'agisse plus de terminer ce que l'on a fait, et, comme d'habitude, l'encyclopédie ne dit presque rien sur la façon de s'y prendre. Mais je savais que je devais lui planter un couteau dans le corps, l'ouvrir, la vider de son sang, lui retirer les entrailles, lui arracher la peau, lui trancher la tête et les pattes, la dépouiller de sa chair. Et je savais que je ne pouvais pas attendre trop longtemps sinon la viande risquait d'être rance et la rigidité cadavérique arriverait.

Tu l'as tuée. Tu lui dois de l'accueillir dans ton ventre. Elle mérite de vivre à nouveau en toi, et en Eva, et en la fille d'Eva.

Je me suis redressée, je me suis tenue au-dessus d'elle un moment et délicatement j'ai soulevé une patte arrière du bout des doigts, serrant les dents au contact des poils raides, de la boue froide, de la chaleur de la vie qui restait encore en elle. J'ai timidement ramené sa patte vers moi, mais son corps refusait de bouger. Après un mouvement de recul, j'ai attrapé l'autre jambe avec mon autre main et j'ai tiré brusquement. Son arrière-train s'est déplacé de quelques centimètres.

Cela m'a pris du temps, mais petit à petit, en grognant et peinant, en tirant d'un côté puis de l'autre, j'ai fini par la sortir de la boue et j'ai essayé de la caler de sorte que sa gorge et son ventre se trouvent face à la pente. C'était un travail rude, mais quand j'ai fini de me battre avec elle, j'étais presque habituée à son contact et à son odeur. Petit à petit, elle devenait un objet.

J'ai attrapé son groin et j'ai rabattu sa tête vers l'arrière. Doucement j'ai enfoncé le couteau dans sa gorge, mais comme d'habitude, ma détermination à faire quelque chose ne signifiait pas qu'elle se ferait facilement. J'ai poussé et entaillé jusqu'à ce que le couteau pénètre enfin la veine jugulaire et qu'un épais sang rouge s'écoule le long de la pente sur laquelle j'avais hissé la laie, se répande dans la souille, dans cette bouillie de boue et de vomi.

J'ai entrepris de l'éventrer. Je lui ai brisé le sternum avec la hachette, et tandis que je guidais le couteau entre ses tétines encore gonflées, ses boyaux ont jailli du trou que j'ouvrais et sont retombés sur le sol de la forêt, lourds et pestilentiels. J'ai taillé un cercle autour de son anus, enfoncé la main dans sa chaleur poisseuse, puante, intime, empoigné le gros intestin et j'ai sorti cette longue corde de son corps.

Je peux tout faire maintenant, ai-je pensé en fouillant dans ses viscères chauds et iridescents à la recherche du cœur et du foie – mon premier cadeau à Eva et à sa fille.

Toute la journée j'ai travaillé, séparant la peau de la chair, la chair des os, divisant la laie en viande – quelques morceaux à faire bouillir et frire, une montagne de lamelles à faire sécher et fumer. Je ne m'arrêtais que pour boire de l'eau, aiguiser mon couteau et retirer mon blouson quand le soleil réchauffait la forêt.

Une épaule et la majeure partie de son dos et du filet étaient fichus à cause des balles, mais malgré tout nous avons été occupées pendant plusieurs jours à conserver sa chair. Déjà la lune du chasseur sous laquelle la laie est morte n'est plus qu'un croissant, et les joues d'Eva ont retrouvé des couleurs.

Je fais la sieste au creux de la souche dans un rond de lumière pâle, je rêve que je suis enterrée jusqu'au cou, mes bras et mes jambes comme des racines pivotantes s'effilant en un réseau de racines plus fines jusqu'à ce qu'il n'y ait plus de démarcations nettes entre les poils racinaires et le sol même. Tandis que je regarde par-dessus la terre, mon crâne enfle comme si j'absorbais à travers mes orbites le monde en surface et le ciel. Ma tête grossit jusqu'à devenir une coquille englobant la terre entière. Je me réveille doucement, avec un sentiment de calme infini.

Les feuilles des érables sont toutes tombées, et les jours sont encore clairs. Il nous reste des lanières de viande séchée, et je suis arrivée à fabriquer une espèce de savon liquide avec du saindoux et de la cendre, et à produire une lumière enfumée avec un bol de graisse de la laie et une mèche en soie.

Parfois j'ai l'impression de porter sa vieille âme sauvage en même temps que la mienne. Parfois au crépuscule, quand Eva et moi descendons de la colline et réintégrons la maison pour dormir, je me surprends à regarder ces pièces avec une sorte de terreur furtive. Je dois me rappeler, Ce n'est qu'une porte. Ce ne sont que des murs. Ils ne peuvent pas te faire de mal. Et parfois quand je me réveille le matin, ma première pensée est la panique – Il faut que je sorte.

La nuit dernière je me suis réveillée au bruit des premières pluies de l'hiver. Je suis restée allongée dans l'obscurité sans lune, écoutant le doux ruissellement de l'eau contre la fenêtre. Je me suis rappelé que l'an dernier, quand il avait commencé à pleuvoir, Eva et moi assemblions des puzzles et mangions de la soupe en boîte et attendions l'arrivée de quelqu'un qui nous sauverait, et j'ai éprouvé une immense compassion pour ces filles effrayées. Froide ironie du sort, c'était l'automne où Eva devait rejoindre une compagnie de ballet, l'automne où j'aurais dû entrer à Harvard, et l'un de ces jours incertains durant cet automne était le jour où j'avais eu dix-huit ans.

Ce matin je suis allée dans le garde-manger – juste pour me tenir là, entourée par notre collaboration de six mois avec la terre et l'eau et le soleil. Dans cette pièce mal aérée et sans fenêtres, j'ai regardé les denrées que nous avions mises en conserve, les citrouilles et les pommes de terre empilées sur le sol, les chapelets de fruits secs et de haricots qui pendaient du plafond, les ballots et les bocaux de racines et de feuilles et d'écorce et de fleurs que j'avais rassemblés, portant chacun une petite note indiquant où je les avais trouvés, ce qu'ils pouvaient soulager ou provoquer ou soigner. J'ai pensé aux sachets de graines dans l'atelier, toutes séchées et triées en attendant le printemps, et aux barils dans la souche, lourds de glands et de baies et de viande de porc séchée, et j'ai eu la sensation d'avoir finalement réussi l'Achievement Test.

DANS le pré, la nouvelle verdure de l'hiver commence tout juste à apparaître sous le tapis d'herbe dorée. Dans les bois, de minuscules pousses vertes se dressent telles des étincelles à travers les feuilles noires et humides, et les spores patients des champignons donnent brusquement naissance à d'autres champignons. Dans la clairière, le séquoia qu'Eva et moi avons planté tout au bout du potager en guise de piquet produit de nouveaux rejets.

Chaque jour apporte un cadeau. Hier nous avons trouvé un carré de petite oseille que nous avons ajoutée à notre soupe de viande séchée. Aujourd'hui j'ai remarqué ce qui ressemblait à des perles brillantes éparpillées sur le sentier menant à la souche – des baies d'arbousier. J'en ai ramassé quelques-unes dans ma main, et une sorte de prière de gratitude m'est venue à l'esprit avant d'en grignoter une. Elle était fade quoique légèrement sucrée – une chair jaune sèche autour d'un noyau de graines noires.

Hier, le temps était si humide que nous ne sommes pas sorties, abandonnant la forêt à sa propre humidité pour nous installer près du poêle allumé, somnolant et écoutant la pluie de l'hiver, les gouttes précipitées par le vent semées à la volée comme des graines contre les murs et les fenêtres. J'avais préparé une tasse de tisane de feuilles de framboisier pour Eva, comme fortifiant, et entre chaque gorgée elle s'amusait à poser la tasse en équilibre sur son ventre énorme et à la regarder manquer de tomber chaque fois que le bébé donnait un coup de pied.

Je pilais de la farine de gland près du poêle quand tout à coup la maison entière s'est mise à trembler. De la buanderie condamnée est monté un grincement, un claquement, un éclatement qui semblait ne jamais s'arrêter. La tasse d'Eva a roulé sur le plancher et j'ai bondi sur mes pieds. Il y a eu un moment de silence, suivi d'un autre craquement assourdissant, une autre série de bruits fracassants, puis de nouveau le calme.

Eva m'a regardée avec des yeux terrifiés et suppliants.

— Qu'est-ce qu'on fait ?

— On se cache, ai-je murmuré.

— Où ? a-t-elle demandé, et je ne savais pas quoi lui répondre, car au même moment, j'ai réalisé que quel que soit le coin ou le placard où elle se cacherait, elle finirait par y être prise au piège quand il fracasserait la porte.

— Attends près de l'entrée, ai-je dit tout bas. Je vais voir ce que c'est, et si je crie, cours dans les bois.

Elle a hoché la tête et m'a exhorté, “Sois prudente”, tandis que j'attrapais la carabine et me glissais à pas de loup vers la cuisine.

Dès que je suis entrée, j'ai vu que quelque chose n'allait pas. La lumière du jour filtrait à travers la lucarne de la porte qui donnait sur la buanderie. Je me suis approchée tout doucement, la carabine braquée sur la lucarne, là où je m'attendais à voir apparaître un visage. Il m'a semblé mettre un temps fou pour longer la paillasse, contourner le réfrigérateur poussiéreux et le poêle. Quand je suis enfin arrivée à la porte, je me suis accroupie sous la lucarne et j'ai attendu.

J'ai commencé à avoir la tête qui tournait et j'avais mal aux jambes, mais il ne s'est rien passé. Frémissant sous le poids du silence, je me suis redressée pour jeter un coup d'œil par la lucarne. Ce que j'ai vu a été un tel choc que l'espace d'un moment je n'ai pas compris – je regardais des décombres. Le lave-linge avait défoncé la porte de derrière et le sèche-linge gisait sur le côté près du congélateur renversé par terre. Le sol penchait dangereusement, et le toit s'affaissait entre les poutres tordues. La pluie tombait dans le trou qui séparait les décombres de la porte de la cuisine.

Comment a-t-il pu faire ça ? ai-je bêtement pensé. Il devait être accompagné.

Mais personne ne s'est montré, et quand je suis sortie pour chercher des traces, je n'ai trouvé que des empreintes de raton laveur et d'opossum. La buanderie s'était tout simplement effondrée, le plancher pourri succombant sous le poids de l'évier en fonte, du congélateur vide, du lave-linge inutile, du sèche-linge mort.

La maison de nos parents s'écroule tout autour de nous.

La lune est de nouveau pleine. Il a arrêté de pleuvoir pendant un moment, mais il fait si froid et Eva est si énorme que nous ne nous éloignons guère de la maison, du poêle, du garde-manger et de nos matelas chauds. Eva somnole et boit les tisanes que je fais infuser pour elle. Elle tricote d'étranges petites robes avec les fils de soie que notre mère a laissés, pendant que je parcours l'encyclopédie en quête des rêves qu'elle contient, et que j'écris à la lumière de la lune ronde et de la porte ouverte du poêle, mon stylo traçant de minuscules figures sur ces dernières feuilles de papier.

Cet après-midi j'ai lu : *L'emploi le plus ancien du mot "vierge" ne signifiait pas la condition physiologique de la chasteté mais l'état psychologique de l'appartenance à aucun homme, de l'appartenance à soi-même uniquement. Être vierge ne voulait pas dire être inviolée, mais plutôt être fidèle à la nature et à l'instinct, exactement comme la forêt vierge n'est ni stérile ni infertile, mais inexploitée par l'homme.*

À une époque on faisait référence aux enfants nés hors des liens du mariage comme des enfants "nés d'une vierge".

Ce soir nous avons bien mangé – des gâteaux aux glands, de la compote de mûres séchées, de la citrouille cuite sous les braises du poêle, un peu de cresson que j'ai cultivé près du ruisseau. Eva s'endort sur sa tisane de fleurs de molène, la vapeur montant de la tasse à son visage comme le lever d'un rêve.

Je me demande comment c'est ce soir à la souche. Je me demande si le toit est solide, si le contreplaqué tient toujours. Je me demande si quelque chose s'y est abrité, niché bien au chaud parmi nos barils de glands et de baies. Je me demande comment ce serait d'y être en ce moment, d'écouter la pluie et le vent, de sentir la nuit, les feuilles mouillées et la terre, la vieille odeur de brûlé de l'arbre. Je me demande quel genre de créatures nous observeraient de la forêt, quels esprits planeraient au-dessus de nous, tournoieraient autour de nous sous la pluie.

Pourquoi cet endroit semble-t-il plus sûr, plus vivant, qu'ici ?

Ça a commencé. Je redoute de penser à la façon dont ça va se terminer, bien qu'écrire ces mots me terrifie – car que se passera-t-il s'ils se révèlent prophétiques ?

Hier soir Eva a à peine touché à sa bouillie de gland, et un peu après, elle s'est levée d'un bond de sa chaise, a couru à la salle de bains plus vite que je ne l'avais vu faire depuis des mois. Quand elle est ressortie, ses mains appuyaient sur son ventre.

— Sens, a-t-elle dit.

Je l'ai touché et il était aussi dur que le tronc d'un chêne ; c'était une chose douée de sa propre volonté.

— Une contraction ? ai-je demandé, alors qu'il se détendait.

Elle a acquiescé.

— La première ?

— La plus forte. Elles vont et viennent toute la journée. Mais je n'étais pas sûre que ce soit ça.

— Quand était la dernière ?

— Il y a un moment. Avant le dîner.

— Comment te sens-tu ?

— Bien. Un peu flageolante.

Elle m'a regardée et a demandé :

— Tu es prête ?

Non, ai-je pensé, et j'ai répondu :

— La question c'est, es-tu prête, toi ?

— Oui. Non. Peut-être. De toute façon, c'est pour bientôt, a-t-elle dit presque joyeuse.

— Que veux-tu faire maintenant ?

— Me coucher, je suppose. Essayer de me reposer.

Elle s'est installée sur son matelas, pendant que je sortais l'encyclopédie et tentais de glaner quelques dernières informations, de mémoriser les mots ou de les arracher de la page.

Elle a dormi, et peu après moi aussi, bercée par la pluie et la chaleur du poêle. Juste avant l'aube je me suis réveillée. Eva était allongée sur son matelas et se balançait en gémissant.

— Eva, ai-je appelé d'une voix râpeuse, la gorge desséchée par le sommeil. Comment vas-tu ?

— Ça va, je crois.

— Tu as encore des contractions ?

— Oui.

— Elles sont comment ?

— De plus en plus fortes.
— Espacées de combien ?
Elle a réussi à rire.
— Tu as un chronomètre ?
J'ai fait bouillir de l'écorce d'aulne et je l'ai obligée à boire la décoction. Puis j'ai préparé de la bouillie de glands, bien que je sois la seule à en manger. De temps en temps, Eva serrait son ventre, et je m'interrompais pour m'asseoir sur le matelas à côté d'elle et lui masser les épaules jusqu'à ce que la contraction passe.

La longue journée s'est écoulée. J'ai alimenté le feu et balayé le plancher et défroissé les draps et fait infuser les tisanes qui étaient censées faciliter l'accouchement d'Eva et calmer ses nerfs, tandis qu'elle était couchée sur son matelas, supportant les contractions qui ne cessaient pas ni ne se rapprochaient. Finalement, alors que le crépuscule venait, elle a levé la tête de son oreiller pour poser la question que je redoutais :
— Combien de temps encore ?
— Ce ne sera plus très long. Tu te débrouilles bien.
— Il n'y a rien d'autre à faire ?
— Je ne sais pas. Je ne crois pas.
— Que dit l'encyclopédie ?
Elle dit, *La durée moyenne de l'accouchement chez une primipare varie entre six et dix-huit heures.*
— Douce Nellie, a murmuré Eva en me regardant comme si j'étais une inconnue. C'est gentil à toi de t'occuper de ça.
J'ai haussé les épaules.
— C'est à ça que servent les sœurs, non ?
Mais tout ce que je peux faire, c'est lui masser le dos, l'obliger à boire sa tisane et lui mentir, lui dire, Tu te débrouilles bien.

L'ENCYCLOPÉDIE prétend que le besoin de pousser est instinctif. Mais Eva ne dit rien sur le besoin de pousser. Elle ne dit rien sauf, "Ça vient", et rien ne vient à part une autre contraction.

Après une nouvelle nuit et une nouvelle journée de travail, la maison est chaude et bien fermée. Elle sent l'odeur de la chair qui souffre et résonne des gémissements d'Eva. Heure après heure, ma sœur git sur son matelas défraîchi, pendant que j'entretiens le feu et lui masse le dos en attendant, affolée et impuissante.

Au diable l'encyclopédie.

Eva est en train de mourir, et l'encyclopédie parle d'instinct. Même maintenant il faut qu'elle fasse de longs discours, posés, pédants, distants, réduisant le monde à des faits – mais sans livrer les connaissances dont j'ai besoin pour sauver la vie de ma sœur. Qu'est-ce que l'encyclopédie sait de l'instinct ?

L'instinct est plus vieux que le papier, plus naturel que les mots. L'instinct est plus sage que n'importe quel article sur les trois étapes de l'accouchement, que n'importe quel article sur les interventions obstétricales. Mais d'où vient l'instinct ? Et où est-ce que je peux le trouver en ce moment, après avoir vécu sans lui pendant si longtemps ?

Sally Bell a suivi son instinct. Elle s'est cachée dans les buissons avec le cœur de sa sœur dans les mains, et quand les meurtriers sont partis elle a vécu de baies et de racines, a dormi nue dans le creux des arbres et a survécu à cette horreur pendant quatre-vingts ans. La Lone Woman a suivi son instinct. Elle a renoncé à son peuple pour sauver son enfant, et quand elle a découvert que son enfant n'était plus là, elle a vécu seule. La laie a suivi son instinct. Elle est venue se désaltérer avec ses petits et s'est battue contre les balles jusqu'à ce que l'heure de sa mort sonne.

Je dois sûrement avoir un instinct à suivre, moi aussi.

C'est alors que je comprends : Nous devons quitter cette maison. Si Eva doit survivre, nous devons abandonner cet endroit où elle est coincée. Si Eva doit devenir une mère, nous devons trouver une autre façon pour qu'elle mette au monde.

Cette pensée est si impérieuse, si pressante que je parle avant d'avoir la possibilité de la mettre en doute :

— Écoute, Eva… est-ce que tu te sens capable de marcher ?

— Quoi ?

— Est-ce que tu peux marcher ?

— Pourquoi ?

— Je veux qu'on sorte.

— Pour aller où ?

— À la souche, je réponds sans prendre le temps de réfléchir.

À la place de l'incrédulité ou de l'indignation ou de l'indifférence auxquelles je m'étais préparée, elle me dévisage avec une petite lueur d'intérêt.

— À la souche ? répète-t-elle.

— Ça aidera peut-être. Tu penses pouvoir marcher ?

— Je vais essayer, dit-elle, répondant à l'assurance de ma voix, au soulagement qu'apporte l'action, tout en se débattant pour se lever.

Je fourre des courtepointes, des couvertures et de la nourriture dans le sac, je remplis un seau de cendre dont le cœur luit d'une poignée de braises. Je me débrouille je ne sais pas comment pour nous habiller chaudement, lacer nos chaussures. Et nous partons, marquant une pause dans l'embrasure de la porte pendant qu'Eva se penche et empoigne son ventre dans ses mains.

Tandis que je lui masse le dos, debout sur le seuil, le regard porté vers la forêt gris vert, je ressens moi-même une contraction – une contraction de peur. Pourquoi est-ce que j'oblige ma sœur à marcher à travers les bois humides alors que le travail a commencé depuis presque deux jours ? Est-ce que je ne fais cela que pour précipiter l'inévitable, pour en finir avec sa mort ?

Un pas à la fois, nous traversons la clairière. Nous franchissons le cercle de tulipes pourries, et nous sommes dans la forêt, longeant le ruisseau vers l'amont. Eva s'appuie contre moi, elle marche comme un canard et non comme la ballerine qu'elle était autrefois, et pourtant à chaque nouveau pas elle puise dans toute sa résistance de danseuse. Parfois elle s'arrête, s'agrippe à moi quand une contraction la terrasse.

Nous atteignons la colline que nous devons gravir, nous nous arrêtons le temps d'une nouvelle contraction, et nous commençons à monter. Et à monter encore.

Et encore. Nous nous arrêtons. Nous repartons. Nous montons encore, progressant un pas à la fois.

J'ai le bras engourdi à cause de la poigne d'Eva. J'ai mal au dos à cause du sac. Nos joues sont trempées de larmes ou de transpiration ou de brume, et pourtant nous continuons de grimper. Au moins c'est quelque chose. Au moins nous faisons quelque chose.

Mais à mi-hauteur de la pente, Eva dit :

— Je n'y arrive pas.

Elle lance autour d'elle des regards éperdus, désespérés, puis elle fixe ses yeux sur moi, parle aussi intensément que si elle m'expliquait la plus grande vérité du monde.

— Je n'y arrive pas.

— On n'est plus très loin, dis-je.

— Je n'y arrive pas, répète-t-elle. Ce n'est pas la colline. C'est ça. Je n'arrive pas à le sortir. Je n'arrive pas à m'en sortir. Je n'arrive pas à faire ça.

Elle sanglote puis se met à hurler, la tête rejetée en arrière vers le ciel gris. Son visage ressemble à un masque, un peu de chair innommable qui enveloppe sa douleur éternelle. C'est une créature qui n'est plus ma sœur, poussant des cris tandis que nous gravissons la colline. Tout autour de nous la forêt attend, écoute, absorbe notre petite lutte.

— Je n'y arrive pas. Je n'y arrive pas, hurle-t-elle. Je n'y arrive pas.

J'attrape ses épaules qui tressaillent, je la force à me faire face, et je dis, d'une voix que le désespoir rend horrible :

— Et qu'est-ce que tu vas faire d'autre ?

L'espace d'un instant, Eva revient, et de ses yeux anonymes, elle me regarde tandis que je grogne à nouveau :

— Qu'est-ce que tu vas faire d'autre ? (Puis je m'adoucis, j'implore.) Monte juste la colline. Tu n'es pas obligée d'avoir le bébé. Mais s'il te plaît, s'il te plaît, monte juste la colline.

Elle avance en traînant les pieds. S'arrête. S'accroche à moi, se balance sous l'effort, puis avance de nouveau du même pas traînant, ses pieds creusant des sillons dans le compost d'aiguilles, de feuilles et de glands de l'an dernier.

Nous progressons, un pas atroce après l'autre, toujours plus haut. Lorsque nous arrivons à la partie la plus escarpée de la colline, je me mets derrière elle, et je la pousse, d'abord avec les mains sur ses omoplates, puis là où c'est encore plus escarpé, avec les mains sur ses fesses si bien que je sens les os de son bassin à travers la chair sous sa jupe, et je la pousse vers le haut, encore plus haut, d'un centimètre, d'un millimètre à la fois.

Quand elle souffle, "Elle vient", nous nous arrêtons, nous nous soutenons, nous laissons la contraction déferler sur nous, jusqu'à ce que je me rende compte que, moi aussi, je tremble sous l'impact de sa violence. Moi aussi, je respire aussi profondément qu'un océan. Moi aussi, je gémis, je grogne, j'envoie la douleur rouler dans la forêt indifférente.

J'ignore comment, mais nous arrivons sur le plat. Eva s'effondre à terre, et je tombe à côté d'elle, je la serre contre moi, je la berce dans mes bras et murmure des louanges et des remerciements et des bénédictions pour toutes les choses au-delà de nous et en nous qui nous ont permis d'atteindre cet endroit. Lorsque je redresse enfin la tête pour regarder autour de moi, je vois la forêt froide et humide, le ciel noir de pluie, la souche couverte de son toit et remplie de barils, et pendant quelques secondes, je sais que je suis folle.

Mais nous ne pouvons pas rebrousser chemin. Je lacère la panique à coups de griffes, je relève Eva, je la conduis – un pas de bébé après l'autre – vers la souche. Je me souviens de ce jeu auquel nous jouions autrefois.

Grand-mère veux-tu ?

Oui, mon enfant.

Combien de pas ?

Deux pas en avant.

Oui, tu dois avancer de deux pas. Que vas-tu faire d'autre ?

Il fait pratiquement nuit quand Eva parvient à la souche. Elle s'y adosse pendant que je retire la porte en contreplaqué et sort les barils pour nous faire de la place. Elle rampe à l'intérieur, son ventre frotte presque par terre. J'étale les courtepointes pour qu'elle s'allonge dessus, et parce qu'elle tremble de façon incontrôlable, je la couvre avec les couvertures que j'ai apportées. Puis je me dépêche d'aller chercher du bois sec à la lumière déclinante.

Je verse les braises du seau dans le foyer, essaie de lancer un feu. Eva regarde d'un air morne. Une étincelle finit par s'allumer, elle lèche les précieux petits bouts de papier, et je m'accroupis pour ajouter de quoi faire grossir les flammes.

— C'est agréable ici, dit Eva en claquant des dents, ses premiers mots depuis des jours qui parlent d'autre chose que d'elle-même.

Je regarde, et elle a raison. Le feu jette des étincelles en direction des étoiles, et plonge dans l'ombre les plis et les nœuds de la souche au cœur de laquelle nous sommes. Nous sentons les odeurs propres de la fumée de chêne et de laurier, de l'humus et du séquoia brûlé et de la nuit humide. La lune est gibbeuse descendante, et ce soir il semble que rien dans la forêt ne pourrait nous faire du mal. J'éprouve au contraire un sentiment nouveau de bienveillance venant de toutes parts, comme si la forêt était enfin clémente, comme si – blotties à l'intérieur de la souche – nous étions enfin importantes.

Eva se plie en deux sous la violence d'une contraction, sa main cherche la mienne à l'aveuglette, la serre si fort que je suis sûre que mes os vont craquer.

— Je pensais m'y être habituée, souffle-t-elle. Elles ne peuvent pas devenir pires, ajoute-t-elle en geignant.

Mais elle se trompe.

Intenses et douloureuses et fréquentes, les contractions la secouent comme des vents de tempête, la laissant se ressaisir pendant quelques secondes avant la rafale suivante. Elle ne hurle pas, mais elle gémit et les bruits qui sortent d'elle dépassent la douleur et le travail de l'accouchement, dépassent la vie humaine – ou même animale. Ce sont les bruits qui déplacent la terre, les bruits qui donnent voix aux profondes et violentes fissures dans l'écorce des séquoias. Ce sont les bruits des cellules qui se divisent, des atomes qui se lient entre eux, les bruits de la lune croissante et de la formation des étoiles.

— Bois, dis-je à Eva en portant une tasse d'eau à ses lèvres.

Elle prend une gorgée en tremblant puis dit :

— Il faut que je fasse pipi.

Je l'aide à sortir, je l'aide à soulever sa jupe. Je la soutiens pendant qu'elle s'accroupit, mais rien ne vient hormis une contraction. Puis j'entends un autre bruit, un grognement montant du fond de sa gorge qui la fait plisser les yeux avec effort.

Quand c'est fini, elle dit :

— J'ai poussé.

C'est incroyable comme l'espoir plane tout près au-dessus du désespoir. Je croyais avoir renoncé des heures auparavant, mais une joie nouvelle jaillit en moi et je pense, Ma sœur ne va peut-être pas mourir.

J'IGNORE totalement combien de temps elle a poussé. À plusieurs reprises le feu a diminué, et j'ai dû la quitter pour m'en occuper. À un moment, je l'ai aidée à s'appuyer contre le mur intérieur de la souche, et quand j'ai regardé entre ses jambes, j'ai vu, à la lueur dansante du feu, sa vulve gonflée. Elle a poussé à nouveau, et j'ai vu ses lèvres vaginales et un bout de tête toute lisse qui pointait.

Quand la contraction est passée, la tête a disparu, mais à la suivante, je lui ai pris une main et l'ai guidée entre ses jambes pour qu'elle sente cette autre chair, et une expression d'extase s'est répandue sur son visage dont la trace a demeuré même après les nouvelles contractions. Je lui ai fait boire de petites gorgées d'eau, je lui ai tenu les mains, j'ai ajouté mes propres grognements d'encouragement à ses grognements à elle, et peu à peu sa vulve s'est distendue pour être de plus en plus fine, et peu à peu la tête du bébé a commencé à apparaître.

Tout à coup, elle a écarquillé les yeux d'un air de surprise. Elle a poussé de nouveau, et la tête du bébé est sortie – le reste de son corps encore en elle, son visage aplati comme une divinité d'un autre temps. Elle a poussé encore une fois, et il a glissé vers moi. Je l'ai attrapé maladroitement, plus pour me protéger du choc que pour protéger ce que je tenais dans mes mains. Il était chaud, mouillé, gluant et immobile comme un cadavre. L'espace d'une seconde, effarée, j'ai fixé sa figure nue. Il semblait fini exactement tel qu'il était, et j'ai éprouvé une curieuse répugnance à l'idée de l'exhorter pour qu'il revienne à la vie.

Mais alors que je commençais tout juste à essayer de me rappeler les pages qui dans l'encyclopédie expliquaient comment réanimer un enfant mort-né, il a pris une première respiration. Puis une autre. Il a ouvert les yeux et a regardé le feu, la souche, le ciel d'avant l'aube. Eva s'est laissée retomber, ses joues ruisselantes de larmes. J'ai posé la petite chose sur sa poitrine, tassant toutes les couvertures autour d'eux.

Nous avons alors pleuré et ri – bien, bien au-delà des mots. Les contractions d'Eva ont repris et, pendant un moment horrible, j'ai pensé, des jumeaux, puis je me suis souvenue du placenta. Elle a poussé à nouveau, et il a glissé hors d'elle, rouge foncé comme du foie et entrelacé de veines.

Je me suis souvenue que j'étais censée l'examiner, mais dans mon état d'hébétude, je n'arrivais pas à me remémorer ce que je devais chercher. Bien sûr l'encyclopédie ne disait rien sur la façon de couper le cordon, aussi m'y suis-je prise à ma manière, en commençant par le trancher timidement, puis, comme ni Eva ni le bébé ne grimaçait, en appuyant deux fois plus sur la lame de mon couteau et en le sectionnant d'un coup sec.

J'ai alimenté le feu pendant qu'Eva parlait tout bas à son bébé, le cajolait pour le mettre au sein, gloussait quand il a tâtonné et mâchouillé autour de son mamelon. Un mince filet de fumée flottait au-dessus de la clairière, emplissant l'air du jour naissant de sa senteur forte.

Le soleil s'est levé.

J'ai regardé le tas de couvertures sur la poitrine d'Eva et j'ai dit :

— Il fait suffisamment jour pour la voir, maintenant. Jetons-lui un coup d'œil.

Du bout de ses doigts languissants, Eva a caressé le haut du crâne du bébé.

— C'est un garçon.

— Quoi ?

— C'est un garçon.

J'ai senti que je me raidissais.

— Comment tu le sais ?

Elle a haussé les épaules.

— Ça fait des mois que je le sais.

— Mais il faut que ce soit une fille.

Elle a éclaté de rire, a plié le cou pour voir le paquet sur sa poitrine.

— Non. C'est un garçon. Un garçon adorable, intelligent, fort et magnifique.

— Tu ne me l'as pas dit.

— Tu ne m'as jamais posé la question.

— Tu es sûre que c'est un garçon ?

— Je suis prête à parier.

— Tu paries quoi ?

— Je te parie, a-t-elle répondu joyeusement, l'essence. Je te parie l'essence que c'est un garçon.

Elle a doucement écarté les couvertures, et nous avons regardé, et là, entre ses minuscules cuisses rouges toutes fripées, il y avait deux testicules étonnamment gros et un tout petit pénis comme un ver grassouillet.

— Un garçon, ai-je dit, et la déception s'entendait tellement dans ma voix qu'Eva a levé les yeux et a demandé :

— C'est un problème, que ce soit un garçon ?

— Non, j'imagine. J'espérais juste qu'on aurait pu l'appeler Gloria.

— Gloria, ce serait un nom plutôt ridicule pour toi, n'est-ce pas mon chéri ? a roucoulé Eva au bébé.

Tout ce travail pour un garçon, ai-je pensé. Le pénis s'est brusquement raidi et un brusque jet d'eau a giclé sur Eva.

— Il fait pipi ! a-t-elle dit avec délice et étonnement. Il m'a baptisée.

Elle s'est mise à glousser comme une fillette de huit ans, à glousser comme si elle avait bu trop de Grand Marnier et qu'elle était saoule, et son hilarité était si contagieuse que je n'ai pu faire autrement que l'imiter, et le soulagement qui a accompagné mon rire m'a épuisée et purifiée.

Nous avons ri et la lumière a commencé à croître. Nous avons pouffé jusqu'à avoir mal à la mâchoire et la nausée et la tête qui tournait, jusqu'à ce que les larmes brouillent nos yeux et coulent en un flot sans retenue le long de nos joues, et il me semblait que si le bébé était né et respirait, et que si c'était bien ma sœur qui habitait de nouveau derrière son visage, alors tout irait bien à nouveau.

Nous nous sommes reposées jusqu'à midi, somnolant et souriant et observant cette créature à la tête molle comme du caoutchouc qui regardait le monde à travers ses yeux neufs. Mais c'était une journée fraîche, le feu nécessitait beaucoup d'entretien pour maintenir une température suffisante dans la souche pour un nouveau-né, et je me suis surprise à vouloir presser Eva et le bébé de rentrer à la maison. J'avais envie de faire un feu fiable dans le poêle, de préparer un repas chaud et de la camomille, et de dormir pendant des jours.

J'ai enterré le placenta et le cordon ombilical dans notre nouvelle clairière, je les ai enterrés si profondément que les sangliers ne pourront jamais les dénicher. J'ai fourré les couvertures dans un baril, écrasé les braises du feu, pris le bébé dans mes bras, puis – un pas après l'autre – j'ai aidé ma sœur à descendre la colline.

J'AI été réveillée la nuit dernière par le bruit de la fenêtre ouverte. La pièce plongée dans le noir tournait autour de moi tandis que je tentais de m'orienter. Affolée, j'ai pensé que nous avions survécu ces neuf derniers mois uniquement pour laisser au violeur le temps de revenir. Puis j'ai entendu Eva qui retournait se coucher.

— Que se passe-t-il ? ai-je demandé tout bas.

— Rien. J'ai juste un peu chaud.

— Ça va ?

— Je crois.

Je me suis déplacée jusqu'à elle et elle était brûlante. Son visage luisait, son corps tremblait. J'ai allumé la lampe-saindoux, lui ai apporté de l'eau et un linge mouillé pour essuyer ses joues et ses bras. Puis je suis entrée dans le garde-manger et me suis tenue devant ma collection d'herbes, essayant désespérément de calculer ou de deviner lesquelles pourraient l'aider à aller mieux.

Pendant un long moment je suis restée assise sur son matelas à côté d'elle, lui donnant de petites gorgées de tisane aux feuilles de fraisier, et observant une lumière froide qui filtrait si lentement dans la pièce qu'il me semblait que le soleil qui la projetait n'était que le fruit de mon imagination. Des peurs et des interrogations se cristallisaient dans cette demi-lumière comme l'eau qui gèle et se transforme en lames et lances de glace. Eva doit avoir une infection, ai-je pensé, rien d'autre ne pourrait faire monter la fièvre si vite, moins de deux jours après qu'elle a accouché.

Mais j'ignorais comment elle l'avait contractée.

Et comment la combattre.

Pendant ce temps, le bébé hurlait – un cri aigu, impersonnel, si long qu'on l'aurait dit éternel. J'étais incapable de le faire taire. Le porter dans mes bras ne servait à rien. Le bercer ne servait à rien. Marcher avec lui et chanter des chansons ne servaient à rien. Je l'ai emmailloté et couché dans le tiroir que j'avais arrangé pour lui, mais il continuait de pleurer. Je l'ai guidé au sein brûlant d'Eva, où il s'est débattu pour téter, puis s'est écarté pour brailler à nouveau. Finalement il a renoncé – au milieu d'un cri – et s'est endormi d'un sommeil agité, pour se réveiller quelques minutes seulement après en pleurant.

Eva a bougé, et je lui ai essuyé le visage et j'ai tenu une tasse de tisane aux racines de cornouiller contre ses lèvres gercées. Elle a bu une gorgée par saccades puis a soudain jeté des regards égarés autour d'elle.

— Où est mon bébé ? a-t-elle demandé, alors qu'il était couché contre elle et braillait.

— Il est là. Il va bien, ai-je menti pour l'apaiser.

Elle est retombée dans sa fièvre en murmurant :

— Monte cette jambe. Plus haut. Hanche droite. Tête dressée. C'est ça. Monte, monte, monte. (Puis, avec mélancolie.) *Plié* puis *arabesque*, *temps levé*, *sauté*, trois, quatre, et *pirouette*.

J'ai bercé son bébé, arpenté avec lui de long en large la pièce imprégnée d'une odeur rance, changé la serviette qui lui servait de couche, et pendant tout ce temps, il n'a cessé de hurler. Me demandant comment je savais ces choses, je lui ai donné des bouts de tissu mouillés à sucer, je lui ai offert mon doigt. J'ai essayé de lui faire avaler un peu de bouillie de gland, une goutte de tisane au bois de rose. Je lui ai parlé d'une voix gazouillante, je lui ai chanté des chansons, et à la fin je me suis mordu la langue pour m'empêcher de crier à mon tour.

La maison brûlait de la fièvre d'Eva. Elle brûlait des hurlements du bébé et de ma peur. Le bébé n'arrêtait pas de pleurer, et ses vagissements résonnaient comme une accusation, une condamnation, un rappel violent de mon impuissance, de mon ignorance. Ses vagissements m'emportaient dans un tourbillon qui me faisait passer d'un sentiment d'incompétence à la colère, puis au désespoir, et il continuait de pleurer, son visage dur et rouge, ses yeux – desquels aucune larme ne coulait – farouchement fermés.

Je l'ai recouché et bordé dans son tiroir, je suis sortie chercher du bois. À mon retour, il hurlait toujours, et les larmes qu'il ne versait pas ruisselaient en silence sur les joues d'Eva.

— Pourquoi est-ce qu'il pleure ? a-t-elle demandé quand elle m'a vue.

— Je crois qu'il a faim, ai-je répondu. Tu n'as pas encore de lait.

— Quand j'en aurai ? a-t-elle supplié.

— Bientôt. C'est censé prendre un peu de temps la première fois.

Comme s'il allait y avoir une deuxième fois, ai-je pensé.

Elle a soupiré et a roulé avec agacement sur le lit.

— Comment te sens-tu ?

— J'ai froid, a-t-elle répondu, et j'ai pensé, Voilà, je suis vraiment en train de la perdre.

Mais le bébé hurlait, et le bruit me trouait le crâne, et en ponctionnait toutes les pensées sauf, Faites-le taire. Tout à coup, rendue enragée par l'impuissance, j'ai fondu sur lui, je l'ai attrapé, mes doigts tendus telles des griffes, mes bras brûlant de lui arracher ses cris, de faire n'importe quel geste désespéré pour réduire au silence cette voix et ses atroces exigences.

Mais au lieu de le secouer ou de le gifler ou de lui cogner la tête contre le coin du poêle, je me suis effondrée sur mon matelas. Je pleurais et serrais la chose vagissante contre moi. Il s'est mis à se frotter contre ma poitrine et à s'y enfouir et, hébétée, je lui ai donné ce qu'il voulait, j'ai soulevé ma chemise pour exposer mes seins comme si le tuer ne m'avait jamais traversé l'esprit. Pendant quelques secondes, sa tête s'est furieusement agitée à la base de son cou, puis il s'est jeté sur mon téton.

J'en ai eu le souffle coupé. Ça a été un choc aussi fulgurant et violent que le sexe, cette façon qu'il avait de sucer – comme un petit aspirateur, ai-je pensé, grisée par le soulagement de ne pas lui avoir fait de mal, et me délectant du silence soudain. Il tétait intensément, ses yeux sombres ouverts et ne cillant pas, sa bouche happant mon mamelon aussi tranquillement qu'une tortue mangeant des feuilles. Il semblait savoir exactement ce qu'il faisait, et j'ai éprouvé un sentiment de remords pour l'avoir trompé avec un téton duquel ne jaillissait pas de lait. Je me suis préparée pour le moment terrible où il découvrirait que mes seins étaient encore plus inutiles que ceux d'Eva.

Mais soit il avait renoncé à tout espoir de se nourrir soit il était trop épuisé pour s'en soucier, en attendant il a sucé mon sein vide pendant de longues minutes, tétant comme si le réconfort était plus nourrissant que le lait. Je me suis penchée sur lui, berçant sa tête dans la paume de ma main, et je l'ai regardé tandis que ses yeux se fermaient lentement et que le rythme de sa succion ralentissait pour n'être plus qu'un mâchonnement occasionnel et finir par s'arrêter complètement. Le bout de mon sein couvert de bave a alors glissé de sa bouche détendue, et il s'est assoupi.

Il a dormi pendant que le feu dans le poêle se transformait en braises et que la lumière de l'hiver baissait dans la maison. Il a dormi dans mes bras jusqu'à ce qu'ils soient douloureux, comme s'ils s'étaient accrochés à un chêne toute la nuit. Il a dormi pendant des heures dans mes bras et je l'ai regardé, j'ai observé les rêves parcourir son visage telles les ombres des nuages, et je me suis juré de ne pas le laisser mourir.

Quand bien même il me faudrait le nourrir de mon sang.

FLEURS de baie de sureau, racine de cornouiller, feuilles de menthe poivrée et de fraisier, herbe des montagnes, sisyrinchium et achillée millefeuille pour faire baisser la fièvre ; tiges de prêles des champs, feuilles d'absinthe et de laurier pour calmer les crampes ; sève de séquoia, yerba buena et feuilles d'armoise comme tonifiant ; cynorrhodon, monardella villosa et camomille contre la colique ; graines de fenouil, ortie, framboise et feuilles de romarin, camomille et fleurs de trèfles des prés pour stimuler la lactation.

Je compulse les *Plantes indigènes de la Californie du Nord* pour y glaner toutes les traditions et tout l'espoir que je peux. Les plantes que je ne possède pas déjà dans le garde-manger, je les cherche dans la forêt, je fouille les lits des ruisseaux, les prés, les sommets des crêtes, ramassant ce qui se présente au milieu de l'hiver. De retour à la maison, j'épluche les racines, j'écrase les feuilles, je fais bouillir de l'eau et macérer des herbes, et j'essaie de ne pas me rappeler ma vaste ignorance, j'essaie de ne pas penser à l'expérience que je mène.

— Bois ça, dis-je en soulevant ma sœur de son matelas, en lui tenant la tasse fumante pendant qu'elle boit de petites gorgées docilement, tremble et grimace à cause de la saveur astringente, âpre, sauvage.

Et boit à nouveau.

— C'est pour la fièvre, c'est pour le bout de tes seins, ça fera monter le lait, ça te donnera des forces, dis-je en conseillant des baumes et des cataplasmes et des infusions et des décoctions, pendant que je fais bouillir plus d'eau, macérer plus d'herbes, et prie la forêt pour que ma sœur aille mieux.

Quand le bébé se réveille et s'ébroue en cherchant le sein, je le tiens contre la poitrine brûlante d'Eva. Mais si elle geint et le repousse, ou s'il se raidit et vagit de frustration, je le reprends dans mes bras, soulève ma chemise et lui fourre mon téton dans la bouche. Puis, assise près de la fenêtre où je mémorisais autrefois les étapes de la mitose, je le regarde pendant qu'il tète, m'émerveillant devant cette étrange alchimie d'amour et de besoin et de physiologie qui emplit mes seins de lait, m'émerveillant devant son minuscule front plissé par la fureur, la courbe parfaite de ses oreilles.

———•———

J'ai donné à ma sœur de la tisane de baie de sureau, de sisyrinchium, de millefeuille et de menthe poivrée, et si ce sont ces herbes qui l'ont soignée je suppose que je ne le saurai jamais, mais quoi qu'il en soit sa fièvre est enfin tombée. Je lui ai donné des fruits cuits et de la bouillie de gland et du bouillon à base de viande séchée, et petit à petit elle a repris des forces au point de pouvoir s'asseoir toute seule et tenir la tasse chaude dans ses mains quand la lune a été de nouveau pleine. Je lui ai donné de la tisane de feuilles de framboisier et d'ortie et de fenouil, et la montée de lait a eu lieu si bien qu'aujourd'hui ses seins ont gonflé jusqu'à doubler de volume, et quand le bébé pleure, des cercles sombres apparaissent sur le devant de nos chemises à l'une et à l'autre.

EVA l'a appelé Robert en souvenir de notre père, mais j'ai pris l'habitude de dire Burl, et il est mon fidèle compagnon. Heure après heure je cuisine et je nettoie et je m'occupe de lui et de ma sœur, et lentement Eva se rétablit, et lentement mon Burl grossit et s'éveille de plus en plus.

CE matin, histoire de me changer les idées de la maison qui a fini, semble-t-il, par me posséder, j'ai emmené Burl se promener. À l'aide de deux chemises de son grand-père je lui ai fabriqué une sorte de porte-bébé, et je l'ai attaché contre ma poitrine. Eva dormait quand je suis partie, et bien que j'aie pensé la réveiller pour lui dire où nous allions, j'ai décidé finalement qu'elle avait besoin de sommeil. J'ai attisé le feu, pris mon panier de cueillette, me suis glissée par la porte et, après avoir traversé la clairière, j'ai marché en direction de la tombe de mon père.

C'était une journée douce, humide, une journée de ciel bas et gris. La forêt était luxuriante, moite – en cours de décomposition avant de refleurir. Des chanterelles apparaissaient telles des balles perdues parmi les feuilles mouillées éparpillées çà et là. Les tendres boucles des pousses de fougère se déployaient hors de la terre molle et froide, et je remplissais mon panier tout en marchant.

Burl était de compagnie agréable. Il a pratiquement dormi tout le temps, propre et tranquille comme un chat, son corps chaud contre ma poitrine. Pourtant, même endormi, j'avais conscience de sa présence, et la forêt semblait plus belle, plus fraîche, plus en vie parce qu'il s'y trouvait avec moi.

Quand il s'est réveillé, il est resté silencieux, l'une de ses douces joues appuyant juste en dessous de ma clavicule, la tête tournée de sorte à pouvoir voir le monde où je l'emmenais. J'ai commencé à lui parler tout bas, de la forêt, des champignons et des fougères, des ours et des sangliers, des séquoias et des chênes et des arbousiers. Je lui ai parlé de sa famille, de son grand-père et de sa grand-mère, d'Eva et d'Eli et de moi – un écheveau d'histoires s'enroulant autour de lui, l'attrapant déjà dans ses fils.

Quand nous sommes arrivés à la tombe, elle était couverte de feuilles mouillées et sentait le frais et le vieux. Je me suis accroupie à côté de ce monticule de terre, j'ai détaché Burl et je l'ai allaité. J'ai murmuré au ciel :

— Tu as un petit-fils.

Eva était assise près de la fenêtre lorsque nous avons regagné la maison, et elle s'est levée pour nous accueillir, le visage fermé.

— Où est-ce que vous étiez ? a-t-elle demandé en tendant les bras pour prendre Burl avant même que je puisse le détacher.

— On est allés se promener.

— Je me suis réveillée et il n'y avait personne.

— J'ai emmené Burl sur la tombe de son grand-père, ai-je expliqué.

— Pourquoi tu ne m'as pas prévenue ?

— Tu dormais.

— Tu ne crois pas que c'était important pour moi aussi, d'emmener mon fils sur la tombe de mon père ?

— On y retournera quand tu te sentiras plus forte, ai-je promis.

— Mais ce ne sera pas la première fois, a-t-elle dit, en serrant Burl contre elle comme s'ils venaient de vivre tous les deux une épreuve.

— Je suis désolée, ai-je répondu. Tu t'es bien reposée ?

— Non. (Elle s'est assise et a ouvert son chemisier. Burl s'est aussitôt mis à téter.) Il ne m'a pas réclamée ? a-t-elle demandé en caressant son bras qui battait l'air.

— Non, ai-je dit. Il ne t'a pas réclamée. Burl n'a pas pleuré une seule fois.

— Il ne s'appelle pas Burl, a-t-elle dit, pressant sa tête contre son sein. Il s'appelle Robert.

Le toit fuit comme un bateau qui coule. Toutes les heures je dois grimper à l'étage pour vider notre collection de baquets et de casseroles qui occupent ce qui était autrefois nos chambres. En attendant, j'essaie de lire l'encyclopédie, mais ma lecture est stérile, insipide – une habitude qui n'a pas de sens. J'écris un peu, sauf que je commence à être à court de papier, et mes pensées ne cessent de s'envoler de la page.

La vie devrait être agréable après tous nos problèmes. Mais une fois de plus quelque chose a mal tourné, et bien que je ne sache pas exactement quoi, ce soir je n'arrête pas de me rappeler les mottes d'argile sur le tour de potier de ma mère. Elles paraissaient presque vivantes tandis qu'elles tournaient entre ses mains mouillées, et je me souviens que je la regardais, fascinée, les centrer et les ouvrir et les étirer pour en faire des tasses et des bols et des vases, les façonner selon ses désirs.

Mais toutes les choses animées ont des désirs qui leur sont propres. Elle disait qu'un bon potier devait écouter l'argile, et ce soir je me rappelle qu'à la moindre bulle ou caillou, qu'à la plus petite erreur de ses mains, le récipient absolument parfait se mettait à chanceler. Si la plus légère vibration passait inaperçue ou n'était pas corrigée, elle augmentait de plus en plus, prenait son autonomie violemment, devenait incontrôlable et si puissante qu'elle finissait par détruire le récipient – projetant des bouts d'argile mouillés à travers la pièce.

À PRÉSENT si Eva chante pour Burl et que j'entre dans la pièce, sa chanson va en diminuant jusqu'au silence. Si je le porte, elle dit, "Laisse-le – il a besoin de dormir." Si je change sa couche, elle la réajuste. Si je lui mets une couverture, elle l'enlève.

À présent quand j'essaie de l'allaiter, elle me le prend des bras.

J'ÉCRIS ceci depuis la souche, j'écris à la lueur du petit feu que j'essaie d'entretenir toute seule. Il s'étouffe et s'embrase. De la fumée s'élève furieusement, tantôt se répandant sous la pluie, tantôt emplissant la souche de ses panaches amers. Proche et grise, la pluie dure. Tout goutte ou se replie sur soi. Cela fait cinq nuits que je suis ici, vivant de glands et de baies et de la nourriture séchée que nous avons stockée l'automne dernier, vivant d'eau de pluie et de rancœur.

Nous nous sommes disputées.

Je suis partie, je me suis installée ici, avec juste un seau de charbons de bois, des couvertures et un ballot de vêtements, quelques herbes, quelques outils, et ce cahier sale et jauni.

— Garde le reste ! ai-je hurlé à cette sorcière qui était autrefois ma sœur. De toute façon, tu as déjà pris tout ce qui a jamais compté.

Voilà comment se termine l'histoire, et qui sait jusqu'où il faudra remonter pour savoir où elle a commencé. Quand Eva m'a crié, "Laisse mon bébé tranquille", c'était comme si nous nous disputions depuis des années.

— Il avait faim, ai-je rétorqué en faisant aller mon regard de Burl contre mon sein à ma sœur qui se levait de son matelas, son visage au réveil déjà endurci par la colère.

— Je peux le nourrir, a-t-elle lâché.
— Tu dormais.
— Réveille-moi dans ce cas.
— Tu as besoin de te reposer.
— Et lui n'a pas besoin de deux mères.
— Il en avait besoin quand tu étais malade.
— Je vais mieux maintenant.
— Pourquoi ne peut-on pas…
— Nell, c'est mon bébé.
— Ton bébé, ai-je répété en baissant les yeux sur Burl qui me tétait, ses joues rebondies par le lait se gonflant à chaque succion, ses doigts minuscules caressant ma poitrine. Ton bébé ?
— Je l'ai porté pendant neuf mois, je lui ai donné naissance. Il a besoin de moi pour l'allaiter.
Elle a traversé l'espace qui séparait son matelas du mien et a attrapé Burl. Ses gencives sans dents ont tiré sur le bout de mon sein au moment où elle me l'arrachait des bras.
Il s'est mis à hurler et tout à coup je suis devenue mesquine et aveuglée par l'angoisse.
— Qui t'a maintenue en vie pendant tous ces mois pour que tu puisses donner naissance à *ton* bébé ? Qui t'a aidée quand tu as accouché ? Qui a sauvé la vie de *ton* bébé après que tu es tombée malade ? Et qui t'a sauvé la vie, aussi… puisqu'on en est là ?
— Alors maintenant moi aussi je t'appartiens ?

Il n'y a que cette souche qui soit à moi – bien que je la partage avec la forêt. Je passe mes journées assise à l'intérieur, à regarder le feu, et à essayer de ne pas penser, de ne pas me souvenir. Du coup j'écoute la pluie, je regarde la pluie, je respire la pluie, je sens ses fines gouttelettes coller à mon visage. Mes seins sont énormes et aussi durs que des poings. Ils sont tendus et gonflés d'un lait dont personne ne veut. Des veines épaisses comme des vers les sillonnent, et mes tétons pleurent – d'un chagrin qui tache et raidit ma chemise.

Burl était la seule chose qui nous restait – et Burl était la seule chose que ma sœur et moi ne pouvions pas apprendre à partager.

LES femmes pomos se servaient du pavot de Californie pour stopper la lactation, aussi, comme elles, je fais infuser des gousses séchées dans l'eau du ruisseau bouillie, j'avale cette infusion âcre. Je presse de petites gorgées de lait clair et sucré sur la terre humide, je bande mes seins – je fais tout ce que je peux pour soulager la douleur et les élancements, tout ce que je peux pour aider mon corps à oublier les tétées de Burl.

C'EST un temps d'hibernation, un temps lent, froid de pluie grise et de lumière verte. Pendant la journée je marche, je rêve, je note où poussent les plantes qui peuvent me nourrir ou me guérir. Je pile de la farine de gland, l'enveloppe dans des frondes de fougère, la filtre dans le ruisseau. Je mâche quelques baies séchées, grignote une lamelle de viande, bois à petits coups de la tisane de pavot pour arrêter mes montées de lait. Je ramasse du bois, entretiens le feu, secoue mes couvertures, répare le toit. Parfois j'ai l'impression d'entendre des voix, ni dures ni aimantes, mais parlant la langue de la forêt.

D'autres créatures viennent dans la clairière. Le cerf qui broute non loin de la souche renifle la brise, s'arrête en sentant mon odeur, tourne sa tête élégante pour m'observer, et mon cœur s'ouvre et ses battements se calment. La nuit dernière un raton laveur s'est avancé jusqu'à la limite du cercle de lumière projeté par le feu, a croisé mes yeux par-dessus les flammes. Un bruit est monté de sa gorge – un long gloussement à mi-chemin entre le ronronnement et le grognement – puis il est retourné à ses occupations sous la lune décroissante. Ce matin une vieille laie noire a pénétré dans ma clairière. L'espace d'un instant, elle aussi m'a regardée, puis elle a grommelé et s'est éloignée en trottant.

Je passe des heures à étudier mon petit feu, et parfois une pensée me vient. Parfois je me rappelle mes autres sœurs, la Lone Woman et Sally Bell, chacune de nous nostalgique de la famille qu'elle a perdue, chacune de nous apprenant à vivre seule dans la forêt.

Parfois je pense à ma mère et à mon père, au tissu familial qui même maintenant façonne qui je suis, forme ma résistance.

Ta vie t'appartient, disait ma mère.

Je finis par penser qu'elle a peut-être raison.

Parfois je me remémore Eli, je pense à lui en moi et aux feuilles de la souche collées contre nos peaux nues. Je me souviens de son rire moqueur, de la tendresse tremblante de ses mains, et je me demande qui il était, je me demande ce qu'il deviendra. J'essaie de l'imaginer à Boston – même s'il est de plus en plus difficile de croire qu'un tel lieu existe. J'essaie d'imaginer des voitures et des réverbères et des téléphones qui sonnent, mais ces images sont vagues et confuses, et ma nostalgie d'elles est dénuée de la souffrance et de l'aiguillon du vrai désir.

Parfois je me dis que j'aimerais bien revoir Eli. Mais s'il revient maintenant, il lui faudra me chercher ici – près de mon propre feu.

Le bois brûle d'une flamme prudente. Je mordille un abricot sec, bois de la tisane d'armoise pour rêver, de pavot pour stopper les montées de lait. Je regarde le feu, j'écoute le brouillard, je songe plus que j'écris. Écrire dans ce carnet est devenu une vieille habitude. Je me demande si je ne vais pas m'en lasser avant d'être à court de papier. Je me demande si c'est encore de l'anglais que j'écris là.

Je suis juste un noyau, un grain, un bout de charbon de bois enfoncé dans un morceau de chair qui respire, qui écoute la pluie. Ma vie emplit cet endroit, elle n'est plus pauvre, ni perdue, ni volée, ni n'attend plus de commencer.

Je bois l'eau de la pluie et elle calme mon ancienne soif.

Ce n'est pas une période transitoire, ce n'est pas une fugue dissociative.

La lune décline jusqu'au plus infime croissant. Je suis envahie d'un sentiment de contentement.

Je me suis préparé de la bouillie de gland et de mûres pour le petit déjeuner hier matin. Tandis que je remuais le contenu de la casserole je me suis rappelé les baies qui séchaient dans la chaleur de la fin de l'été, le bourdonnement des mouches et des abeilles, les perles de sang sur mes bras à cause des ronces, les jus indélébiles sur mes doigts. Je me suis rappelé les longues journées passées à ramasser des glands, heure après heure, courbée et rampant, jusqu'à ce que mon dos paraisse à jamais voûté, jusqu'à ce que mes mains aient été piquées par un million de feuilles de chêne cassantes, et quand je fermais les yeux, je voyais un océan de glands.

La vapeur était chaude et parfumée dans l'air frais. J'avais faim et je sentais mon ventre se contracter comme un muscle puissant. Mais alors que je portais la première cuillérée à ma bouche, j'ai entendu une voix dire, *Attends.*

Pendant un instant d'égarement, j'ai pensé, Mère. Je me suis même levée pour l'accueillir, mais à l'extérieur de la souche je n'ai vu que les mêmes arbres, entendu que l'incessant égouttement de la pluie. J'ai respiré l'air moite, teinté de vert, et puis, sur un coup de tête que je n'ai pas essayé de comprendre, j'ai pris la casserole, et j'ai fait le tour de la souche, m'arrêtant quatre fois pour verser une cuillérée de bouillie fumante sur la terre humide.

J'ai avivé mon feu, me suis assise en tailleur à l'intérieur de la souche, regardant les gouttes de pluie tomber sur la forêt. J'avais l'estomac noué et rétréci, les poumons énormes et lâches. Mes mains reposaient sagement sur mes genoux. J'avais l'impression d'attendre, sans toutefois savoir pourquoi ni quoi. Parfois des pensées me venaient – je devrais ramasser plus de bois, je devrais vérifier que le toit tient bien, je devrais sortir le seau d'eau sous la pluie –, mais elles manquaient de force, demeuraient à l'état d'idées aussi passives – et passantes – que, le ciel est gris, il pleut, je sens le poids de ma chemise sur mon dos.

J'étais encore assise dans la même position quand l'obscurité s'est emparée de la forêt. L'air s'est épaissi, le ciel s'est assombri, les bois se sont refermés autour de moi, jusqu'à ce que, enfin, je voie les dernières braises de mon feu que je n'entretenais pas briller comme les secrets d'un cœur. J'ai dû alors résister à une impulsion, la première vraie impulsion qui s'emparait de moi depuis que j'avais versé mon petit déjeuner sur la terre, pour ne pas cueillir l'un de ces joyaux rouges sur son lit de cendres et le fourrer dans ma bouche.

Encore plus progressif que l'évanouissement de la lumière du soleil était l'évanouissement de cette poignée de braises, mais elles aussi ont fini par disparaître, si lentement que, bien qu'elles aient accaparé toute mon attention, je ne sais pas quand elles se sont éteintes, me laissant dans le noir absolu d'une nuit sans lune, pluvieuse, jusqu'à ce que la braise en moi soit le dernier feu qui brûle.

Dans l'obscurité juste au-delà de moi, la pluie continuait de tomber, masquant les bruits, quels qu'ils soient, que ces bois contenaient. Je suis restée vidée devant le feu mort, fixant les ténèbres. On aurait dit que mon visage était enveloppé de velours, et que sur mes joues et mon front mille yeux nouveaux avaient poussé, bien qu'eux aussi ne voient que l'obscurité. Au bout d'un moment, je me suis assoupie, toujours assise en tailleur, les mains toujours lâches sur mes genoux.

Je me suis réveillée dans le noir, mais la pluie avait cessé. Une dizaine de rêves différents se sont envolés de moi tels des anges capricieux. J'avais faim, soif, froid, j'étais tout engourdie, et pourtant je ne voulais pas briser le charme de ma position assise en me levant pour aller chercher à manger ou à boire, je ne voulais même pas bouger mes jambes endolories.

C'est alors qu'elle est venue.

Il m'a semblé prendre conscience de son arrivée bien avant d'entendre ses pas traînants, bien avant de percevoir son odeur repoussante. Elle a reniflé le pourtour de la souche, s'arrêtant pour laper les quatre amas de bouillie froide. Elle a marqué une pause à l'entrée de la souche pendant que je reculais contre le mur du fond. Elle s'est avancée, a tourné comme un chien fatigué, puis s'est couchée. Je sentais sa fourrure humide et rêche, je sentais l'odeur fétide de son haleine. J'ai pensé, Ce n'est pas un rêve.

J'ai l'impression de m'être tenue là pendant des heures dans une obscurité à laquelle mes yeux n'arrivaient pas à s'adapter, piégée par la corpulence et la volonté d'une ourse, écoutant la forêt goutter, ma respiration et la sienne.

J'ai rêvé qu'elle me mettait bas depuis ses brûlantes entrailles mystérieuses, me poussant le long du tunnel de son corps, jusqu'à ce que je tombe par terre, sans défense ni résistance. Privée de la vue, vagissante, j'ai escaladé son corps énorme, le fouillant jusqu'à ce que sa mamelle remplisse ma bouche. Plus tard, sa langue m'a explorée. Elle m'a léchée avec insistance, façonnant la masse nue que j'étais, modelant mon corps et mes sens pour qu'ils ne résistent pas à la rudesse de son dessein. À coups de langue, elle m'a redonné naissance, et quand elle a eu fini, elle est repartie en traînant les pieds, m'a laissée – seule et revêtant la forme de Nell – dans Sa forêt.

Je me suis réveillée à l'aube et elle n'était plus là. J'ai rampé jusqu'à la porte de la souche, et quand je me suis levée, mes muscles étaient douloureux, mes jointures ont craqué. J'ai vu des empreintes de pattes sur les cendres froides de mon feu, et il m'a semblé que je quittais mon corps brisé pour un corps neuf. Je me suis rappelé comment un papillon tout juste sorti de sa chrysalide tremble et frémit à mesure que le sang arrive à ses ailes indociles. Courbaturée et gelée et vidée, j'ai traversé la clairière en clopinant.

Et je suis entrée dans la forêt.

Eva attendait à l'extérieur de la souche quand je suis revenue, assise devant un feu qu'elle venait d'allumer avec Burl emmailloté et endormi sur ses genoux. À côté d'elle il y avait un drap bombé comme le ballot d'un vagabond.

— Salut, ai-je dit.

— Salut, a-t-elle répondu.

J'ai fait le tour du feu, lâché une poignée de brindilles sur ma pile de bois et, à cause de la fumée capricieuse, je me suis accroupie près d'elle et j'ai allongé les mains vers les flammes pour les réchauffer.

— Comment va Burl ? ai-je demandé.

— Bien.

— Et toi ?

— Bien, a-t-elle dit. Je vais bien. Et toi ?

— Bien aussi.

Nous nous sommes tues, et j'ai regardé le feu d'Eva. Le tas de couvertures qu'était Burl a bougé et a remué. Eva l'a soulevé de ses genoux et me l'a tendu. Je l'ai pris dans mes bras, j'ai senti son corps fluet, tout chaud, j'ai inhalé son odeur. Je l'ai serré contre l'os de ma poitrine, et chaque cellule de mon être s'est enivrée du contact de sa peau et de son parfum. Il s'est mis à renifler et à chercher mon sein, et j'ai jeté un regard furtif à Eva.

— C'est bon, a-t-elle dit. Tu peux l'allaiter si tu veux.

— Il ne me reste plus rien. J'ai asséché mon lait. Par ailleurs, tu avais raison… c'est ton bébé.

— Non, a-t-elle répondu. Je me trompais. Il n'appartient qu'à lui-même.

Nous sommes restées silencieuses pendant une minute, puis Eva a repris la parole.

— C'est agréable d'être ici. C'est un bon endroit.

— Oui, ai-je répondu.

— Tu m'as manqué.

Toute ma souffrance de ces jours sans elle a déferlé en moi, étranglant ma réponse. Nos regards se sont croisés. J'ai hoché la tête et elle a souri. Je me suis levée, j'ai rendu son fils à ma sœur. J'ai posé une casserole d'eau sur le feu, et nous avons attendu pendant qu'elle bouillait et que les boutons de rose infusaient. Elle m'a donné quelques fruits secs, une pomme de terre encore chaude qu'elle avait cuite sous les braises du poêle. J'ai bu et mangé, et le feu a de nouveau pénétré mon corps froid et sauvage.

Quand il n'est plus rien resté à manger et que nos tasses ont été vides, Eva a parlé.

— Nell. Il y a quelque chose qu'on doit faire. Quelque chose que je veux que tu m'aides à faire.

— OK, ai-je dit. Quoi ?

— Pendant tout ce temps on a vécu dans le passé, en attendant d'y revenir. Mais ce passé n'existe plus. Il est mort. Et il n'allait pas, de toute façon.

— Il n'allait pas ?

— Écoute, même si on pouvait revenir en arrière, même si l'électricité est rétablie un jour, où sera-t-on ?

Elle a eu un large geste du bras pour inclure la forêt et la souche.

— Tu te vois vivre dans un dortoir à Harvard ? Ou tu me vois, moi, danser *Coppélia* maintenant ?

Elle a incliné la tête et a reposé son menton sur ses poignets pliés en prenant une pose si ridiculement mièvre et pouponne que je n'ai pas pu m'empêcher de rire.

— Ceci est notre vie, a-t-elle repris avec un empressement que je ne lui connaissais pas. Que tu le veuilles ou non, notre vie est ici… ensemble. Et on doit la préparer pour ne pas l'oublier à nouveau, pour ne pas commettre d'autres erreurs.

— De quoi tu parles ?

— Je veux qu'on vive ici.

— Ici ? Dans la souche ?

— Tu te souviens de l'essence ? a-t-elle demandé, changeant brusquement de sujet.

— Oui.

— J'avais gagné, n'est-ce pas ? Quand j'ai parié que Robert était un garçon.

— Oui.

— Je veux qu'on s'en serve. Maintenant. Ce soir.

— Ce soir ?

— Je vais t'expliquer. On va dire que c'est Noël. Ce soir on va fêter Noël. D'accord ?

— D'accord, ai-je promis, imaginant *Le Messie* d'Haendel, des lumières électriques, des douches chaudes, et Eva dansant, imaginant la célébration que nous avions planifiée pendant ce qui semblait des siècles.

— D'accord, ai-je répété, faisons ça. Organisons une fête. On n'a qu'à dire que c'est la fête d'anniversaire de Burl, aussi.

— Et je peux utiliser l'essence comme je le veux ?

— Elle est à toi, ai-je répondu. Utilise-la comme tu veux.

Son humeur a changé. Elle a perdu son intensité et est devenue joyeuse, joueuse. Elle m'a mis Burl dans les bras, et, courant devant, elle m'a conduite en bas de la colline en direction de la maison, me taquinant, me promettant le plus beau Noël de toute ma vie, tandis que je marchais pesamment derrière elle, serrant l'enfant endormi contre moi.

Quand nous sommes arrivés, j'ai sursauté. La maison était une tanière, empestant les produits chimiques et la chair rance, austère et exiguë, prenant l'eau et tombant en ruines. L'espace d'un instant, je l'ai vue avec les yeux d'une créature de la forêt, avec une méfiance et un dégoût qui m'ont fait hésiter à entrer. Mais quand j'ai franchi le seuil, elle m'est de nouveau apparue comme l'unique maison que j'avais toujours connue. Elle sentait encore l'odeur de mon enfance, elle abritait encore les fantômes de mes deux parents, les fantômes de toutes celles que j'avais été autrefois.

— Bon, a commencé Eva avec une vivacité qui m'a rappelé Père, je vais chercher l'essence.

Elle s'est élancée dehors pendant que je me tenais sur le plancher où j'avais appris à marcher, au cœur de ces pièces qui avaient contenu presque toute ma vie, étreignant Burl contre moi et songeant à quel point c'était agréable d'être à la maison.

Eva est revenue, essoufflée et les joues roses, en tirant le bidon d'essence. Elle a ôté le bouchon, et ses vapeurs se sont échappées. Portée par elles je suis retournée une fois de plus aux postes à essence de mon enfance. J'ai respiré avec avidité, fermé les yeux, et j'avais l'impression de pouvoir toucher ma mère impatiente et la voiture chaude qui ronronnait.

Quand j'ai ouvert les yeux, Eva versait l'essence sur le canapé.

— Hé ! ai-je hurlé. Qu'est-ce que tu fais ?

Elle s'est tournée brutalement vers moi.

— Tu as dit que je pouvais l'utiliser comme je le voulais.

— Mais qu'est-ce que tu fabriques ?

— Je brûle la maison.

Elle est sortie de la pièce, en répandant derrière elle une traînée d'essence qui pénétrait le plancher comme une flaque de larmes huileuses. Je lui ai couru après, je l'ai regardée, abasourdie, arroser les rideaux de son studio puis se diriger vers la cuisine.

— Arrête ! ai-je crié. Parle-moi au moins.

— OK, a-t-elle dit en ramenant le bidon droit et en le serrant contre elle, les yeux brillant déjà du feu promis. De quoi tu veux parler ?

— Qu'est-ce que tu fabriques ?

— Je te l'ai dit.

— Mais pourquoi ?

— Je te l'ai dit aussi.

— On ne peut pas juste partir ?

— Ce serait trop facile de revenir. Je veux qu'on n'ait plus le choix. Robert a besoin de toi, et j'ai besoin de toi. Et tu as besoin de nous. On ne peut pas se permettre de se tromper là-dessus à nouveau.

— Ça n'arrivera pas. Une fois nous a suffi.

— De toute façon cette maison ne durera pas longtemps.

— On peut la réparer.

— Avec quoi ? Il n'y a rien dans l'atelier de Père pour refaire le toit ou reconstruire la buanderie.

— On improvisera.

— Il vaut mieux occuper notre temps à autre chose. Par ailleurs…

— Par ailleurs quoi ?

— Suis-moi.

Elle m'a conduite à l'extérieur de la maison dans le crépuscule glacial, jusqu'à l'endroit où le chemin s'enfonçait dans la forêt.

— Regarde, a-t-elle dit en indiquant la terre.

À côté d'une flaque j'ai vu l'empreinte d'un pied chaussé d'une botte. Elle était grande, elle faisait trois fois la mienne, et celui qui l'avait laissée, qui qu'il fût, s'était tenu là, à regarder la clairière suffisamment longtemps pour imprimer la trace de sa chaussure dans la boue.

— Il est revenu, ai-je dit en parcourant des yeux les bois qui s'assombrissaient peu à peu, avec une peur que je n'avais pas éprouvée depuis des mois.

— Oui, a-t-elle répondu, ou quelqu'un comme lui.

— Tu l'as vu ? ai-je demandé.

— Non.

— Alors pourquoi…

— Regarde, a-t-elle dit à nouveau en pointant le chemin.

Dans la lumière crépusculaire j'ai vu trois autres traces de la même paire de bottes, mais indistinctes et loin les unes des autres et menant hors de la clairière.

— Je ne comprends pas, ai-je dit. Qu'est-ce qui l'a fait partir en courant ?

Sans un mot Eva m'a guidée vers une autre empreinte. Elle était large et nue et à peine plus petite que mon pied. Quand je me suis penchée pour l'examiner, j'ai vu dans la boue à l'avant de chaque orteil la marque d'une griffe, et j'ai senti la nuit que je venais de passer m'ébranler à nouveau.

Eva m'a observée tandis que ces dessins élaboraient leur histoire dans ma tête.

— Il s'est sauvé à cause d'un ours ? ai-je demandé.

— Mais c'est un pur hasard, c'est tout. Ça ne se reproduira pas deux fois.

Elle m'a regardée intensément pendant encore plusieurs minutes puis a repris la parole.

— Tu vois ce que je veux dire ?

— D'accord, ai-je répondu. D'accord. Peut-être doit-on effectivement partir d'ici, mais pourquoi faut-il brûler la maison ?

— Tu ne comprends pas ? Tôt ou tard quelqu'un viendra et nous cherchera. Si on abandonne la maison, il pourra s'y installer. Mais si elle a brûlé, et qu'on n'est pas là, il n'y aura aucune raison pour que qui que ce soit traîne dans les parages.

— Et si Eli revient ? ai-je dit.

La question m'avait échappé.

— Il sait où est la souche, n'est-ce pas ?

J'ai hoché la tête. Puis j'ai demandé :

— Et si on a besoin de quelque chose ?

— Comme quoi ?

— Eh bien… de la nourriture. Des habits. Je ne sais pas. De la vaisselle. Des outils.

— On a déjà de quoi tenir un hiver entier dans la souche.

Elle est repartie en direction de la maison.

— J'ai préparé des affaires cet après-midi… des couteaux et des couvertures et la loupe. Des brocs et des casseroles. Les graines. Et si l'atelier ne prend pas feu, on pourra toujours y retourner discrètement et récupérer ce qui nous manquera. Mais rien de tout ça ne durera éternellement de toute façon. C'est déjà en train de s'user. Si on a vraiment besoin de quelque chose, on le trouvera dans la forêt.

— On n'en sait pas assez sur la forêt pour l'instant, a-je fait remarquer en la suivant dans la maison nauséabonde.

Elle a de nouveau haussé les épaules.

— On apprendra. On a besoin de vivre une aventure.

— C'est ce qu'Eli disait.

— Sauf que ça, c'est une vraie aventure. Lui, il fuyait.

— Attendons un peu, au moins jusqu'au printemps.

— Le printemps n'est pas très loin. Je sais qu'on peut tenir jusque-là. Et puis, j'ai le pressentiment que cet homme va revenir bientôt. Si on attend, il sera trop tard.

— Mais ça, ai-je dit en parcourant la pièce du regard, c'est tout ce qu'on a. Tout ce qu'on a jamais eu.

— Tout ce qu'on a c'est nous. Et la forêt. Et peut-être un peu de temps. Ça, comme tu dis, nous a presque tuées. On ne peut pas rester ici.

— Oh, Eva…

— Nell, tu connais toutes ces choses.

— Quelles choses ?

— Quand l'homme est-il apparu ?

— Quoi ?

— Quand a-t-il évolué ?

— *Homo sapiens sapiens* est apparu à la fin du Pléistocène moyen, ai-je répondu, citant l'encyclopédie.

— C'est-à-dire ?

— L'homme est apparu il y a au moins cent mille ans. Peut-être même deux ou trois fois ça.

— *L'homme* est apparu il y a au moins cent mille ans. Et depuis quand l'électricité existe ?

— Eh bien, Edison a inventé la lampe incandescente en 1879.

— Tu vois ? Tout ça… (et d'un ample mouvement du bras, elle a désigné les pièces de la seule maison que j'avais toujours connue) n'était que… comment l'as-tu appelé ? Une fugue dissociative.

Elle a montré ensuite l'obscurité qu'encadrait la porte ouverte.

— Nos vraies vies sont là-bas.

— Mais que se passera-t-il si on n'a plus à manger, ou si on tombe malade ? On pourrait mourir.

— On peut se retrouver sans plus rien à manger ou tomber malade ici. (Elle a éclaté de rire). Nellie, *l'homme* meurt depuis au moins cent mille ans. Ce n'est pas important de mourir. Bien sûr qu'on va mourir. Écoute, a-t-elle ajouté avec ferveur. Tu as déjà vécu là-bas. Ça fait des mois que tu détestes cette maison.

Elle m'a observée pendant que je réfléchissais à ses paroles, et puis elle a souri et m'a touché le visage.

— Oh, ma sœur, a-t-elle dit, ça va aller. Quoi qu'il arrive, c'est la meilleure chose à faire. Pense à Burl, a-t-elle insisté en l'appelant par ce nom pour la première fois. Si tu ne peux pas le faire pour toi, fais-le pour lui.

— D'accord, ai-je répondu. D'accord. On va partir vivre dans la souche, et j'ai expiré si profondément qu'on aurait dit que je retenais ma respiration depuis des années. Mais j'ai besoin d'une minute. D'un peu de temps.

— Bien sûr. On a toute la matinée.

Burl s'est alors réveillé, et a reniflé mon sein sans lait. Je l'ai embrassé et l'ai tendu à Eva.

— Je t'attends dehors, a-t-elle dit. J'ai déjà dit au revoir.

Elle m'a laissée dans la maison que nos parents avaient faite pour nous, l'endroit où nous avions toutes deux été conçues. Les joues ruisselantes de larmes, je suis montée à l'étage et je suis entrée dans la chambre de mes parents. J'ai enfoui mon visage dans les robes de ma mère, respiré pour la dernière fois son parfum qui s'estompait. J'ai fermé l'armoire, couché les photos des enfants que nous avions été autrefois, face contre la commode, et je suis partie.

En bas, j'ai presque vacillé sur mes jambes à cause des vapeurs d'essence, aussi ai-je fait en sorte que mon dernier tour soit bref – je suis passée dans la cuisine, le salon, le studio d'Eva, l'atelier de Mère avec ses tapisseries inachevées et ses livres.

À la vue des étagères surchargées je me suis arrêtée net. Dans la pénombre de la pièce, m'est revenu tout ce que ces livres m'avaient appris, le réconfort qu'ils m'avaient apporté, le délassement et les défis, et j'ai été bouleversée à l'idée de les laisser. Comme une folle je me suis mise à empiler sur le sol tous ceux sans lesquels il me semblait que nous ne pouvions pas vivre. *Les dialogues de Platon. Orgueil et préjugés. Éléments de trigonométrie. Les Aventures de Huckleberry Finn. Un Guide des Oiseaux d'Amérique du Nord. Antigone. Beloved. Les Œuvres complètes de Shakespeare. La Désobéissance civile. La Cité promise. L'Atlas du monde. Sous la neige. La Physique quantique. Howl. Les Hauts de Hurlevent.*

Mais avant même d'en avoir terminé avec la première étagère, j'ai su que la pile était trop lourde pour la transporter à la souche. J'ai vu à quel point il était absurde de vouloir posséder une bibliothèque dans les bois, exposée à la moisissure de l'hiver, à la chaleur de l'été qui fait craqueler le dos des livres, occupant la place dont nous aurions besoin pour d'autres choses.

J'ai essayé désespérément de réduire le nombre, de ne garder que les livres absolument nécessaires. Mais étalé par terre, chaque volume était sa meilleure défense. Tous semblaient incomparablement précieux. Comment pouvais-je décider que Les *Poésies complètes d'Emily Dickinson* valaient plus que les *Contes de Grimm,* ou qu'il fallait renoncer à *L'Origine des espèces* au profit du *Troisième Reich, des origines à la chute : une histoire de l'Allemagne nazie* ?

Un instant il m'a semblé plus équitable, peut-être même plus charitable de les brûler tous. Je me suis dit que la vie qui nous attendait était de celles où les livres ne comptaient pas. J'ai songé à Eva m'attendant dans la cour, je me suis rappelé que l'encyclopédie ne m'avait pas aidée pendant son accouchement, qu'aucun livre ne m'avait préparée à sauver la vie de mon père.

Puis je me suis souvenue à quel point mon père aimait les livres, à quel point il leur faisait confiance, et il m'a semblé que partir les mains vides serait autant une profanation que ne pas enterrer son corps et l'abandonner aux sangliers.

Je vais en prendre juste trois, ai-je marchandé avec moi-même – un pour Eva, un pour Burl et un pour moi.

Ils ne se conserveront pas longtemps, ai-je fait valoir. Ils seront mouillés ou déchirés ou sacrifiés à quelque besoin plus urgent.

C'est bon, ai-je pensé. Un jour on en aura peut-être plus. Et sinon, ça me permettra de me déshabituer de la lecture plus lentement.

Le livre pour Eva a été facile à choisir. Je lui ai pris les *Plantes indigènes de la Californie du Nord*, puisqu'il lui avait peut-être déjà sauvé la vie, puisque c'était la seule grand-mère qu'elle aurait jamais.

Pour Burl, c'était plus difficile. *Les Contes de la mère l'oie ? Pierre Lapin ? L'Île au trésor ? Guerre et Paix ?* Comment pouvais-je imaginer ce qu'il désirerait apprendre, quel livre il aimerait le plus lire ? *L'Odyssée ? Don Quichotte ? Dune ?* Finalement j'ai décidé de lui prendre le recueil de chants et de récits des humains qui avaient peuplé la forêt avant nous, avec l'histoire de Sally Bell, avec les histoires de Coyote et de Bear, et les chants de deuil et d'actions de grâce, les chants pour porter chance.

Puis ça a été mon tour, et j'ai eu l'impression d'être Mère Courage, forcée de choisir entre ses enfants. J'ai fait le tri dans le tas de livres par terre, et je les aimais tous. J'aimais l'odeur et le poids de chacun d'eux, j'aimais les couleurs de leurs couvertures et le toucher de leurs pages. J'aimais tout ce qu'ils représentaient pour moi, tout ce qu'ils m'avaient appris, tout ce que j'avais été à leur contact, et j'ai mesuré à quel point choisir était tragique, car en prendre un signifiait laisser les autres.

J'avais presque décidé de n'en garder aucun, quand un livre qui se trouvait toujours sur l'étagère à moitié vide a attiré mon regard. Je ne l'avais pas lu, n'avais fait rien de plus que parcourir ses mille pages, pourtant j'ai brusquement su qu'il serait le troisième livre que je prendrais. Je l'ai descendu, j'ai tracé son titre du bout du doigt : *Index : A-Z*.

Je ne pouvais pas sauver toutes les histoires, espérer conserver toutes les informations – c'était trop vaste, trop disparate, peut-être même trop dangereux. Mais je pouvais emporter l'index de l'encyclopédie, je pouvais essayer de préserver cette liste majeure de tout ce qui avait été fait ou dit ou compris.

Peut-être pourrions-nous créer de nouvelles histoires ; découvrir de nouveaux savoirs qui nous maintiendraient en vie. En attendant, j'emporterais l'*Index* pour ne pas oublier, afin de me rappeler – et de montrer à Burl – la carte de tout ce que nous avions dû abandonner derrière nous.

Les livres dans une main, j'ai fermé la porte de l'atelier de Mère. Dans le salon, j'ai ramassé la carabine, pris la boîte de balles dans l'armoire. Tout le reste, je l'ai laissé. Mon ordinateur et ma calculette et ma lettre de Harvard, les chaussons de danse d'Eva, le lecteur de CD, et le carrousel de Noël, j'ai laissé une maison entière de choses dont nous pensions autrefois avoir besoin pour survivre, et je suis sortie.

Une lune croissante d'une finesse absolue venait juste d'apparaître au-dessus des arbres, et dans la cour plongée dans l'obscurité Eva avait construit un feu à côté du poulailler et attendait avec Burl dans les bras.

— Prête ? a-t-elle demandé.

— Qu'est-ce qu'on fait des poules ?

— On les emmène. On ne devrait pas avoir trop de mal à fabriquer un poulailler. Et puis, elles sont déjà à moitié sauvages.

— Très bien, ai-je dit.

— Tu veux t'en charger ?

— D'accord.

Nous avons regardé le petit feu de camp pendant un moment, puis Eva a tenu une branche de séquoia au-dessus des flammes jusqu'à ce qu'elle s'embrase.

— À toi de jouer, a-t-elle dit, et elle me l'a tendue. Sois prudente.

J'ai grimpé les marches, traversé la terrasse, hésité quelques secondes, puis j'ai lancé le tison à l'intérieur par la porte ouverte.

J'ai à peine eu le temps de m'éloigner de la terrasse que l'explosion retentissait. Derrière moi, tandis que je courais, j'ai entendu un bruit comme un hoquet, et juste après une déflagration si monstrueuse qu'elle a ébranlé la terre. Les fenêtres ont volé en éclats et j'ai trébuché. Mais une minute plus tard j'étais près d'Eva. Secouée de tremblements, je me suis retournée pour faire face aux flammes qui se dressaient, pour regarder le feu ravir la maison, rugir vers l'extérieur et vers le haut dans chaque pièce. Eva a pris ma main en silence, et ensemble nous avons écouté le fracas et les cris des murs qui s'écroulaient, le sifflement sauvage et le grondement de tout ce feu.

Finalement j'ai dit :

— Je voulais vraiment que tu te serves de cette essence pour danser. J'ai toujours rêvé te voir danser à nouveau.

Eva a éclaté de rire et s'est tournée vers moi.

— Tu peux me voir danser maintenant.

Elle m'a tendu Burl, et, levant les bras bien au-dessus de sa tête, elle s'est mise à danser. Là, à côté de la maison en feu, elle a exécuté une danse qui se débarrassait de la danse classique comme une peau devenue trop grande et laissait la danseuse fraîche et joyeuse et courageuse. Elle a dansé avec un corps qui avait semé des graines, ramassé des glands, donné naissance. Avec de nouveaux mouvements qui n'avaient pas de noms, elle a dansé la danse d'elle-même, tantôt sauvage, tantôt tendre, tantôt pesante, tantôt sautillante. Sur le sol raboteux, elle a dansé au son de notre maison qui brûlait.

Au bout d'un moment, épuisée et exaltée, ma sœur s'est jetée par terre.

— Joyeux Noël, Nell, a-t-elle soufflé.

— Joyeux Noël, Eva.

Nous sommes restées silencieuses pendant de longues minutes, contemplant la maison en feu. Puis Burl a bougé dans mes bras.

— C'est ça l'histoire, ai-je dit, citant mon père. Elle pourrait être mieux, elle pourrait être pire. Mais au moins, il y a un bébé au centre.

— Je me demande, a dit Eva en se levant pour recommencer à danser, pourquoi qui que ce soit voudrait marcher sur l'eau… alors qu'on peut danser sur la terre.

Ma sœur danse donc et la maison morte brûle, et je griffonne ces quelques derniers mots à la lueur de son embrasement. Je sais que je devrais jeter cette histoire, aussi, dans les flammes. Mais je suis encore trop une conteuse d'histoires – ou du moins une gardienne d'histoires –, je suis encore trop la fille de mon père pour brûler ces pages.

Le vent se lève à présent et le bébé se réveille. Bientôt nous traverserons tous les trois la clairière et entrerons dans la forêt pour de bon.

Remerciements

DANS la forêt est une œuvre de fiction. L'histoire de Sally Bell est le seul matériau cité directement d'une autre source ("Sinkyones Notes" par Gladys Nomland, *University of California Publications in American Archeology and Ethnology*, Vol. 36 (2), 1935).

Voici les ouvrages sur lesquels je me suis appuyée : *The Way We lived : California Indian Reminiscences, Stories and Songs*, publié par Malcolm Margolin (Berkeley : Heyday Books, 1981), où j'ai découvert l'histoire de Sally Bell, et *Original Accounts of the Lone Woman of San Nicolas Island*, publié par Robert F. Heizer et Albert B. Elasser (Ramona, CA : Ballena Press, 1973).

Catalogue TOTEM

112 James Fenimore Cooper, *Les Pionniers*
111 S. Craig Zahler, *Une assemblée de chacals*
110 Edward Abbey, *Désert solitaire*
109 Henry Bromell, *Little America*
108 Tom Robbins, *Une bien étrange attraction*
107 Christa Faust, *Money shot*
106 Jean Hegland, *Dans la forêt*
105 Ross Macdonald, *L'Affaire Galton*
104 Chris Offutt, *Kentucky Straight*
103 Ellen Urbani, *Landfall*
102 Edgar Allan Poe, *La Chute de la maison Usher et autres histoires*
101 Pete Fromm, *Le Nom des étoiles*
100 David Vann, *Aquarium*
99 *Nous le peuple*
98 Jon Bassoff, *Corrosion*
97 Phil Klay, *Fin de mission*
96 Ned Crabb, *Meurtres à Willow Pond*
95 Larry Brown, *Sale boulot*
94 Katherine Dunn, *Amour monstre*
93 Jim Lynch, *Les Grandes Marées*
92 Alex Taylor, *Le Verger de marbre*
91 Edward Abbey, *Le Retour du Gang*
90 S. Craig Zahler, *Exécutions à Victory*
89 Bob Shacochis, *La Femme qui avait perdu son âme*
88 David Vann, *Goat Mountain*
87 Charles Williams, *Le Bikini de diamants*
86 Wallace Stegner, *En lieu sûr*
85 Jake Hinkson, *L'Enfer de Church Street*
84 James Fenimore Cooper, *Le Dernier des Mohicans*
83 Larry McMurtry, *La Marche du mort*
82 Aaron Gwyn, *La Quête de Wynne*
81 James McBride, *L'Oiseau du Bon Dieu*
80 Trevanian, *The Main*
79 Henry David Thoreau, *La Désobéissance civile*
78 Henry David Thoreau, *Walden*
77 James M. Cain, *Assurance sur la mort*
76 Tom Robbins, *Nature morte avec pivert*
75 Todd Robinson, *Cassandra*

74 Pete Fromm, *Lucy in the Sky*
73 Glendon Swarthout, *Bénis soient les enfants et les bêtes*
72 Benjamin Whitmer, *Pike*
71 Larry Brown, *Fay*
70 John Gierach, *Traité du zen et de l'art de la pêche à la mouche*
69 Edward Abbey, *Le Gang de la Clef à Molette*
68 David Vann, *Impurs*
67 Bruce Holbert, *Animaux solitaires*
66 Kurt Vonnegut, *Nuit mère*
65 Trevanian, *Shibumi*
64 Chris Offutt, *Le Bon Frère*
63 Tobias Wolff, *Un voleur parmi nous*
62 Wallace Stegner, *La Montagne en sucre*
61 Kim Zupan, *Les Arpenteurs*
60 Samuel W. Gailey, *Deep Winter*
59 Bob Shacochis, *Au bonheur des îles*
58 William March, *Compagnie K*
57 Larry Brown, *Père et Fils*
56 Ross Macdonald, *Les Oiseaux de malheur*
55 Ayana Mathis, *Les Douze Tribus d'Hattie*
54 James McBride, *Miracle à Santa Anna*
53 Dorothy Johnson, *La Colline des potences*
52 James Dickey, *Délivrance*
51 Eve Babitz, *Jours tranquilles, brèves rencontres*
50 Tom Robbins, *Un parfum de jitterburg*
49 Tim O'Brien, *Au lac des bois*
48 William Tapply, *Dark Tiger*
46 Mark Spragg, *Là où les rivières se séparent*
45 Ross Macdonald, *La Côte barbare*
44 David Vann, *Dernier jour sur terre*
43 Tobias Wolff, *Dans le jardin des martyrs nord-américains*
42 Ross Macdonald, *Trouver une victime*
41 Tom Robbins, *Comme la grenouille sur son nénuphar*
40 Howard Fast, *La Dernière Frontière*
39 Kurt Vonnegut, *Le Petit Déjeuner des champions*
38 Kurt Vonnegut, *Dieu vous bénisse, monsieur Rosewater*
37 Larry Brown, *Joe*
36 Craig Johnson, *Enfants de poussière*
35 William G. Tapply, *Casco Bay*
34 Lance Weller, *Wilderness*

33 Trevanian, *L'Expert*
32 Bruce Machart, *Le Sillage de l'oubli*
31 Ross Macdonald, *Le Sourire d'ivoire*
30 David Morrell, *Premier sang*
29 Ross Macdonald, *À chacun sa mort*
28 Rick Bass, *Le Livre de Yaak*
27 Dorothy M. Johnson, *Contrée indienne*
26 Craig Johnson, *L'Indien blanc*
25 David Vann, *Désolations*
24 Tom Robbins, *B comme Bière*
23 Glendon Swarthout, *Le Tireur*
22 Mark Spragg, *Une vie inachevée*
21 Ron Carlson, *Le Signal*
20 William G. Tapply, *Dérive sanglante*
19 Ross Macdonald, *Noyade en eau douce*
18 Ross Macdonald, *Cible mouvante*
17 Doug Peacock, *Mes années grizzly*
15 Tom Robbins, *Féroces infirmes retour des pays chauds*
14 Larry McMurtry, *Texasville*
13 Larry McMurtry, *La Dernière Séance*
12 David Vann, *Sukkwan Island*
11 Tim O'Brien, *Les Choses qu'ils emportaient*
10 Howard McCord, *L'Homme qui marchait sur la Lune*
8 Larry McMurtry, *Lonesome Dove, épisode II*
7 Larry McMurtry, *Lonesome Dove, épisode I*
6 Rick Bass, *Les Derniers Grizzlys*
5 Jim Tenuto, *La Rivière de sang*
4 Tom Robbins, *Même les cow-girls ont du vague à l'âme*
3 Trevanian, *La Sanction*
2 Pete Fromm, *Indian Creek*
1 Larry Watson, *Montana 1948*

CET OUVRAGE A ÉTÉ COMPOSÉ PAR
ATLANT'COMMUNICATION
AU BERNARD (VENDÉE).

ACHEVÉ D'IMPRIMER EN MAI 2018 SUR LES PRESSES
DE NORMANDIE ROTO IMPRESSION S.A.S., 61250 LONRAI
POUR LE COMPTE DES ÉDITIONS GALLMEISTER
30, RUE DE FLEURUS, 75006 PARIS

IMPRIMÉ EN FRANCE

DÉPÔT LÉGAL : MAI 2018
N° D'IMPRESSION : 1801478